LONGA PÉTALA DE MAR

Da autora:

Afrodite
O Amante japonês
Amor
O Caderno de Maya
A casa dos espíritos
Contos de Eva Luna
De amor e de sombra
Eva Luna
Filha da fortuna
A ilha sob o mar
Inés da minha alma
O jogo de Ripper
Longa pétala de mar
Meu país inventado
Muito além do inverno
Paula
O plano infinito
Retrato em sépia
A soma dos dias
Zorro
Mulheres de minha alma
Violeta
O vento sabe meu nome

Trilogia As aventuras da águia e do jaguar
A cidade das feras
O reino do dragão de ouro
A floresta dos pigmeus

ISABEL ALLENDE

★

LONGA PÉTALA DE MAR

Tradução
Ivone Benedetti

8ª edição

BERTRAND BRASIL
Rio de Janeiro | 2024

Copyright © Isabel Allende, 2019

Título original: *Largo pétalo de mar*

Texto revisado segundo o novo
Acordo Ortográfico da Língua Portuguesa

2023
Impresso no Brasil
Printed in Brazil

```
        CIP-BRASIL. CATALOGAÇÃO NA PUBLICAÇÃO
          SINDICATO NACIONAL DOS EDITORES DE LIVROS, RJ

            Allende, Isabel, 1942-
A428L         Longa pétala de mar / Isabel Allende; [tradução Ivone Benedetti]. –
8ª ed.      8ª ed. – Rio de Janeiro: Bertrand Brasil, 2024.
              280 p.

              Tradução de: Largo pétalo de mar
              ISBN 978-85-286-2440-3

              1. Romance chileno. I. Benedetti, Ivone. II. Título.

                                                 CDD: 868.9933
19-59694                                         CDU: 82-31(83)

         Meri Gleice Rodrigues de Souza – Bibliotecária – CRB-7/6439
```

Todos os direitos reservados. Não é permitida a reprodução total ou parcial desta obra, por quaisquer meios, sem a prévia autorização por escrito da Editora.

Direitos exclusivos de publicação em língua portuguesa somente para o Brasil adquiridos pela:
EDITORA BERTRAND BRASIL LTDA.
Rua Argentina, 171 – 3º andar – São Cristóvão
20921-380 – Rio de Janeiro – RJ
Tel.: (21) 2585-2000 – Fax: (21) 2585-2084

Atendimento e venda direta ao leitor:
sac@record.com.br

*A meu irmão Juan Allende,
a Víctor Pey Casado e a outros
navegantes da esperança*

...extranjeros, esta es,
esta es mi patria,
aquí nací y aquí viven mis sueños.*

PABLO NERUDA,
"Regreso",
Navegaciones y regresos.

---

* Estrangeiros, esta é, / esta é minha pátria, / aqui nasci e aqui vivem meus sonhos. [N. T.]

PRIMEIRA PARTE

Guerra e êxodo

I

1938

*Prepararse, muchachos,
para otra vez matar, morir de nuevo
y cubrir con flores la sangre.**

PABLO NERUDA,
"Sangrienta fue toda tierra del hombre",
El mar y las campanas.

O soldadinho era da Convocação da Mamadeira, leva de meninos recrutados quando já não sobravam homens jovens nem velhos para a guerra. Víctor Dalmau o recebeu junto a outros feridos que, retirados do vagão de carga sem muita consideração, porque havia pressa, foram estendidos como troncos em esteiras sobre o piso de cimento e pedra da estação do Norte, à espera de outros veículos para levá-los aos centros hospitalares do Exército do Leste. Estava inerte, com a expressão tranquila de quem viu os anjos e nada mais teme. Sabe-se lá quantos dias tinha passado aos solavancos, de uma maca a outra e de um posto de campanha a outro, de uma ambulância a outra, até chegar à Catalunha naquele trem. Na estação, vários médicos, paramédicos e enfermeiras recebiam os soldados, mandavam

---

* Preparar-se, rapazes, / para outra vez matar, morrer de novo / e cobrir com flores o sangue. [N. T.]

imediatamente os mais graves para o hospital e classificavam o restante segundo o local do ferimento — grupo A, nos braços; B, nas pernas; C, na cabeça; e assim seguia o alfabeto — e os enviavam com um cartaz no pescoço para o lugar correspondente. Os feridos chegavam às centenas; era preciso diagnosticar e decidir em questão de minutos, mas o tumulto e a confusão eram só aparentes. Ninguém ficava sem atenção, ninguém era perdido. Os que precisavam de cirurgia iam para o antigo edifício de Sant Andreu em Manresa; os que exigiam tratamento eram mandados para outros centros, enquanto valia mais a pena deixar alguns onde estavam, porque nada podia ser feito para salvá-los. As voluntárias lhes molhavam os lábios, falavam-lhes baixinho e os acalentavam como se fossem seus filhos, sabendo que em outro lugar haveria outra mulher amparando seu filho ou seu irmão. Mais tarde os padioleiros os levavam para o depósito de cadáveres. O soldadinho tinha um orifício no peito, e o médico, depois de examiná-lo sumariamente sem encontrar seu pulso, determinou que já não lhe cabia nenhum socorro e que ele já não precisava de morfina nem de consolo. Na testa seu ferimento tinha sido tapado com um trapo e protegido com um prato de latão invertido para evitar atrito, e seu tórax tinha sido envolvido numa faixa, mas isso fazia várias horas ou vários dias ou vários trens, impossível saber.

Dalmau estava ali para ajudar os médicos; seu dever era obedecer à ordem, deixar o garoto ali e dedicar-se ao seguinte, mas achou que aquele menino, para ter sobrevivido à comoção, à hemorragia e ao traslado, chegando até aquela plataforma da estação, devia ter muita vontade de viver, e era pena que tivesse se rendido à morte no último momento. Retirou cuidadosamente os trapos e verificou assombrado que o ferimento estava aberto e tão limpo como se tivesse sido pintado no peito. Não conseguiu entender como o impacto tinha destroçado as costelas e partido o esterno sem pulverizar o coração. Nos quase três anos de prática na Guerra Civil Espanhola, primeiro nos *fronts* de Madri e Teruel, depois no hospital de evacuação, em Manresa, Víctor Dalmau acreditava ter visto de tudo e estar imunizado contra o sofrimento alheio, mas nunca tinha visto um coração vivo. Fascinado, presenciou os últimos batimentos, cada vez mais lentos e esporádicos, até que eles pararam totalmente, e o soldadinho acabou de expirar sem um suspiro. Por um breve instante Dalmau ficou imóvel, contemplando o oco vermelho onde já nada batia. Entre todas as recordações da guerra, aquela seria a mais pertinaz e recorrente: aquele menino de quinze ou dezesseis anos, ainda imberbe, sujo de batalha e sangue seco, estendido numa esteira com o coração a céu aberto. Nunca pôde explicar a si mesmo por que introduziu três dedos da mão direita no espantoso ferimento, circundou o órgão e apertou várias vezes ritmadamente, com a maior calma e naturalidade, durante um tempo impossível de lembrar, talvez trinta segundos, talvez uma eternidade. E então sentiu que o coração revivia entre seus dedos, primeiro com um tremor quase imperceptível e depois com vigor e regularidade.

— Rapaz, se eu não tivesse visto com meus próprios olhos, jamais acreditaria — disse em tom solene um dos médicos que se aproximara sem que Dalmau percebesse. Chamou os padioleiros com dois gritos e lhes ordenou que levassem imediatamente o ferido a toda pressa, pois era um caso especial. — Onde aprendeu isso? — perguntou a Dalmau assim que os padioleiros levantaram o soldadinho, que continuava cor de cinza, mas com pulso.

Víctor Dalmau, homem de poucas palavras, informou-lhe em duas frases que tinha conseguido estudar três anos de medicina em Barcelona antes de ir para o *front* como paramédico.

— Onde aprendeu? — repetiu o médico.

— Em nenhum lugar, mas achei que não havia nada para perder.

— Estou vendo que você manca.

— Fêmur esquerdo. Teruel. Está sarando.

— Bom, a partir de agora vai trabalhar comigo, aqui está perdendo tempo. Como se chama?

— Víctor Dalmau, camarada.

— Nada de camarada comigo. Trate-me de doutor e nem pense em me chamar de você. Combinado?

— Combinado, doutor. Que seja recíproco. Pode me chamar de senhor Dalmau, mas essa os outros camaradas não vão engolir.

O médico sorriu entredentes. No dia seguinte Dalmau começou a treinar na profissão que determinaria seu destino.

Víctor Dalmau soube, como soube todo o pessoal de Sant Andreu e de outros hospitais, que a equipe de cirurgiões passou dezesseis horas ressuscitando um morto e que o retiraram vivo da sala de cirurgia. Milagre, disseram muitos. Progressos da ciência e constituição de cavalo percherão do rapaz, rebateram aqueles que tinham abdicado de Deus e dos santos. Víctor decidiu que o visitaria aonde quer que o tivessem levado, mas, com a pressa daqueles tempos, acabou sendo impossível fazer as contas de todos os encontros e desencontros, dos presentes e dos desaparecidos, dos vivos e dos mortos. Por algum tempo parecia ter esquecido aquele coração que tivera na mão, porque sua vida se complicou muito, e outros assuntos o mantiveram ocupado, porém anos mais tarde, do outro lado do mundo, ele o viu em seus pesadelos, e desde então o menino o visitava de vez em quando, pálido e triste, com seu coração inerte numa bandeja. Dalmau não se lembrava de seu nome e talvez nunca o tivesse sabido, e o apelidou de Lázaro por razões óbvias, mas o soldadinho nunca se esqueceu de seu salvador. Assim que conseguiu sentar-se e tomar água sozinho, contaram-lhe a proeza daquele enfermeiro da estação do Norte, um tal de Víctor Dalmau, que o trouxera de volta do território da morte. Bombardearam-no de perguntas. Todos queriam saber se por acaso o céu e o inferno existem de verdade ou se são invenções dos bispos para meter medo. O rapaz se recuperou antes do término da guerra e dois anos depois, em Marselha, mandou tatuar o nome de Víctor Dalmau no peito, debaixo da cicatriz.

Uma jovem miliciana, com o boné de lado na tentativa de compensar a feiura do uniforme, ficou esperando Víctor Dalmau na porta da sala de cirurgia e, quando ele saiu, com barba de três dias e jaleco manchado, entregou-lhe um papel dobrado com um recado das telefonistas. Dalmau tinha passado muitas horas de pé, doía-lhe a perna, e ele acabava de perceber, pelo ronco cavernoso no estômago, que não comia desde a manhã. Era um trabalho de burro de carga, mas ele agradecia a oportunidade de aprender sob a aura magnífica dos melhores cirurgiões da Espanha. Em outras circunstâncias um estudante como ele não poderia nem ter se aproximado deles, mas, naquela altura da guerra, estudos e títulos valiam menos que experiência, e esta lhe sobrava, conforme opinou o diretor do hospital quando lhe permitiu ajudar na cirurgia. Na época, Dalmau conseguia ficar trabalhando quarenta horas seguidas sem dormir, sustentado por tabaco e café de chicória, sem prestar atenção ao inconveniente da perna. Aquela perna o liberara da frente de batalha; graças a ela podia fazer a guerra na retaguarda. Ingressou no Exército Republicano em 1936, como quase todos os jovens de sua idade, e partiu com seu regimento para a defesa de Madri, ocupada em parte pelos nacionais, como se autodenominaram as tropas sublevadas contra o governo; lá, recolhia os que tombavam, porque daquele modo, com seus estudos de medicina, ele era mais útil do que com um fuzil nas trincheiras. Depois o destinaram a outras frentes de batalha.

Em dezembro de 1937, durante a Batalha de Teruel, com um frio glacial, Víctor Dalmau movia-se numa ambulância heroica, prestando os primeiros socorros aos feridos, enquanto o motorista, Aitor Ibarra, basco imortal que cantarolava sem parar e ria estrepitosamente para ludibriar a morte, dava um jeito de dirigir por trilhas de destroços. Dalmau confiava que a boa sorte do basco, que sobrevivera incólume a mil peripécias, desse para dois. A fim de se esquivarem do bombardeio, frequentemente viajavam à noite; se não houvesse luar, alguém ia andando na frente com uma lanterna para indicar o caminho a Aitor, em caso de haver caminho, enquanto Víctor socorria os homens dentro do veículo com pouquíssimos recursos, à luz de outra lanterna. Desafiavam o terreno juncado de obstáculos e a temperatura de muitos graus abaixo de zero, avançando no gelo com lentidão de minhocas, afundando na neve, empurrando a ambulância para subir ladeiras ou tirá-la de buracos e crateras de explosões, desviando de ferros retorcidos e cadáveres petrificados de mulas, debaixo da metralhada do bando nacional e das bombas da Legião Condor, que passava rasando. Nada distraía Víctor Dalmau, concentrado em manter vivos os homens sob sua responsabilidade, que se esvaíam em sangue a olhos vistos, contagiado pelo estoicismo demente de Aitor Ibarra, que dirigia sem se alterar, com uma piada para cada ocasião.

Da ambulância Dalmau passou ao hospital de campanha instalado numas cavernas de Teruel, para se protegerem das bombas, onde trabalhavam iluminados por velas, tochas impregnadas com óleo de motor e lampiões de querosene. Lutavam contra o frio colocando braseiros debaixo das mesas de cirurgia, mas isso não evitava que os instrumentos congelados ficassem grudados nas mãos. Os médicos operavam depressa aqueles que eles podiam remendar um pouco antes de despachar para os centros hospitalares, sabendo que muitos morreriam pelo caminho. Os outros, os que estavam além de qualquer ajuda, esperavam a morte com morfina, quando havia, mas sempre racionada; o éter também era racionado. Se não houvesse outra coisa para ajudar os homens com ferimentos atrozes que bradavam de dor, Víctor lhes dava aspirinas e dizia que era uma portentosa droga americana. A tarefa mais ingrata era armar as fogueiras para pernas e braços amputados; Víctor nunca conseguiu se acostumar com o cheiro de carne queimada.

Ali em Teruel, voltou a ver Elisabeth Eidenbenz, que ele tinha conhecido no *front* de Madri, aonde ela chegara como voluntária com a Associação de Ajuda às Crianças na Guerra. Era uma enfermeira suíça de 24 anos com cara de virgem renascentista e coragem de guerreiro calejado; em Madri, ele ficou meio caído por ela e ficaria inteiramente se ela lhe tivesse dado a mais leve oportunidade, mas nada desviava aquela jovem de sua missão: mitigar o sofrimento das crianças naqueles tempos brutais. Nos meses que passara sem a ver, a suíça tinha perdido a inocência inicial, de quando acabava de chegar à Espanha. Seu caráter se endurecera na luta contra a burocracia militar e a estupidez dos homens; reservava a compaixão e a doçura para as mulheres e as crianças sob sua responsabilidade. Em uma pausa entre os ataques do inimigo, Víctor se encontrou com ela diante de um dos caminhões de abastecimento de alimentos. "Oi, moço, lembra de mim?", cumprimentou Elisabeth em seu espanhol enriquecido de sons guturais do alemão. E como não lembraria? Mas, ao vê-la, ficou sem fala. Pareceu-lhe mais madura e bonita que antes. Sentaram-se nuns escombros de concreto, ele a fumar e ela a tomar chá de um cantil.

— E o seu amigo Aitor? — perguntou ela.

— Vai indo, sempre debaixo da metralhada e sem um arranhão.

— Não tem medo de nada. Diga que mando lembranças.

— Quais são seus planos para quando a guerra terminar? — perguntou Víctor.

— Ir para outra. Sempre há guerra em algum lugar. E você?

— Se quiser, a gente poderia se casar — sugeriu ele, engasgado de timidez.

Ela riu e por um instante voltou a ser a donzela renascentista de outros tempos.

— Nem sonhando, moço, não penso em me casar com você nem com ninguém. Não tenho tempo para o amor.

— Talvez mude de ideia. Acha que vamos nos ver de novo?

— Sem dúvida, se é que sobrevivemos. Conte comigo, Víctor. Qualquer coisa em que eu puder ajudar...

— O mesmo digo eu. Posso beijá-la?

— Não.

Naquelas cavernas de Teruel os nervos de Víctor acabaram de temperar-se, e ele adquiriu o conhecimento médico que nenhuma universidade poderia ter-lhe dado. Aprendeu que a gente se acostuma a quase tudo: ao sangue — quanto sangue! —, à cirurgia sem anestesia, ao cheiro da gangrena, à imundície, ao rio interminável de soldados feridos e às vezes de mulheres e crianças, ao cansaço de séculos a corroer a vontade e — pior ainda — à suspeita insidiosa de que tanto sacrifício podia ser inútil. E foi ali, arrancando mortos e feridos das ruínas de um bombardeio, que um desmoronamento tardio o atingiu, quebrando-lhe a perna esquerda. Foi atendido por um médico inglês das Brigadas Internacionais. Outro teria optado por uma rápida amputação, mas o inglês acabava de começar seu turno e tinha descansado algumas horas. Grunhiu uma ordem para a enfermeira e preparou-se para pôr os ossos no lugar. "Você tem sorte, moço, ontem chegaram as provisões da Cruz Vermelha, e nós vamos fazer você dormir", disse a enfermeira, aproximando dele a máscara de éter.

Víctor atribuiu o acidente ao fato de Aitor Ibarra não estar com ele para protegê-lo com sua boa estrela. Foi Aitor que o carregou até o trem que o levou para Valência com dezenas de outros feridos. Ia com a perna imobilizada por tábuas amarradas com tiras, pois não podia ser engessado por causa dos ferimentos, embrulhado num cobertor, transido de frio e febre, torturado por cada estremecimento do trem, mas agradecido por estar em melhores condições do que a maioria dos homens que jaziam com ele no chão do vagão. Aitor lhe dera seus últimos cigarros e uma dose de morfina, com instruções para usá-la somente em caso de extrema necessidade, porque não disporia de outra.

No hospital de Valência foi felicitado pelo bom trabalho do médico inglês; se não houvesse complicações, a perna ficaria como nova, se bem que um pouco mais curta que a outra, disseram. Assim que os ferimentos começaram a cicatrizar e ele conseguiu ficar em pé apoiado numa muleta, foi mandado para Barcelona, engessado. Ficou na casa dos pais jogando intermináveis partidas de xadrez com seu velho, até que pôde movimentar-se sem ajuda. Então voltou ao trabalho no hospital da cidade, que atendia a população civil. Era como estar de férias, porque em comparação com o que tinha vivido na frente de batalha, aquilo era um paraíso de asseio e eficiência. Ficou ali até a primavera, quando o mandaram para Sant Andreu, em Manresa. Despediu-se dos pais e de Roser Bruguera, estudante de música que os Dalmau tinham acolhido e de quem ele chegou a gostar como uma irmã durante as semanas de convalescença. Aquela jovem modesta e amável, que passava horas em intermináveis exercícios de piano, era a companhia de que Marcel Lluíz e Carme Dalmau precisavam desde que os filhos tinham ido embora.

Víctor Dalmau desdobrou o papel que a miliciana lhe entregara e leu o bilhete de Carme, sua mãe. Fazia sete semanas que não a via, embora o hospital ficasse a apenas 65 quilômetros de Barcelona, porque não tivera um só dia livre para tomar o ônibus. Uma vez por semana, sempre aos domingos à mesma hora, ela lhe telefonava e nesse dia também lhe mandava algo de presente: um chocolate dos brigadistas internacionais, um salame ou um sabonete do mercado negro e às vezes cigarros, que para ela eram um tesouro porque não conseguia viver sem nicotina. O filho se perguntava como os conseguia. O tabaco era tão apreciado que os aviões inimigos costumavam atirá-lo do céu com filões de pão, para zombar da fome dos republicanos e alardear a abundância imperante entre os nacionais.

Um bilhete da mãe na quinta-feira só podia anunciar alguma emergência: "Estarei na Telefônica. Ligue para mim". O filho calculou que ela estava esperando havia quase duas horas, tempo que ele tinha demorado na sala de cirurgia antes de receber o bilhete. Desceu até os escritórios do subsolo e pediu a uma das telefonistas que fizesse uma ligação para a Telefônica de Barcelona.

— O que aconteceu? O pai estava bom e sadio! — exclamou Víctor.

— O coração está que não pode mais. Avise o seu irmão para vir se despedir também porque seu pai pode ir embora num piscar de olhos.

Localizar Guillem no *front* de Madri tomou-lhe trinta horas. Quando por fim conseguiram comunicar-se por rádio no meio de uma algaravia de estática e chiados siderais, seu irmão explicou que era impossível obter permissão para ir a Barcelona. Sua voz estava tão distante e cansada que Víctor não a reconheceu.

— Qualquer um que seja capaz de disparar uma arma é imprescindível, Víctor, você sabe bem disso. Os fascistas estão em vantagem em tropas e armamento, mas não passarão — disse Guillem, repetindo o lema popularizado por Dolores Ibárruri, chamada com razão de Passionária, por sua capacidade de acender entusiasmo fanático nos republicanos.

Os militares rebeldes tinham ocupado a maior parte da Espanha, mas não haviam conseguido tomar Madri, cuja defesa desesperada rua a rua, casa a casa a convertera no símbolo da guerra. Eles contavam com as tropas coloniais do Marrocos, os temidos mouros, e com a formidável ajuda de Mussolini e Hitler, mas a resistência dos republicanos os tinha bloqueado diante da capital no começo da guerra. Guillem Dalmau lutara em Madri na coluna Durruti. Naqueles momentos, ambos os exércitos se enfrentavam tão de perto na Cidade Universitária que em alguns lugares eram separados pela largura de uma rua; conseguiam enxergar os rostos uns dos outros e xingar-se sem gritar demais. Segundo Guillem, entrincheirado em um dos edifícios, os impactos de obuses perfuravam as paredes da Faculdade de Filosofia e Letras, da Faculdade de Medicina e da casa de Velázquez; não havia como se defender dos projéteis, mas eles tinham calculado que três volumes de filosofia interceptavam as balas. Coube-lhe estar por perto quando da morte do lendário anarquista Buenaventura Durruti, que chegara a lutar em Madri com parte de sua coluna, depois de propagar e consolidar a revolução pelas terras de Aragão. Morreu de um tiro a queima-roupa no peito, em circunstâncias pouco claras. A coluna foi dizimada. Pereceram mais de mil milicianos e, entre os que sobreviveram, Guillem foi um dos poucos que saíram ilesos. Dois anos mais tarde, depois de lutar em outros *fronts*, ele novamente fora destinado a Madri.

— O pai vai entender se você não puder vir, Guillem. Em casa estamos à sua espera. Venha quando puder. Mesmo não vendo o velho com vida, a sua presença seria um grande consolo para a mãe.

— Imagino que Roser está com eles.

— Está.

— Mande lembranças. Diga que as cartas dela me acompanham, e que me desculpe por não responder com muita frequência.

— Estaremos esperando, Guillem. Cuide-se bem.

Despediram-se com um breve adeus, e Víctor ficou com um nó no peito, torcendo para que o pai vivesse um pouco mais, o irmão voltasse inteiro, a guerra terminasse de uma vez e a República se salvasse.

O pai de Víctor e Guillem, o professor Marcel Lluíz Dalmau, passou cinquenta anos ensinando música, fundou com empenho e dirigiu com paixão a orquestra sinfônica juvenil de Barcelona e compôs uma dúzia de concertos para piano que ninguém interpretava desde o começo da guerra, bem como várias canções que naqueles mesmos anos estavam entre as favoritas dos milicianos. Conheceu Carme, sua mulher, quando ela era uma adolescente de quinze anos embrulhada no severo uniforme do colégio e ele, um jovem maestro doze anos mais velho que ela. Carme era filha de estivador, aluna de caridade das freiras que a preparavam para o noviciado desde a infância e nunca a perdoaram por ter deixado o convento para ir viver em pecado com um folgazão, ateu, anarquista e talvez maçom, que zombava do sagrado vínculo do matrimônio. Marcel Lluíz e Carme viveram em pecado vários anos até a iminente chegada de Víctor, seu primeiro descendente; então se casaram para poupar à criança o estigma da bastardia, que naqueles tempos ainda era uma séria limitação na vida. "Se tivéssemos filhos agora, não teríamos nos casado, porque ninguém é bastardo na República", declarou

Marcel Lluíz Dalmau num momento de inspiração, no início da guerra. "Nesse caso eu teria ficado grávida já velha, e seus filhos ainda estariam usando cueiros", respondeu Carme.

Víctor e Guillem Dalmau estudaram em escola laica e cresceram numa casa pequena do Raval, num lar de classe média esforçada, onde a música do pai e os livros da mãe substituíram a religião. Os Dalmau não militavam em nenhum partido político, mas a desconfiança de ambos da autoridade e de qualquer tipo de governo os alinhava com o anarquismo. Além da música em várias de suas formas, Marcel Lluíz inculcou nos filhos curiosidade pela ciência e paixão pela justiça social. A primeira motivou Víctor a estudar medicina, e a segunda foi o ideal absoluto de Guillem, que desde criança andava zangado com o mundo, pregando contra latifundiários, comerciantes, industriais, aristocratas e padres, sobretudo padres, com mais fervor messiânico do que com argumentos. Era alegre, barulhento, robusto e atrevido, o favorito das garotas, que se desdobravam em vão para seduzi-lo, pois pouco lhe importava o efeito que causava nelas, dedicando-se de corpo e alma a esportes, bares e amigos. Desafiando os pais, aos dezenove anos alistou-se nas primeiras milícias de operários organizados em defesa do governo republicano contra os fascistas rebeldes. Tinha vocação para soldado, nascera para empunhar armas e mandar em outros homens menos decididos que ele. Seu irmão Víctor, em compensação, parecia poeta, com seus ossos compridos, cabelo indomável e cara de preocupação, sempre com um livro nas mãos e calado. Na escola, Víctor suportava a implacável aperreação dos outros meninos, "vai ver se vira padre, maricas"; então quem intervinha era Guillem, três anos mais novo, porém mais robusto e sempre pronto a trocar sopapos por alguma razão justa. Guillem abraçou a revolução como a uma noiva; tinha encontrado a causa pela qual valia a pena deixar a vida.

Os conservadores e a Igreja Católica, que tinham investido dinheiro, propaganda e pregações apocalípticas no púlpito, foram derrotados nas eleições gerais de 1936 pela Frente Popular, coalizão de partidos de esquerda. A Espanha, convulsionada desde o triunfo republicano cinco anos antes, dividiu-se como se uma violenta machadada a tivesse partido. Com o argumento de impor ordem numa situação que consideravam caótica, embora na verdade estivesse longe disso, a direita começou de imediato a conspirar com os militares para derrubar o governo legítimo, formado por liberais, socialistas, comunistas e sindicalistas, com o apoio eufórico de operários, camponeses, trabalhadores e da maioria dos estudantes e intelectuais. Guillem tinha terminado a *secundaria** a duras penas e, segundo o pai, amante de metáforas, tinha físico de atleta, coragem de toureiro e cérebro de moleque de oito anos. O ambiente político era ideal para Guillem, que aproveitava qualquer ocasião para atracar-se aos murros com adversários, embora lhe fosse difícil articular suas razões ideológicas e assim continuaria sendo até entrar nas milícias, nas quais a doutrinação política era tão importante quanto a das armas. A cidade estava dividida, os extremos só se juntavam para agredir-se. Havia bares, bailes, esportes e festas de esquerda e outros de direita. Antes de se tornar miliciano, Guillem já lutava. Depois de algum entrevero com riquinhos atrevidos, voltava para casa machucado, mas feliz. Os pais não desconfiavam que ele saía para queimar colheitas e roubar animais nas fazendas dos proprietários, para bater, incendiar e fazer estragos, até que apareceu um dia com um candelabro de prata. A mãe o arrebatou com uma mãozada e o atirou no filho. Fosse mais alta, teria lhe quebrado a cabeça, mas o candelabro pegou Guillem no meio das costas. Carme o obrigou a confessar o que outros sabiam, mas que ela tinha se negado a admitir até aquele momento: que, entre outras diabruras, seu filho andava profanando igrejas e atacando padres e freiras, ou seja, cometendo exatamente o que afirmava a propaganda dos nacionais. "Cria corvos e eles te arrancarão os olhos! Você vai me matar de vergonha, Guillem! Agora mesmo vai devolver isso! Está ouvindo?", gritou. Cabisbaixo, Guillem saiu com o candelabro embrulhado em jornal.

Em julho de 1936 os militares se amotinaram contra o governo democrático. Logo a sublevação foi encabeçada pelo general Francisco Franco, cujo aspecto insignificante ocultava um temperamento frio, vingativo e brutal. Seu sonho mais ambicioso era devolver à Espanha as glórias imperiais do passado, e seu propósito imediato, acabar definitivamente com a desordem da democracia e

---

* Corresponde à segunda parte do nosso Ensino Fundamental (antigamente, Ginásio). [N. T.]

governar com mão de ferro por meio das Forças Armadas e da Igreja Católica. Os revoltosos esperavam ocupar o país em uma semana e depararam com a resistência inesperada dos trabalhadores organizados em milícias e decididos a defender os direitos obtidos com a República. Então começou a época do ódio desbragado, da vingança e do terror que haveria de custar à Espanha um milhão de vítimas. A estratégia dos homens a mando de Franco era derramar o máximo de sangue e semear o medo, única forma de extirpar qualquer sombra de resistência na população vencida. Naquele momento, Guillem Dalmau estava pronto para participar diretamente da Guerra Civil. Já não se tratava de roubar candelabros, mas de empunhar um fuzil.

Se antes Guillem encontrava pretextos para cometer desmandos, com a guerra já não precisava deles. Absteve-se de cometer atrocidades porque os princípios inculcados em casa o impediam de fazê-lo, mas nem por isso defendeu as vítimas, muitas vezes inocentes, das represálias de seus camaradas. Foram perpetrados milhares de assassinatos, sobretudo de sacerdotes e freiras. Isso obrigou muitos direitistas a buscar refúgio na França, para escapar das hordas vermelhas, como os chamava a imprensa. Logo os partidos políticos da República deram ordem para que se suspendessem esses atos de violência, por serem contrários ao ideal revolucionário, mas eles continuaram ocorrendo. Entre os soldados de Franco, em contrapartida, a ordem era exatamente a oposta: dominar e castigar a ferro e fogo.

Enquanto isso, absorto nos estudos, Víctor completou 23 anos vivendo na casa dos pais, até que foi recrutado pelo Exército Republicano. Enquanto viveu com os pais, levantava-se com o raiar do dia e, antes de ir à universidade, preparava o café da manhã para eles, e essa era sua única contribuição para as tarefas domésticas; voltava muito tarde, comia o que a mãe tinha deixado para ele na cozinha — pão, sardinhas, tomate e café — e continuava estudando. Mantinha-se à margem da paixão política dos pais e da exaltação do irmão. "Estamos fazendo história. Vamos tirar a Espanha do feudalismo secular, somos o exemplo da Europa, a resposta ao fascismo de Hitler e Mussolini" — pregava Marcel Lluíz Dalmau aos filhos e aos parceiros do Rocinante, bar de aspecto tenebroso e espírito elevado, onde se juntavam diariamente os mesmos fregueses para jogar dominó e beber vinho barato. "Vamos acabar com os privilégios da oligarquia, da Igreja, dos latifundiários e do restante dos exploradores do povo. Precisamos defender a democracia, amigos, mas lembrem que nem tudo há de ser política. Sem ciência, indústria e técnica, não há progresso possível, e sem música e arte não há alma", afirmava. Em princípio, Víctor concordava com o pai, mas procurava escapar de suas arengas, que com poucas variantes eram sempre as mesmas. Com a mãe também não falava do assunto: juntos, limitavam-se a alfabetizar milicianos no subsolo de uma cervejaria. Carme tinha sido professora do colegial durante muitos anos e acreditava que a educação era tão importante quanto o pão, e quem soubesse ler e escrever tinha a obrigação de ensinar os outros. Para ela, as aulas dadas aos milicianos eram pura rotina, mas para Víctor costumavam ser um suplício. "São uns burros!", concluía, frustrado, depois de passar duas horas na letra A. "Que burros, que nada. Esses rapazes nunca viram uma cartilha. Queria ver você, como é que ia se virar atrás de um arado", respondia a mãe.

Incentivado por ela, que temia vê-lo transformado num ermitão e apregoava a necessidade de conviver com o restante da humanidade, Víctor aprendeu cedo a tocar canções da moda ao violão. Tinha uma voz acariciante de tenor, em contraste com seu físico desajeitado e sua expressão severa. Protegido por trás do violão, dissimulava a timidez, evitava conversas banais, que o irritavam, e dava a impressão de participar do grupo. As moças o deixavam de lado até o ouvirem cantar; então iam se aproximando e acabavam cantarolando com ele. Depois, entre cochichos, decidiam que o mais velho dos Dalmau era bem-apessoado, embora não pudesse se comparar, claro, com o irmão Guillem.

A pianista mais destacada entre os alunos de música do professor Dalmau era Roser Bruguera, jovem do povoado de Santa Fe que, sem a generosa intervenção de Santiago Guzmán, teria sido pastora de cabras. Guzmán era de uma família ilustre, mas empobrecida por gerações de riquinhos indolentes que dissiparam fortuna e terras. Passava os últimos anos retirado em sua fazenda, num descampado de morros e pedras, mas cheia de recordações sentimentais. Mantinha-se ativo apesar da muita idade, visto que já era catedrático de história da Universidad Central nos tempos do rei Alfonso XII. Saía diariamente debaixo do sol inclemente de agosto ou do vento gélido de janeiro para caminhar durante horas com sua bengala de peregrino, seu chapéu de couro puído e seu cão de caça. Sua mulher estava aprisionada nos labirintos da demência e passava os dias vigiada dentro de casa, criando monstruosidades com papel e pincéis. No povoado era chamada de louca mansa, o que na verdade ela era. Não criava problemas, não fosse a tendência de se perder caminhando em direção ao horizonte e de pintar as paredes com seu próprio cocô. Roser tinha mais ou menos sete anos (embora ninguém se lembrasse da data de seu nascimento) quando dom Santiago, num dos seus passeios, a viu cuidando de umas cabras magras; bastou-lhe trocar umas frases com ela para compreender que estava diante de uma mente alerta e curiosa. O catedrático e a pastorinha estabeleceram uma singular amizade, baseada nas lições de cultura ministradas por ele e no desejo de aprender por parte dela.

Certo dia de inverno em que a encontrou agachada num buraco com suas três cabras, tiritando de frio, molhada de chuva e corada de febre, dom Santiago amarrou as cabras e botou a menina no ombro como um saco, dando graças a Deus por ela ser tão pequena e pesar tão pouco. De qualquer modo, o esforço quase lhe arrebenta o coração, e depois de poucos passos ele desistiu do propósito; deixou a menina ali mesmo e foi chamar um de seus empregados, que a carregou até a casa. Dom Santiago ordenou à cozinheira que desse de comer à menina; à criada, que lhe preparasse um banho e uma cama; e ao cavalariço, que fosse primeiro a Santa Fe chamar o médico e depois buscar as cabras para evitar que fossem roubadas.

O médico determinou que a menina tinha gripe e estava seriamente desnutrida. Também tinha sarna e piolhos. Como ninguém apareceu na propriedade de Guzmán para perguntar por ela naquele dia nem nos seguintes, deu-se por certo que ela era órfã, até que lhes ocorreu fazer perguntas a ela mesma, que explicou ter família do outro lado do morro. Apesar de seu esqueleto de perdiz, a menina se recobrou rapidamente, demonstrando ser mais forte do que parecia. Deixou que lhe raspassem a cabeça por causa dos piolhos e suportou o tratamento com enxofre para a sarna sem opor resistência. Comia com voracidade e deu mostras de ter um temperamento injustificadamente equânime, dadas suas tristes circunstâncias. Nas semanas que passou naquela casa, desde a senhora delirante até o último criado foram cativados por ela. Nunca houvera uma menina naquela sombria mansão de pedra, por onde deambulavam gatos meio selvagens e fantasmas de outras épocas. O mais seduzido era o catedrático, que recordava com vividez o privilégio de transmitir ensinamentos a uma inteligência ávida; mas a estada da menina não podia prolongar-se indefinidamente. Dom Santiago esperou que ela sarasse completamente e que alguma carne lhe grudasse aos ossos antes de ir para o outro lado do morro e dizer umas tantas verdades àqueles pais negligentes. Botou a menina bem agasalhada em seu coche, fazendo ouvidos moucos às súplicas da mulher, e levou-a embora.

Nos arredores do povoado, chegaram a uma casa baixa de barro tão miserável quanto outras da região. Os camponeses subsistiam com remunerações de fome, lavrando a terra como servos em propriedades dos senhores ou da Igreja. O catedrático chamou aos gritos, e da porta saíram várias crianças assustadas, seguidas por uma bruxa vestida de preto que não era a bisavó de Roser, como ele supôs, mas a mãe. Aquela gente nunca tinha recebido uma visita de berlinda com cavalos reluzentes, e todos ficaram perplexos quando Roser desceu do veículo com aquele cavalheiro tão distinto. "Vim falar com a senhora sobre esta menina", anunciou dom Santiago no tom autoritário que na universidade punha seus alunos a tremer. Mas, antes de conseguir acrescentar algo mais, a mulher agarrou Roser pelos cabelos, recriminando-a com gritos e bofetões por ter abandonado as cabras. Então ele entendeu a inutilidade de repreender qualquer coisa àquela mãe sobrecarregada e num instante formulou o plano que haveria de mudar o destino da menina.

Roser passou o resto da infância na fazenda de Guzmán, oficialmente na qualidade de órfã acolhida e criada pessoal da patroa, mas também como aluna do patrão. Em troca de ajudar as criadas e alegrar os dias da Louca Mansa, teve hospedagem e educação. O historiador compartilhou com ela boa parte de sua biblioteca, ensinou-lhe mais do que ela teria aprendido em qualquer escola e pôs à sua disposição o piano de cauda da mulher, que já não se lembrava para que diabos servia aquele trambolho preto. Roser, que passara os sete primeiros anos da vida sem ouvir outra música que não a do acordeão dos bêbados na noite de são João, acabou mostrando que tinha um ouvido extraordinário. Na casa havia um fonógrafo de cilindro, mas, ao verificar que sua protegida conseguia tocar as melodias no piano depois de as ter ouvido uma só vez, dom Santiago encomendou em Madri um gramofone moderno com uma coleção de discos. Em pouco tempo Roser Bruguera, cujos pés ainda não alcançavam os pedais, interpretava de olhos fechados a música dos discos. Encantado, ele conseguiu uma professora de piano em Santa Fe. Mandava a menina para as aulas três vezes por semana e supervisionava pessoalmente seus exercícios. Para Roser, que era capaz de tocar qualquer coisa de cor, fazia pouco sentido aprender a ler música e praticar durante horas as mesmas escalas, mas obedecia, por respeito a seu mentor.

Aos quatorze anos, Roser superou de longe a professora de piano, e aos quinze dom Santiago a instalou numa pensão de moças católicas em Barcelona, para estudar música. Gostaria de tê-la mantido a seu lado, mas o dever de educador prevaleceu sobre o sentimento paternal. A moça recebera de Deus um talento especial, e o papel dele neste mundo consistia em ajudá-la a desenvolvê-lo, decidiu. Naquela época a Louca Mansa foi se apagando e por fim morreu sem fazer barulho. Santiago Guzmán, sozinho em seu casarão, começou a sentir seriamente o peso dos anos; precisou renunciar às caminhadas com a bengala de peregrino e passava o tempo sentado diante da lareira a ler. O cão de caça também morreu, e ele não quis substituí-lo para não morrer antes e deixar o bichinho sem dono.

O caráter do ancião azedou-se definitivamente com o advento da Segunda República em 1931. Assim que os resultados da eleição vieram a público, favorecendo a esquerda, o rei Alfonso XIII exilou-se na França, e dom Santiago, monarquista, conservador ferrenho e católico, viu que seu mundo desmoronava. Jamais toleraria os vermelhos e muito menos se adaptaria à vulgaridade deles. Aqueles desalmados eram lacaios dos soviéticos e andavam por aí queimando igrejas e fuzilando padres. O argumento de sermos todos iguais poderia ser usado como bobagem teórica, afirmava ele, mas na prática era uma aberração: diante de Deus não somos iguais, visto que Ele mesmo impôs classes sociais e outras diferenças entre os humanos. A reforma agrária expropriou-lhe a terra, que tinha pouco valor, mas sempre pertencera à sua família. De um dia para o outro os camponeses falavam com ele sem tirar o chapéu nem baixar os olhos. A soberba de seus subalternos doía-lhe mais do que a terra perdida, porque era uma afronta direta à sua dignidade e à posição que sempre ocupara neste mundo. Despediu os criados que tinham vivido décadas sob seu teto, mandou empacotar a biblioteca, as obras de arte, as coleções e as lembranças, e fechou a casa a sete chaves. O carregamento encheu três caminhões, mas ele não pôde levar os móveis mais volumosos nem o piano, que não cabiam em seu apartamento de Madri. Meses depois o prefeito republicano de Santa Fe confiscou a casa para instalar um orfanato.

Entre os graves desencantos e os muitos motivos de fúria pelos quais dom Santiago passou naqueles anos estava a transformação de sua protegida. Sob a má influência dos revoltosos da universidade, especialmente de certo professor Marcel Lluíz Dalmau, comunista, socialista ou anarquista, enfim dava na mesma, um bolchevique perverso, sua Roser tinha se convertido numa vermelha. Saíra da pensão de moças de bons costumes e vivia com umas pistoleiras que se vestiam de soldado e praticavam amor livre, como se chamava então a promiscuidade e a indecência. Dom Santiago admitia, sim, que Roser nunca lhe faltou com o respeito, mas, como ela tinha tomado gosto por não fazer caso de suas advertências, ele naturalmente teve de suspender sua ajuda. Por meio de uma carta, a moça agradeceu do fundo da alma o muito que ele fizera por ela, prometeu que tentaria manter-se sempre no caminho reto, de acordo com seus princípios, e lhe explicou que estava trabalhando à noite numa padaria, e que de dia continuava estudando música.

Dom Santiago Guzmán, instalado em seu luxuoso apartamento de Madri, onde mal se podia circular entre a profusão de móveis e objetos, separado do barulho e da grosseria da rua por pesadas cortinas aveludadas cor de sangue de touro e isolado socialmente pela surdez e pelo orgulho descomedido, não tomou conhecimento do modo como aflorava o mais terrível rancor em seu país, rancor que passara séculos a alimentar-se da miséria de uns e da prepotência de outros. Morreu solitário e furioso em seu apartamento do bairro de Salamanca quatro meses antes da sublevação das tropas de Franco. Esteve lúcido até o último momento e tão conformado com a morte que preparou seu próprio obituário porque não queria que algum ignorante publicasse falsidades sobre ele. Não se despediu de ninguém, talvez por não lhe restar ninguém próximo no mundo, mas lembrou-se de Roser Bruguera e, num nobre gesto de reconciliação, deixou-lhe o piano de cauda que ainda estava embalado num quarto do orfanato de Santa Fe.

O professor Marcel Lluíz Dalmau bem cedo assinalou Roser entre os outros estudantes. No afã de ensinar aos alunos o que sabia da música e da vida, insuflava ideias políticas e filosóficas que sem dúvida os influenciaram mais do que ele mesmo supunha. Nesse ponto, Santiago Guzmán teve razão. Por experiência, Dalmau desconfiava dos alunos que tinham excessiva facilidade para a música, porque, conforme dizia com frequência, ainda não lhe caíra nas mãos nenhum Mozart. Tinha visto casos como o de Roser, jovens com bom ouvido para tocar qualquer instrumento, que se tornavam preguiçosos, convencidos de que aquilo lhes bastava para dominar o ofício e que podiam prescindir do estudo e da disciplina. Mais de um acabava ganhando a vida em bandas populares, tocando em festas, hotéis e restaurantes, transformados em musiquins de casamentos, como ele os chamava. Propôs-se salvar Roser Bruguera dessa calamidade e a acolheu sob suas asas. Ao tomar conhecimento de que ela estava sozinha em Barcelona, abriu-lhe as portas de sua casa e, mais tarde, quando soube que ela havia herdado um piano e não tinha onde o colocar, tirou os móveis de sua sala para acomodá-lo e nunca opôs objeções às intermináveis escalas da moça, que os visitava diariamente depois das aulas. Carme, sua mulher, emprestava a Roser a cama de Guillem, que estava na guerra, para que ela dormisse umas horas antes de ir à padaria às três da madrugada enfornar os pães do amanhecer, e assim, de tanto dormir no travesseiro do filho mais novo dos Dalmau, aspirando o rastro de seu cheiro de homem jovem, a moça se apaixonou por ele, sem que a distância, o tempo e a guerra a dissuadissem.

Roser passou a fazer parte da família tão despercebidamente que era como se fosse do mesmo sangue. Transformou-se na filha que os Dalmau gostariam de ter tido. Moravam numa casa modesta, um pouco lúgubre e bastante deteriorada por muitos anos de uso sem manutenção, mas espaçosa. Quando os dois filhos foram para a guerra, Marcel Lluíz convidou Roser a morar com eles. Assim ela poderia reduzir seus gastos, trabalhar menos horas, praticar piano quando quisesse e, aproveitando a ocasião, ajudar sua mulher nas tarefas domésticas. Embora bem mais nova que o marido, Carme se sentia mais velha porque andava sufocada e ofegante, enquanto a ele sobrava vitalidade. "Mal tenho forças para alfabetizar milicianos, e, quando isso deixar de ser necessário, o único remédio será morrer", suspirava Carme. No primeiro ano do curso de medicina, o filho Víctor diagnosticou que os pulmões dela pareciam couve-flor. "Porra, Carme, se você morrer, vai ser de fumar", repreendia o marido quando a ouvia tossir, sem levar em conta o fumo que ele mesmo consumia e sem imaginar que a morte chegaria antes para ele.

Foi assim que Roser Bruguera, apegada à família Dalmau, esteve junto do professor nos dias do infarto. Deixou de ir às aulas, mas continuou trabalhando na padaria e revezava com Carme para atendê-lo em suas necessidades. Nas horas de folga, entretinha-o com concertos de piano que enchiam a casa de música e acalmavam o moribundo. Como estava ali, presenciou as últimas recomendações do professor ao filho mais velho.

— Quando eu não estiver mais aqui, Víctor, você será responsável por sua mãe e por Roser, porque Guillem vai morrer lutando. A guerra está perdida, filho — disse-lhe entre longas pausas para tomar fôlego.

— Não diga isso, pai.

— Soube disso em março, quando bombardearam Barcelona. Eram aviões italianos e alemães. Temos a razão de nosso lado, mas isso não vai evitar a derrota. Estamos sozinhos, Víctor.

— Tudo pode mudar se a França, a Inglaterra e os Estados Unidos intervierem.

— Esqueça os Estados Unidos; não vão nos ajudar em nada. Fiquei sabendo que Eleanor Roosevelt tentou convencer o marido a intervir, mas o presidente tem a opinião pública contra ele.

— Não deve ser unânime, pai, pois tantos rapazes na Brigada Lincoln vieram dispostos a morrer conosco.

— São idealistas, Víctor. Desses há pouquíssimos no mundo. Muitas das bombas que caíram em cima de nós em março eram americanas.

— Pai, o fascismo de Hitler e Mussolini se estenderá pela Europa se não o detivermos aqui na Espanha. Não podemos perder a guerra; isso significaria o fim de tudo o que o povo obteve e a volta ao passado, à miséria feudal em que vivemos durante séculos.

— Ninguém virá em nossa ajuda. Preste atenção ao que estou dizendo, filho, até a União Soviética nos abandonou. Stálin já não se interessa pela

Espanha. Quando a República cair, a repressão será espantosa. Franco impôs sua limpeza, ou seja, o terror máximo, o ódio total, a desforra mais sangrenta. Ele não negocia nem perdoa. Suas tropas cometem atrocidades indescritíveis.

— Nós também — replicou Víctor, que tinha visto tanta coisa.

— Como se atreve a comparar? Na Catalunha haverá um banho de sangue. Não viverei para sofrer isso, filho, mas quero morrer tranquilo. Você precisa me prometer que vai levar sua mãe e Roser para o estrangeiro. Os fascistas vão tratar Carme com sanha porque ela alfabetiza soldados; eles fuzilam por muito menos. De você vão se vingar porque trabalha num hospital do exército, e de Roser porque é moça nova. Você sabe o que fazem com as garotas, não? Eles as entregam aos mouros. Tenho tudo planejado. Vocês irão para a França até que a situação se acalme e possam voltar. Na minha escrivaninha você encontrará um mapa e um pouco de dinheiro economizado. Prometa que vai fazer isso.

— Prometo, pai — respondeu Víctor sem verdadeira intenção de cumprir a palavra.

— Entenda, Víctor, não se trata de covardia, mas de sobrevivência.

Marcel Lluíz Dalmau não era o único que tinha dúvidas sobre o futuro da República, mas ninguém se atrevia a expressá-las porque a pior traição seria fomentar o desalento ou o pânico numa população extenuada que já tinha sofrido demais.

No dia seguinte enterraram o professor Marcel Lluíz Dalmau. Quiseram fazê-lo discretamente porque os tempos não estavam para lutos privados, mas a notícia de sua morte correu, e no cemitério de Montjuïc apareceram seus amigos da taverna Rocinante, colegas da universidade e ex-alunos de certa idade, porque os mais jovens estavam na frente de batalha ou debaixo da terra. Carme, de luto rigoroso desde o véu até as meias pretas, apesar do calor de junho, caminhou atrás do ataúde do homem de sua vida apoiada em Víctor e Roser. Não houve orações, discursos nem lágrimas. Os alunos se despediram dele tocando o segundo movimento do quinteto para cordas de Schubert, cuja melodia se prestava para a ocasião, e depois cantaram algumas das canções dos milicianos que o professor havia composto.

II

1938

Nada, ni la victoria,
borrará el agujero terrible de la sangre...*

PABLO NERUDA,
"Tierras ofendidas",
España en el corazón,
Tercera residencia.

Roser Bruguera viveu seu primeiro amor na casa do professor Dalmau, quando ele a convidou, pretextando ajudá-la nos estudos, embora ambos soubessem que se tratava de um gesto caridoso, mais do que didático. O professor desconfiava que sua aluna favorita comia pouco e precisava de uma família, especialmente de alguém como Carme, cujos anseios maternais encontravam pouco eco em Víctor e nenhum em Guillem. Foi naquele ano que Roser, farta do regime de quartel imperante na pensão de moças respeitáveis, foi morar no bairro pesqueiro de Barceloneta, no único quarto que conseguiu por um preço acessível, com três moças das milícias populares. Tinha dezenove anos, e as outras contavam três ou cinco a mais em idade, mas vinte em experiência e mentalidade. As milicianas, que viviam num mundo muito diferente do de Roser, tinham-na apelidado de "Noviça", e a maior parte do tempo a

---

* Nada, nem a vitória, / Apagará o buraco terrível do sangue... [N. T.]

ignoravam completamente. Dividiam com ela um aposento com quatro beliches — Roser dormia numa das camas de cima —, um par de cadeiras, lavatório, jarro e penico, fogareiro a querosene, pregos nas paredes para pendurar a roupa e um banheiro comunitário que servia aos trinta e tantos inquilinos. Eram mulheres alegres e atrevidas que gozavam com plenitude a liberdade daqueles tempos tumultuosos; vestiam-se com o uniforme, as sapatorras e a boina regulamentares, mas pintavam os lábios e frisavam os cabelos com um ferro esquentado no braseiro. Treinavam com paus ou com fuzis emprestados e aspiravam a ir para a frente de batalha e ver o inimigo cara a cara, em vez de realizarem as tarefas de transporte, abastecimento, cozinha e enfermaria que lhes eram atribuídas com o argumento de que as armas soviéticas e mexicanas só eram suficientes para os homens e seriam mal aproveitadas em mãos femininas. Uns meses mais tarde, quando as tropas nacionais ocupavam dois terços da Espanha e continuavam avançando, as moças realizaram o desejo de estar na vanguarda. Duas delas foram violentadas e degoladas num ataque das tropas marroquinas; a terceira sobreviveu aos três anos da guerra civil e depois aos seis da Segunda Guerra Mundial, vagando na sombra de um ponto ao outro da Europa, até que conseguiu emigrar para os Estados Unidos em 1950. Acabou em Nova York, casada com um intelectual judeu que tinha lutado na Brigada Lincoln, mas essa era outra história.

Guillem Dalmau era um ano mais velho que Roser Bruguera. Enquanto ela fazia jus ao apelido de Noviça, com seus vestidos fora de moda e sua seriedade, ele era jactancioso e desafiador, dono do mundo. A ela, porém, bastou estar com ele em uma ou duas oportunidades para compreender que por trás da aparência insolente se escondia um coração infantil, confuso e romântico. Cada vez que voltava a Barcelona, Guillem aparecia mais concentrado; nada restava do moleque desmiolado que roubava candelabros: era um homem maduro, sisudo e com uma tremenda carga de violência contida, pronta para explodir diante de qualquer provocação. Dormia no quartel, mas costumava passar algumas noites na casa dos pais, mais pela possibilidade de se encontrar com Roser do que por qualquer outra coisa. Regozijava-se por ter evitado as amarras sentimentais que tanto angustiavam os soldados separados da noiva ou da família. A guerra o absorvia por inteiro, e ele não cedia a distrações, mas a aluna do pai não representava um perigo para sua independência de solteiro; era apenas uma inocente diversão. Roser podia ser atraente, dependendo do ângulo e da luz, mas não fazia nada para tanto, e aquela singeleza tocava uma corda misteriosa na alma de Guillem. Ele estava acostumado ao efeito que produzia sobre as mulheres em geral e não lhe escapou que isso acontecia também com Roser, embora ela fosse incapaz de qualquer coquetismo. "A moça está apaixonada por mim, e só poderia estar, porque a coitada não tem outra vida além do piano e da padaria. Logo vai passar", pensava. "Cuidado, Guillem, essa menina é sagrada, e se o pego em alguma falta de respeito...", advertira o pai. "Como pode pensar nisso, pai! Roser é como uma irmã para mim." Mas não era, felizmente. A julgar pela forma como seus pais cuidavam dela, Roser devia ser virgem, uma das últimas que sobravam na Espanha republicana. Nada de se exceder com ela, isso de maneira nenhuma, mas ninguém podia lhe censurar um pouco de ternura, um roçar de joelhos por baixo da mesa, um convite para o cinema, a fim de tocá-la no escurinho, enquanto ela chorava com o filme e tremia de timidez e desejo. Para carícias mais atrevidas, ele contava com algumas de suas camaradas, milicianas livres, bem-dispostas e experientes.

Terminada a breve licença em Barcelona, Guillem voltava para a frente de batalha com a intenção de se concentrar apenas em sobreviver e vencer, mas era difícil esquecer o rosto ansioso e o olhar claro de Roser Bruguera. Não admitia, nem no último recesso de seu coração, que sentia necessidade das cartas e dos pacotes de guloseimas que ela mandava, das meias e dos cachecóis que ela tricotava. Tinha uma fotografia dela, a única em sua carteira. Roser estava em pé ao lado de um piano, talvez durante um concerto, com um vestido escuro, recatado, de saia mais comprida que o habitual, mangas curtas e gola de renda, um absurdo vestido de colegial que escondia suas formas. Naquela foto em branco e preto ela parecia distante e desfocada, mulher sem graça, sem idade, sem expressão. Era preciso adivinhar o contraste entre os olhos cor de âmbar e os cabelos pretos, o nariz reto de estátua, as sobrancelhas expressivas, as orelhas salientes, os dedos longos, o cheiro de sabonete, detalhes que atormentavam Guillem, que o assaltavam de repente e o invadiam enquanto dormia. Esses detalhes eram a distração que podia lhe custar a vida.

Nove dias depois do enterro do pai, num domingo à tarde, Guillem Dalmau chegou em casa sem avisar, num veículo militar maltratado. Roser saiu ao encontro dele enxugando as mãos num pano de cozinha e por um momento não reconheceu o homem magro e esquálido que duas milicianas traziam seguro pelos braços. Fazia quatro meses que não o via, quatro meses alimentando sua ilusão com as poucas frases que ele mandava esporadicamente, dando conta da ação em Madri, sem uma palavra de carinho, mensagens como informes em folhas arrancadas de um caderno e escritas com letra escolar. Aqui tudo igual, você deve ter ficado sabendo de como estamos defendendo a cidade, os muros estão esburacados como peneira pelos morteiros, ruínas por todo lado, os fascistas contam com munições italianas e alemãs, estão tão perto que às vezes podemos sentir o cheiro do tabaco que fumam, os desgraçados; nós os ouvimos conversar, gritam para nos provocar, mas estão morrendo de medo, com exceção dos mouros, que são como hienas e não têm medo de nada, preferem suas facas de açougueiro aos fuzis, o corpo a corpo, o gosto do sangue; para eles chegam reforços diários, mas não avançam nem um metro; aqui nos faltam água e eletricidade, a comida é escassa, mas nos arranjamos; estou bem. A metade dos edifícios está no chão, mal dá para recolher os corpos, eles ficam jogados onde caem até o outro dia, quando passa o pessoal do depósito de cadáveres, não puderam evacuar todas as crianças, se você visse como algumas mães são teimosas, não obedecem, recusam-se a ir embora ou a separar-se dos filhos. Quem vai entender? Como vai o piano? Como vão meus pais? Diga à minha mãe que não se preocupe comigo.

— Jesus! O que aconteceu, Guillem, pelo amor de Deus — exclamou Roser na soleira da porta, voltando por um instante à sua formação católica.

Guillem não respondeu; a cabeça pendia sobre o peito e as pernas não o sustentavam.

Nisso apareceu Carme, vindo também da cozinha, e o grito lhe subiu dos pés à garganta, vergando-a num acesso de tosse.

— Calma, camaradas. Não está ferido. Está doente — disse com firmeza uma das milicianas.

— Por aqui — indicou Roser, conduzindo as duas e sua carga até o quarto que tinha sido de Guillem e agora era ocupado por ela. As mulheres o deitaram na cama e se retiraram, para voltar um minuto depois com a mochila, o cobertor e o fuzil dele. Foram embora com um breve adeus e desejos de boa sorte. Enquanto Carme continuava tossindo desesperada, Roser tirou as botas furadas e as meias imundas do doente, fazendo esforço para dominar as náuseas que o fedor dele lhe causava. Nem pensar em levá-lo para o hospital, que era um centro de infecções, ou tentar conseguir um médico, pois estavam todos atarefados com os feridos de guerra.

— Ele precisa ser lavado, Carme, está grudento. Tente lhe dar água para beber. Vou correndo até a Telefônica ligar para Víctor — disse a moça, que não queria ver Guillem nu, encharcado de excrementos e urina.

Pelo telefone Roser explicou os sintomas a Víctor: febre muito alta, dificuldade para respirar, diarreia.

— Geme quando tocamos nele. Deve estar com muita dor, acho que na barriga, mas também no restante do corpo, você sabe que o seu irmão não se queixa.

— Tifo, Roser. Há uma epidemia entre os combatentes; é transmitido por piolhos, pulgas, água contaminada e sujeira. Vou tentar ir vê-lo amanhã, mas está muito difícil deixar meu posto, o hospital está lotado, todo dia chegam dezenas de novos feridos. Por enquanto, a primeira coisa é hidratar Guillem e baixar a febre. Enrole-o em toalhas molhadas com água fria e sirva-lhe água fervida com um pouco de açúcar e sal.

Guillem Dalmau passou duas semanas sob os cuidados da mãe e de Roser, com a supervisão do irmão, que estava em Manresa. Roser lhe ligava diariamente para informar o estado de Guillem e receber instruções para evitar o contágio. Precisavam acabar com os piolhos da roupa; a melhor coisa era queimá-la, lavar tudo com água sanitária, utilizar recipientes separados para ele e lavar as mãos toda vez que o atendessem. Os três primeiros dias foram críticos. A febre subiu a quarenta graus, Guillem delirava, contorcia-se de dor de cabeça e de náuseas, era sacudido por uma tosse seca, e suas fezes eram um líquido esverdeado como sopa de ervilhas. No quarto dia a febre baixou, mas elas não conseguiram acordá-lo. Víctor aconselhou a sacudi-lo para obrigá-lo a tomar água e deixá-lo dormir o resto do tempo. Ele precisava descansar e recompor-se.

Os cuidados diretos com o doente recaíram sobre Roser, pois Carme, por causa da idade e da situação dos pulmões, era mais vulnerável ao contágio.

Enquanto Roser passava o dia em casa lendo e tricotando junto à cama de Guillem, Carme saía para alfabetizar e entrar nas filas das vendas. Roser continuou trabalhando à noite porque lhe pagavam com pão. As rações de lentilha tinham sido reduzidas a meia xícara diária por pessoa, não sobravam gatos para o refogado nem pombas para o ensopado, o pão de Roser era um tijolo escuro e denso com gosto de serragem, o azeite tinha virado luxo e era misturado a óleo de motor para render. As pessoas cultivavam vegetais nas banheiras e nas sacadas. Trocavam relíquias de família e joias por batatas e arroz.

Embora Roser não visse sua família, mantinha contato com alguns camponeses da região e assim obtinha verduras, algum pedaço de queijo de cabra e salame nas raras ocasiões em que matavam um porco. O numerário de Carme não dava para o mercado negro, no qual havia pouquíssimos comestíveis, mas era o último recurso para adquirir cigarros e sabonete. Diante da necessidade de fortalecer Guillem, que parecia um esqueleto, Carme lançou mão das escassas economias deixadas pelo marido e mandou Roser a Santa Fe comprar qualquer coisa disponível para a sopa. Sabia que Marcel Lluíz tinha destinado aquele dinheiro para enviar a família longe da Espanha, mas na verdade nenhum deles pensava seriamente em emigrar. O que fariam na França ou em qualquer outro lugar? Não podiam deixar casa, bairro, língua, parentes e amigos. A probabilidade de ganhar a guerra era cada vez menor, e, calados, tinham se resignado à possibilidade de uma paz negociada e a suportar a repressão dos fascistas, mas isso era preferível ao exílio. Por mais desapiedado que fosse, Franco não podia executar a totalidade da população catalã. Por isso, Roser investiu o dinheiro em duas galinhas vivas e viajou com elas escondidas numa sacola amarrada à barriga por baixo do vestido, para que não fossem roubadas por algum desesperado ou confiscadas pelos soldados. Acreditando que ela estivesse grávida, cederam-lhe o assento no ônibus, onde ela se instalou tapando o volume da melhor maneira possível e rezando para que as aves não começassem a se mexer. Carme cobriu o piso de um dos quartos com jornal e ali pôs as galinhas. Estas foram alimentadas com migalhas de pão, sobras que as mulheres retiravam do bar Rocinante e algo de cevada e centeio que Roser surrupiava da padaria. As aves se recobraram do trauma da sacola e logo Guillem contou com um ou dois ovos no café da manhã.

Com poucos dias de convalescença, o doente estava disposto a voltar à vida, mas a energia mal lhe dava para se sentar na cama e ouvir Roser tocar piano na sala ou ler para ele romances de detetive. Nunca tinha sido bom leitor, na infância passava de ano a duras penas, graças à mãe, que supervisionava seus deveres de casa, e de Víctor, que em geral os fazia. Na frente de batalha de Madri, onde tinha a oportunidade de se entediar em eternas esperas sem que nada acontecesse, teria sido maravilhoso contar com Roser lendo para ele. Livros sobravam, mas as letras dançavam na página diante de seus olhos. Nas pausas da leitura, ele falava a Roser de sua vida de soldado, dos voluntários que chegavam de mais de cinquenta países para lutar e morrer numa guerra que não era deles, dos brigadistas americanos, dos da Brigada Lincoln, que sempre estavam na vanguarda e eram os primeiros a tombar. "Dizem que são mais de 35 mil homens e várias centenas de mulheres que vieram lutar pela Espanha contra o fascismo, tão importante é esta guerra, Roser." Falava-lhe da falta de água, eletricidade e latrinas, dos corredores cheios de escombros, lixo, poeira e vidros quebrados. "Nas horas ociosas ensinamos e aprendemos. Minha mãe estaria feliz alfabetizando os rapazes que não sabem ler nem escrever; muitos nunca foram à escola." Mas não dizia nada a Roser dos ratos e dos piolhos, das fezes, da urina e do sangue, dos camaradas feridos que aguardavam horas e horas esvaindo-se em sangue antes que os padioleiros pudessem chegar, da fome e das tigelas de feijão duro e café frio, da valentia irracional de alguns, que se expunham indiferentes às balas, e do terror de outros, sobretudo dos mais jovens, os recém-chegados, os rapazinhos da Convocação da Mamadeira, que por sorte ele não tivera por companheiros, porque teria morrido de pena. E muito menos admitia diante de Roser as execuções em massa perpetradas por seus próprios companheiros, a maneira como amarravam os prisioneiros inimigos de dois em dois e os levavam em caminhões para algum descampado, onde os executavam sem mais e os enterravam em valas comuns. Mais de dois mil só em Madri.

O verão tinha começado. Anoitecia mais tarde, e o dia se espichava em horas quentes e preguiçosas. Guillem e Roser passavam tanto tempo juntos que chegaram a conhecer-se a fundo. Por mais que lessem juntos ou conversassem, sobrevinham longos silêncios, nos quais predominava uma sensação de intimidade. Depois de jantar, Roser deitava-se na cama que agora dividia com Carme e dormia até as três da madrugada. Nessa hora ia à padaria preparar o pão que, racionado, seria distribuído ao amanhecer.

As notícias do rádio, dos jornais e dos alto-falantes nas ruas eram otimistas. Pelo ar retumbavam as canções dos milicianos e os discursos inflamados da Passionária, melhor morrer de pé que viver de joelhos. Não se admitia nenhum avanço do inimigo: era chamado de retirada estratégica. Tampouco se mencionavam o racionamento e a escassez de quase tudo, de alimentos a remédios. Víctor Dalmau apresentava à família uma versão mais realista que a dos alto-falantes. Conseguia julgar a situação da guerra pelos trens de feridos e pelo número de mortos, que aumentavam tragicamente em seu hospital. "Preciso voltar à frente de batalha", dizia Guillem, mas não conseguia calçar as botas antes de desabar esgotado na cama.

Os rituais cotidianos de cuidar de Guillem nas misérias do tifo, de lavá-lo com esponja, esvaziar o penico, alimentá-lo com colherinhas de papinha de criança, vigiar seu sono e lavá-lo de novo, esvaziar o penico e alimentá-lo, numa rotina infindável de apreensão e amor, afirmaram em Roser a convicção de que ele era o único homem que ela podia amar. Nunca haveria outro, tinha certeza. No nono dia de convalescença, vendo-o bem melhor, Roser compreendeu que já não havia pretextos para prendê-lo à cama, onde podia tê-lo inteiro só para si. Bem depressa Guillem teria de voltar à frente de batalha. Haviam sido tantas as baixas do último ano que o Exército Republicano recrutava adolescentes, velhos e presos de má catadura, aos quais era dado escolher entre o *front* ou apodrecer no cárcere. Roser anunciou a Guillem que chegara a hora de se levantar, e o primeiro passo seria um bom banho. Esquentou água no maior caldeirão da cozinha, pôs Guillem na tina de lavar roupa, ensaboou-o da cabeça aos pés e depois o enxaguou e secou até deixá-lo vermelho e reluzente. Conhecia-o tão bem que já não reparava em sua nudez. Guillem, por sua vez, tinha perdido o pudor com ela; nas mãos de Roser, voltava à infância. "Vou me casar com ela quando a guerra terminar", decidiu com seus botões num momento de profunda gratidão. Até então nada estava mais distante de seu pensamento do que a ideia de lançar raízes num lugar e casar-se. A guerra o salvara de planejar um futuro possível. "Não sou feito para a paz", pensava, "melhor ser soldado do que operário numa fábrica; e que mais eu poderia fazer sem estudo e com este meu caráter tão arrebatado?". Mas Roser, com seu frescor e sua inocência, com sua firme bondade, já estava impregnada em sua pele. A imagem dela o acompanhava nas trincheiras e, quanto mais ele a recordava, mais sentia necessidade dela e mais bonita ela lhe parecia. Sua atração era discreta como tudo nela. Nos piores dias do tifo, quando se afogava num chafurdeiro de dor e medo, ele se agarrava desesperado a Roser para manter-se à tona. Em seu abatimento, a única bússola era o rosto dela, atento e inclinado sobre ele, a única âncora eram seus olhos duros que logo se tornavam risonhos e mansos.

Com aquele primeiro banho na tina de lavar roupa, Guillem voltou ao mundo dos vivos, depois de tanto agonizar e suar. Ressuscitou com a fricção do pano ensaboado, a espuma nos cabelos, os baldes de água morna, as mãos de Roser em seu corpo, mãos de pianista, fortes, leves, precisas. Rendeu-se por completo, agradecido. Ela o enxugou, vestiu-lhe um pijama do pai, fez-lhe a barba e cortou-lhe os cabelos e as unhas, crescidas como garras. Guillem ainda tinha as faces encovadas e os olhos avermelhados, mas já não era o espantalho que chegara em casa arrastado por duas milicianas. Depois Roser esquentou o resto do café da manhã e despejou nele um jato de conhaque para ganhar ânimo.

— Estou pronto para uma festa — sorriu Guillem ao se ver no espelho.

— Está pronto para voltar à cama — anunciou Roser, entregando-lhe uma xícara. — Comigo — acrescentou.

— O que foi que disse?

— O que você ouviu.

— Não está pensando em...

— No mesmo que você deveria pensar — replicou ela, tirando o vestido pela cabeça.

— O que está fazendo, mulher? Minha mãe pode voltar a qualquer momento.

— Hoje é domingo. Carme está dançando sardanas na praça e depois vai entrar na fila da Telefônica para falar com Víctor.

— Posso contagiar você...

— Se ainda não me contagiou, vai ser difícil contagiar agora. Chega de desculpas. Mexa-se, Guillem — ordenou Roser, tirando o sutiã e a calcinha e empurrando-o para deitar na cama.

Nunca tinha ficado nua diante de um homem, mas perdera a timidez naqueles tempos de viver com racionamento, em estado de alerta permanente, desconfiando de vizinhos e amigos, com o anjo da morte sempre presente. A virgindade, tão valiosa no colégio de freiras, pesava-lhe como um defeito aos vinte anos. Nada era garantido, não existia futuro, eles só tinham aquele momento para saborear, antes que a guerra o arrebatasse.

A derrota se definiu na batalha do rio Ebro, que começou em julho de 1938; duraria quatro meses e deixaria um saldo de trinta mil mortos, entre os quais Guillem Dalmau, que tombou pouco antes do êxodo maciço dos vencidos. A situação dos republicanos era angustiante; a única esperança era que a França e a Grã-Bretanha interviessem a favor deles, mas os dias se passavam sem que isso desse mostras de acontecer. Para ganharem tempo, concentraram o grosso de suas tropas no esforço de atravessar o rio Ebro, penetrar no território inimigo e ocupá-lo, apoderar-se de seus petrechos e demonstrar ao mundo que a guerra não estava perdida, que com a ajuda necessária a Espanha podia vencer o fascismo. Oitenta mil homens foram transportados sigilosamente à noite até a margem oriental do rio, com a missão de cruzá-lo e enfrentar as tropas inimigas, muito superiores em número e armamento. Guillem ia entre as brigadas mistas da 45ª Divisão Internacional, junto com voluntários ingleses, americanos e canadenses, os que avançavam à frente, a força de choque, chamados por eles mesmos de carne de canhão. Lutavam num terreno abrupto e num verão inclemente, com o inimigo à frente, o rio às costas e os aviões alemães e italianos por cima.

O ataque-surpresa deu certa vantagem aos republicanos. À medida que iam chegando ao *front*, os combatentes cruzavam o rio em embarcações improvisadas, arrastando as aterrorizadas mulas com a carga. Os engenheiros construíam pontes flutuantes que, assim como eram rapidamente bombardeadas durante o dia, eram reconstruídas à noite. Na vanguarda, Guillem tinha de passar dias sem comida e sem água quando a distribuição falhava, semanas sem tomar banho, dormindo sobre pedras, doente de insolação e diarreia, sempre exposto às armas inimigas, aos mosquitos e aos ratos, que comiam o que viam pela frente e atacavam os que caíam. À fome, à sede, aos espasmos das tripas e à exaustão somava-se o calor extremo do verão. Ele estava tão desidratado que já não suava, com a pele queimada, rachada e escura como couro de lagarto. Em certas ocasiões passava horas agachado com o fuzil nas mãos, os dentes cerrados, cada fibra do corpo tensa, esperando a morte, e depois as pernas entorpecidas não lhe obedeciam. Concluiu que o tifo o debilitara e que já não era o mesmo de antes. Seus companheiros iam tombando num ritmo aterrador, e ele se perguntava quando chegaria sua vez. Os feridos eram evacuados durante a noite em veículos de luzes apagadas para evitar o ataque dos aviões; alguns, com ferimentos muito graves, clamavam por um tiro de misericórdia, porque a possibilidade de cair vivo nas mãos do inimigo era pior do que mil mortes. Os cadáveres que não podiam ser retirados antes de começarem a cheirar mal debaixo do sol impiedoso eram cobertos por pedras e queimados, assim como os dos cavalos e das mulas, porque era impossível cavar valas naquele solo de penhascos e terra dura como cimento. Guillem expunha-se a balas e granadas para chegar até os corpos, identificá-los e resgatar algum objeto pessoal para enviar às respectivas famílias.

Entre os combatentes ninguém entendia a estratégia de morrer às margens do Ebro, já que era inútil tentar avançar até o território de Franco, e era absurdo o custo em vidas para manter a posição, mas manifestar descontentamento em voz alta era interpretado como um ato de covardia ou traição que se pagava caro. Guillem estava sob as ordens de um oficial americano que tinha coragem de leão; fora professor universitário na Califórnia e se unira à Brigada Lincoln. Sem ter experiência militar prévia, demonstrou que era feito para a guerra, soldado nato, que sabia comandar; seus homens o veneravam. Guillem fora dos primeiros voluntários das milícias de Barcelona, quando imperava o ideal socialista de igualdade, que a revolução estendera a cada âmbito da sociedade, inclusive ao exército, no qual ninguém estava acima de ninguém, nem possuía mais; os oficiais conviviam com o restante da tropa sem nenhum privilégio, comiam a mesma coisa e usavam o mesmo tipo de roupa. Nada de hierarquias, de protocolo, de bater continência para cumprimentar, nada de tendas, armas ou veículos especiais para os oficiais, nada de botas lustrosas, ajudantes solícitos e cozinheiros, como nos exércitos convencionais e certamente no de Franco. Isso mudou no primeiro ano da guerra, quando arrefeceu em boa parte o entusiasmo revolucionário. Guillem, enojado, presenciou o modo sutil como retornavam a Barcelona as formas burguesas de convivência, as classes sociais, a prepotência de uns e o servilismo de outros, as propinas, a prostituição, os privilégios dos ricos, aos quais nada faltava, nem alimento nem tabaco nem roupa da moda, enquanto o restante da população sofria com a escassez e o racionamento. Guillem também viu mudanças entre os militares. O Exército Popular, formado mediante conscrição, absorveu as milícias voluntárias e impôs a hierarquia e a disciplina tradicionais. No entanto, o oficial americano continuava acreditando no triunfo do socialismo; achava que a igualdade não só era possível como inevitável, e a praticava como uma religião. Os homens sob seu comando o tratavam como camarada, mas nunca questionavam suas ordens. O americano tinha aprendido suficiente espanhol para traduzir as explicações que costumava dar em inglês sobre a campanha do Ebro. Tratava-se de proteger Valência e restaurar o contato com a Catalunha, separada do restante do território republicano por uma ampla faixa que os nacionais tinham conquistado. Guillem o respeitava e o seguiria a qualquer lugar, com ou sem explicações. Em meados de setembro o americano foi metralhado pelas costas e caiu ao lado de Guillem sem nenhum gemido. Do chão, continuou incitando seus homens, até que perdeu a consciência. Guillem e outro soldado o carregaram nos ombros e o deitaram atrás de um montão de escombros para protegê-lo até a noite, quando os padioleiros conseguiram aproximar-se e levá-lo a um posto de primeiros socorros. Dias depois Guillem ficou sabendo que, caso sua vida fosse salva, o brigadista ficaria inválido. Desejou-lhe de todo o coração uma morte rápida.

    O americano tombou uma semana antes de o governo republicano anunciar a retirada dos combatentes estrangeiros da Espanha, com a esperança de que o mesmo fosse feito por Franco, que contava com tropas alemãs e italianas. Não foi o que aconteceu. O oficial americano, enterrado depressa numa cova sem nome, não chegou a desfilar pelas ruas de Barcelona com seus camaradas, aclamados por um povo agradecido numa cerimônia multitudinária, que cada um deles recordaria pelo resto de seus dias. As palavras de despedida mais memoráveis seriam as da Passionária, cujo entusiasmo incandescente sustentara o ânimo dos republicanos durante aqueles anos. Chamou-os de cruzados da liberdade, heroicos, idealistas valentes e disciplinados, que tinham deixado seu país e seus lares, chegando a dar tudo e só pedindo a honra de morrer pela Espanha. Nove mil daqueles cruzados ficaram para sempre enterrados em solo espanhol. Ela terminou dizendo-lhes que, depois da vitória, voltassem à Espanha, onde encontrariam pátria e amigos.

A propaganda de Franco convidava à rendição por megafones e panfletos lançados de aviões com a oferta de pão, justiça e liberdade, mas todos já sabiam que desertar equivalia a ir dar com os ossos numa prisão ou numa vala comum, que eles mesmos teriam de cavar. Tinham ouvido dizer que nos povoados ocupados por Franco as viúvas e as famílias dos executados eram obrigadas a pagar as balas do fuzilamento. E executados havia às dezenas de milhares; tanto sangue correria que no ano seguinte os camponeses asseguravam que as cebolas saíam vermelhas e que dentro das batatas eles encontravam dentes humanos. Mesmo assim, a tentação de passar para o lado do inimigo por um filão de pão levou muitos a desertar, em geral recrutas mais jovens. Certa vez, Guillem precisou dominar pela força um rapaz de Valência que perdera a cabeça, aterrorizado; apontou a arma para a testa dele, jurando que o mataria se ele saísse do lugar. Demorou duas horas para acalmá-lo e o fez sem que ninguém ficasse sabendo. Trinta horas depois o rapaz estava morto.

Em meio àquele inferno, em que não podiam contar nem com as provisões mais básicas, de vez em quando aparecia uma ambulância com a mala do correio. Era Aitor Ibarra, que se incumbira daquela tarefa para levantar o moral dos combatentes. A correspondência privada era uma das últimas prioridades no *front* do Ebro, e na realidade poucos homens recebiam cartas: os brigadistas estrangeiros, por estarem muito longe dos seus; e muitos dos espanhóis, especialmente os do sul do país, porque provinham de famílias analfabetas. Guillem Dalmau tinha quem lhe escrevesse. Aitor costumava brincar, dizendo que estava arriscando a pele para levar cartas a um só destinatário. Às vezes lhe entregava um feixe volumoso de várias cartas amarradas com barbante. Sempre havia alguma da mãe e do irmão de Guillem, mas a maioria era de Roser, que lhe escrevia diariamente um ou dois parágrafos, até juntar algumas páginas, que ela enfiava num envelope e levava ao correio militar cantarolando a mais popular canção dos milicianos: "*Si me quieres escribir, / ya sabes mi paradero: / Tercera Brigada Mixta, / primera línea de fuego*"*. Não podia saber que Ibarra saudava Guillem com a mesma canção ou outra parecida ao lhe entregar as cartas. O basco cantava até em sonhos para espantar o susto e seduzir sua fada da boa sorte.

As tropas de Franco avançavam inexoravelmente, depois de terem conquistado a maior parte do país, e ficou evidente que a Catalunha também cairia. O terror foi se apoderando da cidade, as pessoas preparavam-se para fugir e muitos já o tinham feito. Em meados de janeiro de 1939, Aitor Ibarra chegou ao hospital de Manresa dirigindo um caminhão desengonçado com dezenove homens feridos gravemente. Na partida, eram 21, mas dois tinham morrido no trajeto, e seus corpos, ficado pelo caminho. Vários médicos civis haviam abandonado seus postos, e os que ficavam tentavam evitar o pânico entre os pacientes do hospital. Dois integrantes do governo republicano também tinham optado pelo exílio, com a ideia de continuar governando de Paris, e isso acabou de minar o moral da população civil. Naquele momento os nacionais estavam a menos de 25 quilômetros de Barcelona.

Ibarra tinha passado cinquenta horas sem dormir. Entregou sua lamentável carga e caiu rendido nos braços de Víctor Dalmau, que saíra para receber o caminhão. Este o acomodou em sua alcova real, como chamava o catre de campanha, o lampião a querosene e o penico que constituíam seu alojamento.

---

* Se quiseres escrever-me, / já sabes meu paradeiro: / Terceira Brigada Mista, / primeira linha de fogo. [N. T.]

Tinha decidido morar no hospital para economizar tempo. Horas depois, quando teve uma pausa na frenética atividade da sala de cirurgia, levou ao amigo uma tigela de sopa de lentilhas, a linguiça seca que a mãe lhe mandara naquela semana e uma jarra de café de chicória. Custou-lhe acordar Aitor. Tonto de cansaço, o basco comeu com avidez e passou a lhe contar com detalhes a batalha do Ebro, de que Víctor já fora informado por alto pelos feridos dos meses anteriores. Ali o exército republicano fora dizimado. Segundo Ibarra, só restava preparar-se para a derrota final. "Nos 113 dias de combate pereceram mais de dez mil homens nossos e não sei quantos milhares foram feitos prisioneiros nem quantas foram as baixas entre os civis dos povoados bombardeados, isso sem contar as baixas do inimigo", acrescentou o basco. Tal como previra o professor Marcel Lluíz Dalmau antes de morrer, a guerra estava perdida. Não haveria paz negociada, como pretendia o comando republicano; Franco só aceitaria uma rendição incondicional. "Não acredite na propaganda franquista, não haverá clemência nem justiça. Haverá um banho de sangue como houve no resto do país. Estamos fodidos."

Para Víctor, que tinha vivido momentos trágicos com Ibarra sem que este abandonasse seu sorriso desafiador, as canções e as piadas, a expressão sombria de seu rosto acabou sendo mais eloquente que suas palavras. Ibarra tirou da mochila um pequeno frasco de bebida, despejou-o no café aguado e o ofereceu a Víctor. "Tome, vai precisar", disse. Fazia um bom tempo que estava procurando a forma mais delicada de dar a Víctor Dalmau a má notícia sobre o irmão, mas só conseguiu dizer-lhe sem atenuantes que Guillem tinha morrido no dia 8 de novembro.

— Como? — foi só o que Víctor conseguiu perguntar.

— Uma bomba na trincheira. Desculpe, Víctor, prefiro poupá-lo dos detalhes.

— Diga como — repetiu Víctor.

— A bomba despedaçou vários deles. Não houve tempo para reconstituir os corpos. Enterramos os pedaços.

— Então não puderam identificá-los.

— Não puderam identificá-los com precisão, Víctor, mas se sabia quem estava na trincheira. Guillem era um deles.

— Mas não há certeza, correto?

— Temo que haja — disse Aitor, e tirou da mochila uma carteira meio queimada.

Víctor abriu com cuidado a carteira, que parecia a ponto de se desintegrar, e dela retirou a identificação militar de Guillem e uma fotografia milagrosamente intacta, na qual se via a imagem de uma moça junto a um piano de cauda. Víctor Dalmau continuou sentado aos pés do catre de campanha, junto ao amigo, sem articular palavra durante vários minutos. Aitor não se atreveu a abraçá-lo, como teria desejado, e esperou a seu lado, imóvel e em silêncio.

— É a noiva dele, Roser Bruguera. Iam se casar depois da guerra — disse Víctor finalmente.

— Sinto muito, Víctor, você vai ter de dizer a ela.

— Está grávida, acho que de seis ou sete meses. Não posso dizer sem ter certeza de que Guillem morreu.

— Que certeza maior você quer, Víctor? Ninguém saiu vivo daquele buraco.

— Pode ser que ele não estivesse lá.

— Nesse caso estaria com a carteira no bolso, vivo em algum lugar e já saberíamos dele. Passaram-se dois meses. Não acha que a carteira é prova suficiente?

Naquele fim de semana Víctor Dalmau foi a Barcelona ver a mãe, que o esperava com um arroz preto, feito com uma xícara de arroz conseguida de contrabando, alguns alhos e um polvo que lhe custou o relógio do marido no porto. Os produtos da pesca eram requisitados para os soldados, e o pouco que se distribuía entre a população civil supostamente ia para hospitais e centros infantis, embora se soubesse muito bem que não faltavam na mesa dos políticos nem nos hotéis e restaurantes da burguesia. Ao ver a mãe tão magra e pequena, envelhecida pelos pesares e pela preocupação, e Roser com uma barriga pronunciada e a irradiar a luz interior das gestantes, Víctor não conseguiu lhes anunciar a morte de Guillem; ainda estavam de luto pela de Marcel Lluíz. Várias vezes tentou dizer, mas as palavras gelavam em seu peito, e ele decidiu esperar que Roser desse à luz ou que a guerra terminasse. Com o bebê nos braços, a dor de Carme por perder o filho e de Roser por perder seu amor seria mais suportável, pensou.

III

1939

*Pasaron los días de un siglo y siguieron las
horas detrás de tu exilio...**

PABLO NERUDA,
"Artigas",
Canto general.

Aquele dia do final de janeiro em Barcelona, quando começou o êxodo que seria chamado de Retirada, amanheceu tão frio que a água congelava nos canos, os veículos e os animais ficavam grudados no gelo, e o céu, encapotado de nuvens negras, estava de luto profundo. Foi um dos invernos mais rigorosos na memória coletiva. As tropas franquistas desciam pelo monte Tibidabo, e o pânico se apoderou da população. Centenas de prisioneiros do Exército Nacional foram arrancados de suas celas e executados na última hora. Soldados, muitos deles feridos, empreenderam a marcha em direção à fronteira da França, atrás de milhares e milhares de civis, famílias inteiras, avós, mães, crianças, bebês de peito, cada um com o que podia levar consigo, alguns em ônibus ou caminhões, outros de bicicleta, carroça, cavalo ou mula, a grande maioria a pé, arrastando seus pertences em sacos, numa lamentável procissão de desesperados. Atrás ficavam as casas fechadas e os

---

* Passaram os dias de um século e seguiram as horas atrás de teu exílio... [N. T.]

objetos queridos. Os animais de estimação seguiam seus donos durante um trecho, mas logo se perdiam na voragem da Retirada e ficavam para trás.

Víctor Dalmau tinha passado a noite removendo os feridos que podiam ser transladados nos escassos veículos disponíveis, em caminhões e trens. Mais ou menos às oito da manhã, percebeu que precisava cumprir as ordens do pai e salvar a mãe e Roser, mas não podia abandonar seus pacientes. Conseguiu encontrar Aitor Ibarra e convencê-lo a levar embora as duas mulheres. O basco tinha uma velha motocicleta alemã com *sidecar*, que fora seu maior tesouro em tempos de paz, mas fazia três anos que não a usava por falta de combustível. Estava bem guardada na garagem de um amigo. Dadas as circunstâncias, considerou que se fazia necessário tomar medidas extremas e roubou dois tambores de gasolina do hospital. A motocicleta fez jus à excelente tecnologia teutônica e, na terceira tentativa, arrancou como se nunca tivesse ficado sepultada numa garagem. Às dez e meia Aitor apresentou-se na casa dos Dalmau em meio a um barulho atroador e à fumaceira do escapamento, ziguezagueando a duras penas entre a multidão que abarrotava as ruas na fuga. Carme e Roser estavam esperando, porque Víctor tinha dado um jeito de avisá-las. Suas instruções eram claras: não largar Aitor Ibarra, cruzar a fronteira e do outro lado entrar em contato com a Cruz Vermelha para localizar uma tal Elisabeth Eidenbenz, enfermeira de confiança. Ela seria o elo quando todos estivessem na França.

As mulheres tinham embalado roupa quente, umas poucas provisões e fotos de família. Até o último momento, Carme duvidava da necessidade de ir. Dizia que não há mal que dure cem anos e que talvez pudessem esperar para ver no que davam as coisas. Não se achava capaz de iniciar uma nova vida em outro lugar, mas Aitor deu-lhe exemplos vívidos do que acontecia quando os fascistas chegavam. Em primeiro lugar, bandeiras por todos os lados e uma missa solene na praça principal, com obrigação de assistir. Os vencedores seriam recebidos com vivas por uma multidão de inimigos da República, que tinham ficado dissimulados na cidade durante três anos, e por muitos outros que, impelidos pelo medo, pretendiam congraçar-se e fazer de conta que nunca tinham participado da revolução. Cremos em Deus, cremos na Espanha, cremos em Franco. Amamos a Deus, amamos a Espanha, amamos o generalíssimo Francisco Franco. Depois começava o expurgo. Primeiro prendiam os combatentes, se os achassem, em qualquer condição que estivessem, e pessoas denunciadas por outros como colaboradoras ou suspeitas de alguma atividade considerada antiespanhola ou anticatólica; isso incluía membros de sindicatos, partidos de esquerda, praticantes de outras religiões, agnósticos, maçons, professores, maestros, cientistas, filósofos, estudiosos de esperanto, estrangeiros, judeus, ciganos, e assim seguia a lista interminável.

— As represálias são bárbaras, dona Carme. Sabia que eles tiram os filhos das mães e os põem em orfanatos de freiras para doutriná-los na única fé verdadeira e nos valores da pátria?

— Os meus já estão velhos para isso.

— É só um exemplo. O que eu quero explicar é que não existe outra solução a não ser vir comigo, porque a senhora vai ser fuzilada por andar alfabetizando revolucionários e por não ir à missa.

— Olha, rapaz, tenho 54 anos e uma tosse de tísica. Não vou viver muito mais. Que vida me espera no exílio? Prefiro morrer em minha própria casa, na minha cidade, com Franco ou sem ele.

Aitor passou quinze minutos mais tentando em vão convencê-la, até que Roser interveio.

— Venha conosco, dona Carme, porque eu e seu neto precisamos da senhora. Daqui a algum tempo, quando estivermos instalados e sabendo como andam as coisas, a senhora poderá voltar, se quiser.

— Você é mais forte e mais capaz do que eu. Vai se arranjar muito bem sozinha. Não chore, mulher...

— Como não vou chorar? O que vou fazer sem a senhora?

— Está bem, mas fique claro que estou fazendo isso por você e pela criança. Por mim, ficava aqui, e, a mau tempo, boa cara.

— Chega, senhoras, precisamos sair já — insistiu Aitor.

— E as galinhas?

— Solte, alguém vai pegar. Vamos, está na hora de ir.

Roser pretendia viajar na garupa da moto, atrás de Aitor, mas Carme e ele a convenceram a ir no *sidecar*, onde era menor o perigo de prejudicar a criança ou provocar um aborto. Carme, envolta em vários coletes e um manto de lã preta de Castela, impermeável e pesado como um tapete, subiu no assento de trás. Era tão leve que, sem o manto, poderia sair voando. Avançavam muito devagar, desviando das pessoas, de outros veículos e de animais de tração, escorregando no caminho encharcado e defendendo-se dos desesperados que pretendiam montar à força na moto.

A saída de Barcelona apresentava um espetáculo dantesco de milhares de seres tiritando de frio numa debandada que aos poucos se transformou em lenta procissão, avançando no passo dos amputados, dos feridos, dos velhos e das crianças. Os hospitalizados que podiam movimentar-se uniram-se ao êxodo, outros seriam transportados em trens até onde fosse possível, o restante teria de enfrentar as facas e as baionetas dos mouros. Logo a cidade ficou para trás, e eles se viram em campo aberto. Dos pequenos povoados saíam os camponeses, alguns com seus animais ou com carroças abarrotadas de bagagem, e misturavam-se à multidão em movimento. Os que dispunham de alguma coisa de valor trocavam-na por um lugar nos escassos veículos; o dinheiro não valia nada. As mulas e os cavalos vergavam sob o peso das carroças e muitos caíam agonizantes; então os homens se prendiam aos arreios e puxavam, enquanto as mulheres empurravam de trás. Pelo caminho iam ficando os objetos que ninguém podia carregar, desde malas até móveis; também ficavam os mortos e os feridos onde caíam, porque ninguém se detinha para socorrê-los. A capacidade de compaixão havia desaparecido, cada um cuidava apenas de si mesmo e dos seus. Os aviões da Legião Condor voavam baixo, semeando morte, e deixavam a cada passagem um rastro de sangue misturado ao lodo e ao gelo. Muitas das vítimas eram crianças. A comida rareava. Os mais precavidos levavam provisões, que deram para um ou dois dias. O restante suportava a fome, a menos que algum camponês estivesse disposto a fazer permuta com alimento. Aitor se amaldiçoou por ter deixado as galinhas.

Centenas de milhares de refugiados fugiam para a França, onde eram esperados por uma campanha de terror e ódio. Ninguém queria aqueles estrangeiros, vermelhos, seres repugnantes, sujos, fugitivos, desertores, delinquentes, como eram chamados pela imprensa; iam propagar epidemias, cometer roubos e violações e propiciar uma revolução comunista. Fazia três anos que os espanhóis iam chegando a conta-gotas, fugidos da guerra; tinham sido recebidos com pouquíssima simpatia, mas, distribuindo-se pelo país, eram quase invisíveis. Com a derrota dos republicanos, supunha-se que o fluxo aumentaria; as autoridades esperavam um número indeterminado, no máximo dez ou quinze mil, cifra que alarmava a direita francesa. Ninguém imaginou que, em poucos dias, na fronteira se amontoaria uma multidão de quase meio milhão de espanhóis no grau máximo de desorientação, terror e miséria. A primeira reação francesa foi fechar as passagens fronteiriças enquanto as autoridades chegavam a um acordo sobre a forma de abordar o problema.

A noite deixou-se cair cedo. Choveu por algum tempo, o suficiente para encharcar a roupa e transformar o chão em lodaçal. Depois a temperatura desceu vários graus abaixo de zero e começou a soprar um vento que era como punhais a se cravarem nos ossos. Os caminhantes tiveram de parar, não se podia continuar andando na escuridão. Deitaram-se aconchegados onde puderam, debaixo de cobertores úmidos, as mães abraçadas aos filhos, os homens tentando proteger a família, os velhos rezando. Aitor Ibarra acomodou as duas mulheres no *sidecar* da moto, com instruções de esperá-lo, arrancou um cabo do motor para evitar que a roubassem e afastou-se um pouco do caminho, procurando um lugar para se aliviar; fazia meses que estava com diarreia, como quase todos os que tinham passado pelo *front*. Sua lanterna alumiou, numa fenda do terreno, uma mula imóvel; talvez estivesse com as patas quebradas, ou simplesmente tivesse se deitado para morrer de canseira. Estava viva. Aitor sacou a pistola e disparou na cabeça dela. O tiro isolado, diferente da metralha do inimigo, atraiu muitos curiosos. Aitor estava treinado para receber ordens, e não para dá-las, mas naquele momento aflorou nele um inesperado dom de comando: organizou os homens para esquartejar o animal, e as mulheres para assar a carne em fogueirinhas que não chamassem a atenção dos aviões. A ideia correu por toda a multidão, e logo se ouviam tiros solitários aqui e ali. A Carme e a Roser ele levou duas porções daquela carne dura e duas canecas de água que ele tinha esquentado numa das fogueiras. "Imaginem que é café com conhaque; só falta o café", disse, despejando um bocado de conhaque em cada xícara. Guardou um pouco de carne, confiando que o frio a conservaria, e meio filão de pão que conseguira em troca dos óculos de um aviador italiano que tinha se esborrachado, imaginando que aqueles óculos tinham passado de mão em mão vinte vezes antes de caírem nas suas e que continuariam dando voltas pelo mundo até se desintegrarem.

Carme negou-se a comer a carne, dizendo que quebraria os dentes mastigando aquela sola de chinelo, e deu sua parte a Roser. Já começava a lhe rondar a cabeça a ideia de aproveitar a noite para escapulir e desaparecer. O frio a impedia de respirar, cada inspiração lhe provocava tosse, doía-lhe o peito, e ela se engasgava. "Quem me dera ter uma pneumonia de uma vez por todas", murmurou. "Não diga isso, dona Carme, pense em seus filhos", respondeu Roser, que tinha conseguido ouvi-la. Na falta de pneumonia, morrer congelada é uma boa opção, concluiu Carme com seus botões. Tinha lido que era desse modo que os velhos se suicidavam no Polo Norte. Gostaria muito de conhecer o neto ou a neta que estava para nascer, mas esse desejo ia se diluindo em sua mente como um sonho. Só lhe importava que Roser chegasse sã e salva à França, que ali desse à luz e se reunisse com Guillem e Víctor. Não queria ser uma carga para os jovens; na idade dela, era um estorvo, sem ela eles chegariam mais longe e mais rápido. Roser deve ter adivinhado suas intenções, porque a vigiou até que foi derrotada pelo cansaço e dormiu encolhida. Não sentiu quando Carme se afastou dela, sorrateira como um felino.

Aitor foi quem descobriu a ausência da mulher quando ainda estava escuro; sem acordar Roser, saiu a procurá-la no meio daquela massa de sofrida humanidade. Com a lanterna iluminava o chão para saber onde pôr o pé sem pisar em ninguém; calculou que Carme também deveria ter penado para avançar e não poderia estar longe. A primeira luz da aurora o surpreendeu vagando no rebuliço de pessoas e coisas, chamando-a entre outros que também gritavam os nomes de seus familiares. Uma menina de uns quatro anos, rouca de tanto chorar, molhada, azul de frio, agarrou-se à perna dele. Aitor limpou-lhe o monco do nariz, lamentando não ter com o que cobri-la, colocou-a sobre os ombros, para ver se alguém podia identificá-la, mas ninguém prestava atenção à sorte dos outros. "Qual é seu nome, linda?" "Nuria", murmurou a pequena, e ele a distraiu cantarolando as canções populares dos milicianos que todos conheciam de cor e que andavam grudadas em seus lábios fazia meses. "Cante comigo, Nuria, porque quem canta seus males espanta", disse, mas a menina continuou chorando. Andou com ela nos ombros um bom pedaço, abrindo caminho a duras penas e chamando Carme, até que topou com um caminhão parado na beira da estrada, onde duas enfermeiras distribuíam leite e pão a um grupo de crianças. Ele explicou que a menina estava procurando a família, e elas lhe responderam que a deixasse lá; as crianças do caminhão também estavam perdidas. Uma hora depois, sem ter achado Carme, Aitor começou a voltar para o lugar onde tinha deixado Roser. Então eles se deram conta de que Carme tinha ido embora sem levar o manto de Castela.

Com o despontar do dia, a multidão desesperada se pôs em movimento como uma imensa mancha escura e lenta. O boato de que a fronteira tinha sido fechada e de que cada vez mais gente se aglomerava diante dos postos de passagem correu de boca em boca, aumentando o pânico. Fazia muitas horas que não comiam, e as crianças, os velhos e os feridos estavam cada vez mais debilitados. Centenas de veículos, desde carroças até caminhões, jaziam abandonados de ambos os lados do caminho, ou porque os animais de tração não podiam continuar ou porque faltava combustível. Aitor decidiu sair da estrada, onde estavam imobilizados pela multidão, e aventurar-se para os lados das montanhas, em busca de uma passagem menos vigiada. Roser negou-se a ir sem Carme, mas ele a convenceu de que seguramente Carme chegaria à fronteira com o restante da multidão, e na França voltariam a reunir-se. Passaram um bom tempo discutindo, até que Aitor perdeu a paciência e ameaçou ir embora e deixá-la na mão. Roser, que não o conhecia, acreditou. Na infância, Aitor andava com o pai pelas montanhas e naquele momento ocorreu-lhe que daria qualquer coisa para ter o velho a seu lado. Não foi o único que teve aquela ideia: havia grupos que já se encaminhavam em direção às montanhas. Se o trajeto ia ser duro para Roser, com barriga de grávida, pernas inchadas e ciática, pior seria para as famílias com crianças e velhos e para alguns combatentes amputados ou com bandagens ensanguentadas. A moto serviria apenas enquanto houvesse trilha, e Aitor não tinha certeza se Roser, naquele estado, poderia continuar a pé.

Conforme o basco calculara, o veículo os levou em direção às montanhas, subiu tossindo e lançando fumaça até onde pôde e no fim parou. A partir daquele ponto precisavam começar a subida a pé. Antes de esconder a moto entre uns arbustos, Aitor deu um beijo de despedida na máquina que ele considerava mais fiel que uma boa esposa, prometendo que voltaria para buscá-la. Roser o ajudou a organizar e distribuir a bagagem, que eles amarraram às costas. Precisaram deixar a maior parte e carregar apenas o essencial: roupa quente, sapatos de reposição, o pouco alimento disponível e o dinheiro francês que Víctor, sempre precavido, dera a Aitor. Roser envergou o manto de Castela e calçou dois pares de luvas, pois precisava cuidar das mãos se é que pretendia voltar a tocar piano. Começaram a subir. Roser ia devagar, mas com determinação e sem se deter, empurrada ou puxada em alguns trechos por Aitor, que brincava e cantava para lhe dar ânimo, como se estivessem indo a um piquenique. Os poucos viajantes que tinham escolhido aquela rota e chegado àquela altura os alcançavam e ultrapassavam com uma breve saudação. Logo ficaram sozinhos. A estreita trilha de cabras, escorregadia por causa do gelo, desapareceu. Os pés afundavam na neve, eles iam desviando de pedras e troncos caídos; caminhavam beirando o abismo: um passo em falso e se estatelariam cem metros abaixo. As botas de Aitor, que, assim como os óculos, tinham pertencido a um oficial inimigo tombado em combate, estavam gastas, porém o protegiam mais que o calçado citadino de Roser. Em pouco tempo nenhum dos dois sentia os pés. A montanha, enorme, escarpada, branca de neve, erguia-se ameaçadora contra o céu arroxeado. Aitor receou estar perdido e compreendeu que, no melhor dos casos, demorariam vários dias para atingir a França e, a menos que pudessem unir-se a um grupo, não conseguiriam. Amaldiçoou em silêncio sua ideia de abandonar a estrada, mas tranquilizou Roser, garantindo-lhe que conhecia o terreno como a palma da mão.

Ao entardecer, viram ao longe um tênue clarão e, com um último esforço desesperado, chegaram às cercanias de um minúsculo acampamento. Daquela distância distinguiram figuras humanas e Aitor decidiu expor-se ao risco de tratar-se de soldados do Exército Nacional, porque a alternativa era passarem a noite enterrados na neve. Deixou Roser para trás e aproximou-se agachado até que pôde ver, à luz de uma pequena fogueira, quatro indivíduos magros, barbudos, esfarrapados; um deles tinha uma bandagem na cabeça. Não dispunham de cavalos, fardas nem tendas de campanha; eram uns maltrapilhos que não pareciam soldados inimigos, mas podiam ser bandidos. Por precaução, Aitor engatilhou a pistola, escondida por debaixo do casaco, uma Luger alemã, verdadeiro tesouro naqueles tempos, que ele tinha conseguido meses antes numa de suas prodigiosas permutas, e aproximou-se com gestos conciliadores. Um dos homens, armado de fuzil, saiu a seu encontro seguido a poucos passos por outros dois, que lhe cobriam as costas com um par de escopetas; estavam tão cautelosos e desconfiados como ele mesmo. Mediram-se a certa distância. Num ato impulsivo, Aitor chamou-os em catalão e basco, "*Bona nit! Kaixo! Gabon!**". Houve uma pausa que lhe pareceu interminável e por fim aquele que parecia ser o chefe deu-lhe boas-vindas com um breve "*Ongi etorri, burkide!***". Aitor compreendeu que eram seus camaradas, seguramente desertores. Suas pernas bambearam de alívio. Os homens se aproximaram dele, rodeando-o e, ao verem sua atitude pacífica, o saudaram com tapas nas costas. "Eu sou Eki e estes são Izan e o irmão dele, Julen", disse o do fuzil. Aitor apresentou-se, por sua vez, e explicou que estava com uma mulher grávida, e eles o acompanharam para buscar Roser. Dois deles a carregaram praticamente suspensa até o mísero acampamento, que aos recém-chegados pareceu de luxo, porque lá havia um teto de lona, fogo e comida.

Daí em diante o tempo foi passado a trocar más notícias e a repartir latas de grãos-de-bico, esquentadas ao fogo, e a pouca bebida que sobrava no cantil de Aitor, que também lhes ofereceu a carne de mula e o pedaço de pão que tinha na mochila. "Guarde suas provisões, farão mais falta a vocês do que a

---

* Boa noite! Olá! Boa noite. [N. T.]
** Bem-vindo, camarada. [N.T.]

nós", determinou Eki. Acrescentou que esperavam para o dia seguinte um montanhês que traria algumas provisões. Aitor insistiu em retribuir a generosa hospitalidade e deu-lhes seu fumo. Nos últimos dois anos somente os ricos e os dirigentes políticos fumavam cigarros, de contrabando; os demais se conformavam com uma mistura de capim seco e alcaçuz, que desaparecia numa única tragada. A bolsinha de tabaco inglês de Aitor foi recebida com religiosa solenidade. Eles enrolaram os cigarros e fumaram extasiados, em silêncio. Serviram a Roser sua ração de grão-de-bico e a instalaram na tenda improvisada, acomodando-a com uma garrafa de água quente para os pés gelados. Enquanto ela descansava, Aitor contou aos anfitriões a queda de Barcelona, a iminente derrota da República e o caos da Retirada.

Os homens receberam a informação sem se alterar, porque a esperavam. Tinham saído com vida de Guernica, bombardeada pelos temidos aviões da Legião Condor, que tinham arrasado a histórica cidadezinha basca, deixando em sua passagem mortandade e ruína, e haviam sobrevivido ao fogo provocado pelas bombas incendiárias nos bosques vizinhos, onde tinham se refugiado. Lutaram até o último dia no Exército de Euzkadi durante a batalha de Bilbao. Antes que a cidade caísse nas mãos do inimigo, o alto comando basco organizou a evacuação de civis para a França, enquanto os soldados continuaram a guerra divididos em diferentes batalhões. Um ano depois da derrota de Bilbao, Izan e Julen ficaram sabendo que o pai e o irmão menor, presos em cárceres franquistas, tinham sido fuzilados. Eles eram os últimos remanescentes de uma família numerosa. Então decidiram desertar assim que houvesse oportunidade; a democracia, a República e a guerra tinham perdido sentido, eles já não sabiam por que lutavam. Vagavam por bosques e montanhas escarpadas, sem se deterem mais de uns poucos dias no mesmo lugar, sob a direção tácita de Eki, que conhecia bem os Pireneus.

Nas últimas semanas, à medida que se aproximava o fim inevitável da guerra, eles tinham se encontrado com outros homens em fuga. Em nenhum lugar estavam a salvo. Na França, não seriam tratados com a consideração devida a um exército vencido ou a combatentes em retirada, nem sequer como refugiados, mas sim como desertores. Seriam detidos e deportados para a Espanha, entregues a Franco. Sem terem para onde ir, andavam de lá para cá em pequenos grupos, escondendo-se alguns em grutas ou nos terrenos mais inacessíveis para salvar-se, até que a situação se normalizasse, enquanto outros alimentavam a determinação suicida de continuar lutando numa guerrilha contra o poderio do exército vencedor. Negavam-se a aceitar a derrota definitiva do ideal revolucionário pelo qual tanto tinham sacrificado e muito menos podiam aceitar que esse ideal sempre tivesse sido um sonho. No entanto, não era esse o caso daqueles irmãos da montanha, que estavam desiludidos com tudo, nem de Eki, a quem só interessava sobreviver para reunir-se algum dia à mulher e aos filhos.

O homem com bandagem na cabeça, que parecia muito jovem e não participava da conversa, era um asturiano que ficara surdo e confuso em decorrência do ferimento. Entre uma brincadeira e outra, os outros explicaram a Aitor que não podiam se desfazer dele, como gostariam, porque ele tinha uma pontaria fantástica; conseguia acertar uma lebre com os olhos fechados, não perdia uma única bala e, graças a ele, comiam carne de vez em quando. De fato, eles tinham alguns coelhos prontos para trocar por outras provisões com o montanhês que chegaria no dia seguinte. Aitor não deixou de notar a ternura rude com que o tratavam, como se fosse uma criança boba. Eles supuseram que Aitor e Roser fossem casados e obrigaram Aitor a ocupar um lugar na tenda junto a sua mulher; com isso, dois deles ficavam ao relento. "Vamos nos revezar", disseram, e negaram-se a aceitar que Aitor também tivesse seu turno. Que espécie de hospitalidade seria essa? — alegaram.

Aitor deitou-se ao lado de Roser, ela toda encolhida, protegendo a barriga, e ele atrás, abraçando-a para transmitir-lhe calor. Seus ossos doíam, ele estava entorpecido e temia pela segurança e até pela vida da futura mãe; era responsável por ela como prometera a Víctor Dalmau. Durante a dura subida da montanha, Roser tinha garantido que lhe sobravam forças, que ele não precisava se preocupar com ela. "Criei-me entre montanhas, cuidando de cabras no inverno e no verão, Aitor, estou acostumada às intempéries, não pense que me canso facilmente." Ela deve ter adivinhado a apreensão dele, porque lhe tomou a mão e a levou a seu ventre, para ele sentir o movimento. "Não se preocupe, esta criança está segura e, além do mais, contente", disse ela entre dois bocejos. Então aquele basco alegre e valente, que havia visto tanta morte e sofrimento, tanta violência e maldade, disfarçou o choro com o rosto escondido na nuca da jovem, cujo cheiro ele não esqueceria. Chorou por ela, que ainda não sabia que era viúva; chorou por Guillem, que nunca conheceria o filho nem voltaria a abraçar a noiva; chorou por Carme, que se fora sem se despedir; chorou por si mesmo, porque estava muito cansado e pela primeira vez na vida duvidava de sua boa sorte.

No dia seguinte o montanhês que eles esperavam chegou cedo, num cavalo velho a passo lento. Apresentou-se como Ángel às suas ordens e acrescentou que o nome lhe caía bem porque ele era o anjo de fugitivos e desertores. Trazia as ansiadas provisões, alguns cartuchos para as escopetas e uma garrafa de aguardente que serviria para aliviar o tédio e limpar o ferimento do asturiano. Quando trocaram a bandagem, Aitor viu que ele tinha um corte profundo e o crânio afundado. Acreditou que certamente o frio intenso impediria a infecção; aquele homem devia ser de ferro para continuar vivo. O montanhês confirmou a notícia de que a França havia fechado a fronteira, já fazia dois dias, e centenas de milhares de refugiados estavam bloqueados, esperando meio mortos de frio e de fome. Guardas armados impediam a passagem.

Ángel disse que era pastor, mas Aitor não se deixou enganar; o outro tinha todo o jeito de contrabandista, como seu pai, ocupação mais lucrativa do que cuidar de cabras. Esclarecido esse ponto, verificou-se que o montanhês conhecia o velho Ibarra, por aqueles lados todos os colegas de profissão se conheciam, disse. As passagens da montanha eram poucas, as dificuldades eram muitas, e o clima era tão temível quanto as autoridades de ambos os lados da fronteira. Naquelas circunstâncias a solidariedade era indispensável. "Não somos delinquentes, prestamos um serviço necessário, como certamente seu pai lhe terá explicado; a lei da oferta e da procura...", acrescentou. Garantiu-lhes que era impossível chegar à França sem um guia, porque os franceses tinham reforçado as passagens fronteiriças, e eles teriam de usar uma rota secreta, perigosa em qualquer época, mas pior no inverno. Ele a conhecia bem porque no início da guerra tinha usado aquela rota para conduzir brigadistas internacionais à Espanha. "Eram bons rapazes aqueles estrangeiros, mas muitos eram filhinhos de papai e alguns ficaram pelo caminho. Quem ficasse para trás ou caísse num precipício ali era deixado." Ofereceu-se para levá-los até o outro lado e aceitou o pagamento em moeda francesa. "Sua mulher pode ir no meu cavalo, nós vamos andando", disse a Aitor.

Na metade da manhã, depois de compartilharem uma beberagem sucedânea do café, Aitor e Roser despediram-se dos homens e prosseguiram viagem. O guia avisou que a marcha continuaria enquanto houvesse luz, caso eles aguentassem sem parar mais do que o indispensável. Poderiam passar a noite num refúgio de pastores. Aitor o vigiava, alerta para a possibilidade de ele os assaltar. Naqueles ermos, em território desconhecido, ele poderia muito bem degolar os dois. Mais que o dinheiro, o butim valioso consistia em sua pistola, seu canivete, suas botas e o manto de Castela. Andaram horas e horas calados, com frio, extenuados, afundando na neve. Durante longos trechos Roser também caminhava para aliviar o cavalo, que o dono tratava como se fosse um parente idoso. Pararam algumas vezes para descansar, beber neve derretida e comer os restos da carne de mula e do pão. Quando começava a escurecer e a temperatura baixou a tal ponto que eles mal podiam abrir os olhos por causa do gelo nos cílios, Ángel indicou um promontório a distância. Era o refúgio anunciado.

Tratava-se de uma abóbada de penhascos sobrepostos como tijolos com uma abertura estreita sem porta, por onde enfiaram o cavalo à força para evitar que ele congelasse lá fora. O espaço interior, redondo e de teto baixo, era maior e mais abrigado do que parecia de fora: havia alguma lenha, montões de palha, um balde grande com água, dois machados e várias vasilhas de cozinha. Aitor fez fogo para cozinhar um dos coelhos de Ángel, que também retirou de seus alforjes embutidos queijo duro e um pão escuro e seco, porém melhor do que o pão de guerra que Roser assava na padaria de Barcelona. Depois de comerem e alimentarem o cavalo, deitaram-se na palha, embrulhados nos cobertores e iluminados pelo fogo. "Amanhã, antes de irmos embora, precisamos deixar isto aqui como encontramos. É preciso cortar lenha e encher o balde de neve. Outra coisa, *gudari**, não precisa da arma, pode dormir sossegado. Sou contrabandista, mas não sou assassino", disse Ángel.

---

* Soldado. [N. T.]

A travessia dos Pireneus em direção à França durou três longos dias com suas noites, mas, graças a Ángel, eles não se perderam nem tiveram de dormir ao relento; cada jornada terminava em algum lugar para pernoitar. A segunda noite foi numa choça de dois carvoeiros e um cachorro com aspecto de lobo. Os homens, que ganhavam a vida juntando lenha para fazer carvão, eram rudes e pouco hospitaleiros, mas os alojaram em troca de pagamento. "Cuidado com esses caras, *gudari*, eles são italianos", avisou Ángel a Aitor em particular. Isso deu ao basco uma pista para, com a meia dúzia de canções italianas que conhecia, relacionar-se com eles. Superadas as desconfianças iniciais, comeram, beberam e puseram-se a jogar com um baralho muito surrado. Roser mostrou-se imbatível, tinha aprendido a jogar *tute* e a fazer trapaças no colégio de freiras. Os anfitriões, que acharam isso tremendamente engraçado, perderam de bom humor o pedaço de salame seco que tinham apostado. Roser dormiu deitada sobre uns sacos no chão, com o nariz enterrado no pelame duro do cachorro, que se aconchegara a seu lado, em busca de calor. Ao despedir-se de manhã, beijou os carvoeiros três vezes nas faces, como era o correto, e disse-lhes que nem numa cama de plumas teria ficado mais bem acomodada. O cachorro os acompanhou por um bom pedaço, grudado aos calcanhares de Roser.

Na tarde do terceiro dia de marcha, Ángel anunciou que dali para a frente eles precisavam seguir sozinhos. Estavam a salvo, tudo era questão de descer. "Sigam pela beira da montanha e vão achar um casario em ruínas. Ali poderão se abrigar." Deu-lhes um pouco de pão e queijo, recebeu o dinheiro e despediu-se com um breve abraço. "Sua mulher vale ouro, *gudari*, cuide bem dela. Guiei centenas de homens, desde soldados calejados até criminosos, mas nunca tinha encontrado ninguém que aguentasse sem nenhuma queixa, como ela. E com essa barriga, maior o mérito."

Ao se aproximarem do casario uma hora mais tarde, de longe saiu ao encontro deles um homem armado de fuzil. Eles pararam e ficaram quietos, segurando a respiração, Aitor com a pistola pronta atrás das costas. Durante alguns segundos eternos contemplaram-se separados por cerca de cinquenta metros, até que Roser deu um passo à frente e gritou que eram refugiados. Ao perceber que se tratava de uma mulher e que os recém-chegados estavam mais assustados que ele, o homem baixou a arma e os chamou em catalão: *"Veniu,*

veniu, no us faré res*". Não eram os primeiros nem seriam os últimos refugiados que passavam por ali, disse-lhes, e acrescentou que naquela manhã mesmo seu filho tinha ido para a França, temendo ser apanhado pelos franquistas. Levou-os a uma choupana com chão de terra à qual faltava metade do teto, deu-lhes para comer umas sobras de seu fogão, e eles puderam deitar-se num catre humilde, mas limpo, onde antes dormia o filho. Algumas horas depois chegaram outros três espanhóis, que também receberam alojamento do bom homem. Ao amanhecer, ele lhes deu um caldo de água quente com sal, pedacinhos de batatas e algumas ervas que, segundo disse, ajudavam a suportar o frio. Antes de lhes indicar o caminho que deviam seguir, deu de presente a Roser cinco torrões de açúcar, os últimos que tinha, para adoçar a viagem da criança.

O grupo, encabeçado por Aitor e Roser, pôs-se a andar em direção à fronteira. A marcha durou o dia inteiro e, tal como dissera o catalão que lhes deu hospedagem, ao anoitecer chegaram a um cume e viram subitamente umas casas com luzes. Sabiam que estavam na França porque na Espanha ninguém acendia luzes, por medo dos bombardeios da aviação. Continuaram descendo naquela direção e acabaram numa estrada; pouco tinham andado por ela quando apareceu uma caminhonete da *garde mobile*, guarda rural francesa, e eles se entregaram animados, porque estavam na França solidária, a França da liberdade, igualdade e fraternidade, França com governo de esquerda presidido por um socialista. Os gendarmes os revistaram com rudeza e retiraram de Aitor a pistola, o canivete e o pouco dinheiro que lhe sobrava. Os outros espanhóis estavam desarmados. Levaram-nos a um galpão, depósito de um moinho de cereais adaptado para abrigar os refugiados que iam chegando às centenas. Estava abarrotado de gente, homens, mulheres e crianças, apinhados, aterrorizados, famintos, sufocados pela falta de ventilação e pela poeira fina dos grãos que flutuava no ambiente. Para matar a sede, contavam com uns latões de água de limpeza duvidosa. Em vez de latrinas, havia apenas uns buracos fora do galpão, onde eles precisavam se agachar, vigiados. As mulheres choravam de humilhação, enquanto os guardas zombavam. Aitor insistiu em acompanhar Roser, e os

---

* Venha, venha, não lhe farei nada. [N. T.]

guardas, vendo-a equilibrar precariamente a barriga, permitiram. Depois, encolhidos num canto, dividiram o último pedaço de pão e o salame seco dos italianos, enquanto ele tentava protegê-la da multidão e dos arrancos de desespero que explodiam inesperadamente entre os detidos. Correu voz de que aquele era um lugar de trânsito, e eles logo seriam conduzidos a um *centre de rétention administrative*. Não sabiam o significado daquilo.

No dia seguinte levaram embora as mulheres e as crianças em caminhões militares. Houve cenas de pânico entre as famílias, e os gendarmes precisavam separá-los a golpes de cassetete. Roser abraçou Aitor, agradeceu-lhe o muito que fizera por ela, garantiu-lhe que ficaria bem e saiu tranquila em direção ao caminhão. "Vou buscar você, Roser, prometo", conseguiu gritar Aitor antes de cair de joelhos, furioso, amaldiçoando.

Enquanto grande parte da população civil espanhola escapava como podia em direção à fronteira da França, seguida pelo que restava do exército vencido, Víctor Dalmau, os médicos que ainda estavam em seus postos e alguns voluntários transportaram os feridos do hospital em trens, ambulâncias e caminhões. As condições eram tão precárias que o diretor, ainda no comando do hospital, precisou tomar a penosa decisão de deixar para trás os pacientes graves que morreriam de qualquer maneira pelo caminho e acomodar nos veículos aqueles que tinham esperança de sobreviver. Apinhados em vagões de gado ou em veículos desconjuntados, deitados no chão, gelados de frio, aos solavancos, sem alimento, os combatentes recém-operados, feridos, cegos, amputados, com febre de tifo, disenteria ou gangrena partiram. O pessoal médico, sem recursos para aliviar o sofrimento, só podia oferecer água, palavras de consolo e às vezes, se algum moribundo pedisse, orações.

Fazia mais de dois anos que Víctor trabalhava lado a lado com os médicos mais experientes; tinha aprendido muito na frente de batalha e outro tanto no hospital, onde já ninguém lhe perguntava suas qualificações, ali só contava a dedicação. Ele mesmo costumava esquecer que lhe faltavam anos de estudo para se formar e fazia-se passar por médico entre os pacientes, para lhes dar sensação de segurança. Tinha visto ferimentos horrorosos, assistira a amputações a frio, ajudara vários infelizes a morrer e acreditava ter pele de crocodilo para suportar o sofrimento e a violência, mas aquele trajeto trágico nos vagões que lhe designaram quebrou sua inteireza. Os trens chegavam até Girona e ali se detinham à espera de outros transportes. Depois de 38 horas sem comer nem dormir, tentando dar água a um adolescente que estava morrendo em seus braços, algo arrebentou no peito de Víctor. "Meu coração se partiu", murmurou. Naquele momento entendeu o significado profundo dessa frase, acreditou ouvir um som de cristal quebrado e sentiu que a essência de seu ser se derramava e ele ia ficando vazio, sem memória do passado, sem consciência do presente, sem esperança para o futuro. Concluiu que assim devia ser esvair-se em sangue, como acontecera a tantos homens que ele não tinha conseguido socorrer. Dor demais, vileza demais naquela guerra entre irmãos; a derrota era preferível a continuar matando e morrendo.

A França observava com espanto o modo como ia se aglomerando na fronteira uma imensa multidão abjeta, que os franceses mal conseguiam manter sob controle com militares armados e as temíveis tropas coloniais do Senegal e da Argélia, a cavalo, com seus turbantes, fuzis e chicotes. O país estava sendo inundado por aquele êxodo maciço de indesejáveis, como foram oficialmente qualificados. No terceiro dia, diante do clamor internacional, o governo deixou que mulheres, crianças e idosos passassem. Depois foram entrando os civis restantes e no fim os combatentes, que desfilavam no estágio extremo de fome e fadiga, mas cantando com o punho erguido, depois de terem entregado as armas. De ambos os lados da estrada formaram-se montanhas de fuzis. Eles foram conduzidos a pé, em marchas forçadas, a vários campos de concentração improvisados com pressa para conter os espanhóis. *"Allez! Allez-y"*, incitavam os guardas a cavalo com ameaças, insultos e chicotadas.

Quando já ninguém se lembrava deles, foram sendo trazidos os feridos que continuavam vivos. Entre eles iam Víctor e os poucos médicos e enfermeiros que os haviam acompanhado até ali. Entraram na França com mais facilidade do que as primeiras ondas de refugiados, mas não tiveram melhor acolhida. Com frequência os feridos eram atendidos de mau jeito em escolas, estações e até na rua, porque os hospitais locais não eram suficientes, e ninguém os queria. Eram os mais necessitados da massa de "indesejáveis". Não havia recursos suficientes nem pessoal médico para tantos pacientes. Permitiu-se que Víctor ficasse tratando dos homens que estavam sob seus cuidados e assim ele conseguiu ter relativa liberdade.

Depois de ser separada de Aitor Ibarra, Roser foi conduzida com outras mulheres e crianças ao campo de Argelès-sur-Mer, a 35 quilômetros da fronteira, onde já havia dezenas de milhares de espanhóis. Era uma praia cercada e vigiada por gendarmes e tropas senegalesas. Areia, mar e arame farpado. Roser compreendeu que eram prisioneiros entregues à própria sorte e decidiu sobreviver de qualquer jeito. Se tinha resistido à travessia das montanhas, aguentaria o que viesse pela criança que levava dentro, por si mesma e pela esperança de reunir-se a Guillem. Os refugiados permaneciam sob as intempéries, expostos ao frio e à chuva, sem as mínimas condições de higiene; não contavam com latrinas nem com água potável. Dos poços que cavavam saía água salgada, turva e contaminada por fezes, urina e pelos cadáveres que não eram retirados a tempo. As mulheres se juntavam em grupos cerrados para defender-se da agressão sexual dos guardas e de alguns refugiados, que, depois de terem perdido tudo, não tinham ficado nem com a decência. Roser abriu com as mãos uma cavidade para se deitar e dormir protegida da tramontana, vento gélido que arrastava areia abrasiva que rasgava a pele, cegava, introduzia-se em todo lugar e produzia feridas que se infectavam. Uma vez por dia repartia-se lentilha aguada e às vezes café frio; ou passavam caminhões atirando pães. Os homens travavam luta de morte para apanhá-los; as mulheres e as crianças recebiam as migalhas quando alguém se apiedava e repartia sua porção. Morriam muitos, entre trinta e quarenta por dia, primeiro as crianças de disenteria, depois os velhos de pneumonia e depois o restante, pouco a pouco. Durante a noite alguém fazia turno e acordava os outros a cada dez ou quinze minutos, para que se mexessem e assim evitassem morrer congelados. Uma mulher, que tinha cavado sua própria toca junto a Roser, amanheceu abraçada ao cadáver da filha de cinco meses. A temperatura tinha caído abaixo de zero. Outros refugiados levaram o corpo da menina para enterrá-lo na praia, um pouco mais longe. Roser passou o dia acompanhando a mãe, que permanecia calada, sem lágrimas, com o olhar fixo no horizonte. Naquela mesma noite a mulher foi para a orla e entrou no mar até sumir. Não foi a única. Muito mais tarde o mundo faria as devidas contas: naqueles campos franceses morreram cerca de quinze mil pessoas de fome, inanição, maus-tratos e doenças. Nove em cada dez crianças pereceram.

Finalmente as autoridades instalaram as mulheres e as crianças em outra parte da praia, separada dos homens por uma fileira dupla de arame farpado. Já começava a chegar material para barracões, que os próprios refugiados construíam, e foram mandados vários homens, que ergueram tetos para as mulheres. Roser pediu para falar com o militar encarregado do campo e o convenceu a organizar a distribuição do pouco alimento disponível, para que as mães não tivessem de brigar por pedaços de pão duro para os filhos. Entrementes chegaram duas enfermeiras da Cruz Vermelha para distribuir vacinas e leite em pó, com instruções de filtrar a água com panos e fervê-la durante vários minutos antes de preparar as mamadeiras. Também traziam cobertores, roupa quente para as crianças e os nomes das famílias francesas dispostas a empregar algumas espanholas como domésticas ou em indústrias caseiras. Claro, prefeririam as que não tinham filhos. Por intermédio das enfermeiras, Roser mandou um recado para Elisabeth Eidenbenz, com a esperança de que ela estivesse na França. "Digam-lhe que sou cunhada de Víctor Dalmau e estou grávida."

Elisabeth havia acompanhado primeiro os combatentes na frente de batalha e depois, quando a derrota se mostrou iminente, a massa de fugitivos no caminho do exílio. Cruzou a fronteira com seu avental branco e sua capa azul sem que ninguém pudesse detê-la. Recebeu o recado de Roser entre centenas de pedidos de socorro e talvez não lhe tivesse dado prioridade sem o nome de Víctor Dalmau. Lembrava-se dele com certa ternura como o homem tímido que tocava violão e queria casar-se com ela. Perguntara-se com frequência o que seria dele, e era um consolo imaginar que podia estar vivo. No dia seguinte ao recebimento da mensagem, foi a Argelès-sur-Mer buscar Roser Bruguera. Conhecia as condições deploráveis dos campos de concentração, mas assim mesmo se comoveu ao ver aquela jovem desgrenhada e imunda, pálida, com olheiras roxas, olhos inflamados pela areia e tão magra que o ventre parecia desligado do esqueleto. Apesar desse aspecto, Roser apresentou-se erguida, com a voz segura e a dignidade de sempre. Nada em suas palavras revelou angústia ou resignação, como se ela estivesse no pleno controle da situação.

— Víctor nos deu seu nome, disse que a senhorita poderia servir de contato entre nós, para podermos nos reunir.

— Quem está com você?

— Por enquanto estou sozinha, mas chegarão Víctor e o irmão dele, Guillem, que é o pai do meu bebê, mais um amigo chamado Aitor Ibarra e talvez a mãe de Víctor e Guillem, a senhora Dalmau. Quando chegarem, diga-lhes onde estou, por favor. Espero que me encontrem antes do nascimento.

— Você não pode ficar aqui, Roser. Estou tentando ajudar as mulheres grávidas e as que têm crianças de peito. Nenhum recém-nascido sobrevive nestes campos.

Contou-lhe que tinha aberto uma casa para receber as futuras mães, mas, como a demanda era muito grande, e o espaço, limitado, estava de olho em um palacete abandonado em Elna, onde sonhava criar uma maternidade adequada, um oásis para as mulheres e seus bebês no meio de tanta aflição. Seria preciso erguê-lo das ruínas, e isso demoraria meses.

— Mas você não pode esperar, Roser, precisa sair daqui imediatamente.

— Como?

— O diretor sabe que você virá comigo. Na realidade, a única coisa que eles querem é livrar-se dos refugiados; estão tentando obrigá-los a repatriar-se. Qualquer pessoa que consiga proteção ou trabalho fica livre. Vamos.

— Aqui há muitas mulheres e crianças, também há grávidas.

— Vou fazer o que puder. Voltarei com mais ajuda.

Lá fora eram esperadas por um automóvel com o emblema da Cruz Vermelha. Elisabeth decidiu que, antes de tudo, Roser precisava de comida quente, e a levou ao primeiro restaurante que apareceu no caminho. Os poucos fregueses que havia àquela hora não esconderam a repugnância diante daquela mendiga fedorenta que acompanhava a asseada enfermeira.

Roser comeu todo o pão da mesa antes que chegasse o frango refogado. A jovem suíça dirigia o carro como se fosse uma bicicleta, ziguezagueando entre os outros veículos, subindo nas calçadas, ignorando solenemente os cruzamentos e os sinais de trânsito, que considerava optativos, e assim chegaram em pouco tempo a Perpignan. Levou Roser à casa que funcionava como maternidade, onde havia oito mulheres jovens, algumas no último mês de gravidez, outras com o recém-nascido nos braços. Foi recebida com o afeto sem sentimentalismo dos espanhóis, deram-lhe uma toalha, sabonete e xampu, e mandaram-na tomar uma ducha enquanto conseguiam roupa para ela. Uma hora depois, Roser apresentou-se diante de Elisabeth limpa, com os cabelos molhados, vestida de saia preta, túnica curta de lã, que lhe cobria a barriga, e sapatos de salto. Naquela mesma noite Elisabeth levou-a a um casal de quacres ingleses com quem tinha colaborado no *front* de Madri, obtendo alimentos, roupa e proteção para as crianças vítimas do conflito.

— Vai ficar com eles o tempo que for preciso, Roser, pelo menos até dar à luz. Depois veremos. É gente muito boa. Os quacres sempre estão onde mais são necessários. São santos, os únicos santos que respeito.

IV

1939

> *Celebro las virtudes y los vicios*
> *de pequeños burgueses suburbanos...**
>
> PABLO NERUDA,
> "Suburbios",
> *El corazón amarillo*.

O navio *Reina del Pacífico* saiu do porto chileno de Valparaíso no início de maio para atracar em Liverpool 27 dias depois. Na Europa a primavera dava lugar a um verão incerto, ameaçado pelos tambores de uma guerra inevitável. Uns meses antes, as potências europeias haviam firmado os acordos de Munique, que Hitler não tinha intenção nenhuma de cumprir. O mundo ocidental observava paralisado a expansão dos nazistas. A bordo do *Reina del Pacífico*, porém, os ecos do conflito que se aproximava chegavam amortecidos pela distância e pelo ruído dos motores a diesel, que impulsionavam aquela cidade flutuante de 17.702 toneladas através dos oceanos. Para os 162 passageiros da segunda classe e os 446 da terceira, a travessia estava sendo longa, porém na primeira classe os inconvenientes próprios da navegação desapareciam num ambiente refinado, em que os dias passavam voando, e o ímpeto das ondulações do mar não conseguia alterar o prazer da viagem. No

---

* Celebro as virtudes e os vícios / de pequeno-burgueses suburbanos. [N. T.]

convés mal se ouviam os motores; ali prevaleciam os sons amáveis da música de fundo, das conversas em várias línguas de 280 passageiros, do ir e vir de marinheiros e oficiais vestidos de branco da cabeça aos pés e de garçons com uniforme de botões dourados, de uma orquestra e um quarteto feminino de cordas, do tilintar eterno de taças de cristal, pratos de porcelana e talheres de prata. A cozinha só descansava na hora mais escura que antecede o amanhecer.

Na suíte de dois quartos, dois banheiros, salão e terraço, Laura del Solar gemia, fazendo pressão na tentativa de meter-se numa cinta elástica, enquanto seu vestido de baile esperava em cima da cama. Estava reservado para aquela noite, a penúltima da viagem, em que os passageiros da primeira classe exibiam as melhores joias e o que havia de mais elegante em seus baús. Do vestido drapeado de cetim azul, modelo de Chanel encomendado em Buenos Aires, sua modista de Santiago havia soltado seis centímetros nas costuras, mas, depois de várias semanas de navegação, Laura mal conseguia vesti-lo. No espelho de cristal biselado, o marido, Isidro del Solar, ajustava a gravata branca do *smoking* com ar satisfeito. Menos guloso e mais disciplinado que ela, mantivera-se em seu peso, e aos 59 anos achava-se elegante. Havia mudado pouco nos anos de casamento, ao contrário dela, deformada pela maternidade e pelos doces. Laura sentou-se na poltrona forrada de gobelino com a cabeça inclinada, os ombros caídos, desolada.

— O que foi, Laurita?

— Você se importa se eu não o acompanhar esta noite, Isidro? Estou com dor de cabeça.

O marido plantou-se na frente dela com a expressão de contrariedade que sempre acabava por derrotar Laura.

— Tome umas aspirinas, Laurita. Hoje é o jantar do capitão, estamos numa mesa importante, foi uma verdadeira proeza subornar o mordomo para consegui-la. Somos oito pessoas, e sua ausência será muito notada.

— É que estou me sentindo mal, Isidro.

— Faça um esforço. É um jantar de negócios para mim. Vamos dividir a mesa com o senador Trueba e com dois empresários ingleses interessados em comprar minha lã. Lembra que lhe falei deles? Já tenho uma oferta de uma fábrica de fardas militares de Hamburgo, mas é difícil entender-se com os alemães.

— Não acredito que a senhora do senador Trueba compareça.

— Aquela mulher é muito excêntrica. Dizem que fala com os mortos — disse Isidro.

— Todo mundo fala com os mortos de vez em quando, Isidro.

— Que bobagem é essa, Laurita!

— O vestido não me entra.

— Que importância têm uns quilos a mais? Ponha outro vestido. Você sempre é linda — disse ele, no tom de quem repetiu a mesma coisa mil vezes.

— Como não vou engordar, Isidro? A única coisa que temos feito a bordo é comer, comer...

— Bom, você poderia ter feito exercício; nadar na piscina, por exemplo.

— Como lhe passa pela cabeça que eu me mostre em traje de banho!

— Não posso obrigá-la, Laura, mas repito que sua presença é importante nesse jantar. Não me deixe na mão. Vou ajudá-la a fechar o vestido. Ponha o colar de safira, vai ficar perfeito.

— É muito ostentoso.

— Nada disso. É modesto, comparado com as joias que temos visto em outras mulheres por aí no navio — decidiu Isidro, abrindo o cofre com a chave que tinha no bolso do colete.

Ela sentiu saudade do terraço de camélias de sua casa de Santiago, de Leonardo brincando naquele refúgio, onde ela podia tricotar e rezar tranquila, protegida da mania de bulício e atividade febril do marido. Isidro del Solar era seu destino, mas o casamento lhe pesava como uma obrigação. Costumava invejar a irmã mais nova, a doce Teresa, freira enclausurada, entregue à meditação, às leituras piedosas e ao bordado de enxovais para noivas da alta sociedade. Uma existência dedicada a Deus, sem as distrações a que ela estava submetida, sem se preocupar com os dramas de filhos e parentes, sem ter de lidar com empregadas domésticas, perder tempo em visitas e cumprir as obrigações de esposa abnegada. Isidro era onipresente, o universo girava em torno dele, de seus desejos e de suas exigências. Assim tinham sido o avô e o pai dela, assim eram todos os homens.

— Crie ânimo, Laurita — disse Isidro, lutando com o feixe diminuto da joia que lhe pusera no pescoço. — Quero que você se divirta, que esta viagem seja memorável.

Memorável era a viagem que tinham feito alguns anos antes no recém-inaugurado transatlântico *Normandie*, com seu salão de jantar para setecentos comensais, lustres e fontes de luz desenhados por Lalique, decoração *art déco*, jardim de inverno com gaiolas de pássaros exóticos. Em apenas cinco dias, entre a França e Nova York, os del Solar tinham experimentado um luxo desconhecido no Chile, onde a sobriedade era virtude. Quanto mais dinheiro se tinha, mais preocupação havia em disfarçá-lo. Somente os imigrantes árabes, enriquecidos no comércio, ostentavam riqueza, mas Laura não conhecia nenhum; aquela gente estava fora de seu círculo e sempre estaria. No *Normandie*, viajava com o marido numa segunda lua de mel, depois de ter deixado os cinco filhos com os avós, a preceptora inglesa e as empregadas. O resultado foi a surpresa de outra gravidez, quando menos se esperava. Ela tinha certeza de que naquela curta travessia tinham gerado Leonardo, pobre inocente, seu Bêbe. O menino nasceu vários anos depois de Ofelia, que até aquele momento era a mais nova da família.

O *Reina del Pacífico* não podia competir em luxo com o *Normandie*, mas não era nada mau. Laura tomava o desjejum na cama, como sempre fizera, vestia-se lá pelas dez da manhã para a missa na capela e ia tomar ar no convés, na cadeira de praia reservada para ela, onde um garçom lhe trazia caldo de carne e sanduíches; dali para a mesa do almoço, quatro pratos pelo menos, e depois a hora do chá, com pãezinhos e bolos. Mal tinha tempo de dormir a sesta e jogar umas mãos de canastra antes de se vestir para os coquetéis e o jantar, quando precisava sorrir sem vontade e fingir que dava ouvidos a opiniões alheias. Depois, o baile era obrigatório. Isidro era um pé de valsa e tinha bom ouvido, mas ela se movia com o peso de uma foca na areia. No lanchinho da meia-noite, numa pausa da orquestra, serviam *foie gras*, caviar, champanhe e sobremesas. Ela se abstinha dos três primeiros, mas não conseguia resistir aos doces. Na noite anterior o *chef* de bordo, um francês exagerado, tinha apresentado uma orgia de chocolate em várias formas, presidida por uma fonte engenhosa que despejava chocolate fundido pela boca de um peixe de cristal.

Para ela, aquela viagem era outra imposição do marido. Se de férias se tratasse, ela preferiria ir para sua fazenda no Sul ou para a casa de praia em Viña del Mar, onde os dias transcorriam lânguidos e ociosos. Longos passeios, chá à sombra das árvores, terço em família, com as crianças e a criadagem. Para o marido, aquela viagem à Europa era a oportunidade de fortalecer relações sociais e lançar as sementes de novos negócios. Ele levava uma agenda cheia a cada capital que iam visitar. Laura sentia-se enganada, não se tratava realmente de férias. Isidro era um homem com visão de futuro, como ele mesmo se definia. Na família de Laura, isso era suspeito; a facilidade para ganhar dinheiro em aventuras comerciais era própria dos novos ricos, dos *parvenus*, dos arrivistas. Toleravam esse defeito em Isidro porque ninguém punha em dúvida sua boa linhagem castelhana e basca, nada de sangue árabe e judeu nas veias. Ele provinha de um ramo dos del Solar de impoluta honradez, exceto pelo pai, que na maturidade se apaixonou por uma modesta professorinha e com ela teve dois filhos antes que o fato fosse descoberto. Sua vasta família e outras da mesma classe cerraram fileiras em torno da esposa e dos filhos legítimos, mas ele se negou a abandonar a amante. O escândalo o afundou. Isidro tinha quinze anos. Não voltou a ver o pai, que continuou vivendo na mesma cidade, mas desceu alguns degraus na estrita hierarquia das classes sociais e desapareceu dos antigos círculos. O drama não era mencionado, mas todo mundo o conhecia. Os irmãos da esposa abandonada ajudaram-na com uma pensão mínima e empregaram Isidro, o mais velho dos filhos, que precisou deixar o colégio e começar a trabalhar. O rapaz mostrou-se mais inteligente e enérgico do que toda a parentela junta e poucos anos depois tinha atingido a situação econômica a que fazia jus pelo sobrenome. Tinha orgulho de não dever nada a ninguém. Aos 23 anos pediu a mão de Laura Vizcarra, respaldado em sua boa reputação e em vários negócios aceitáveis em seu meio social: criação de ovelhas na Patagônia, importação de antiguidades do Equador e do Peru, uma fazenda que dava pouco lucro, mas bastante prestígio. A família da noiva, descendente de dom Pedro Vizcarra, governador interino da Colônia no século XVI, era um clã católico, ultraconservador, inculto e fechado. Seus integrantes viviam, casavam-se e morriam uns com os outros, sem se misturarem com outra gente e sem interesse em conhecer as novas ideias do século. Eram imunes à ciência, à arte e à literatura. Isidro foi aceito porque ganhou a simpatia geral e conseguiu demonstrar que tinha parentesco com os Vizcarra por parte de mãe.

A bordo do *Reina del Pacífico,* Isidro del Solar passou os vinte e tantos dias de navegação cultivando seus contatos e praticando esportes: jogava pingue-pongue e tomava lições de esgrima. Começava o dia dando várias voltas pelo convés e o terminava depois da meia-noite com amigos e conhecidos no bar e no salão de fumantes, onde as damas não eram bem-vindas. Os cavalheiros falavam de negócios por alto, com fingida indiferença, porque era de mau gosto demonstrar demasiado interesse, mas a política era assunto que despertava paixões. Ficavam a par das novidades pelo jornal de bordo, duas folhas impressas com as notícias do telégrafo, distribuídas entre os passageiros pela manhã. À tarde as notícias já tinham perdido a atualidade; tudo mudava vertiginosamente, o mundo conhecido estava de pernas para o ar. Comparado com a Europa, o Chile era um paraíso felizmente atrasado e distante. É verdade que no momento tinha um governo de centro-esquerda, o presidente era do Partido Radical e maçom, detestado pela direita; seu nome não era pronunciado pelas "famílias de bem", mas ele ia durar pouco. A esquerda, com seu realismo rasteiro e sua vulgaridade, carecia de futuro; os donos do Chile se encarregariam disso. Isidro reunia-se à esposa para comer e para os espetáculos da tarde. No navio ofereciam cinema, teatro, música, circo, ventríloquos e palestras de hipnotizadores e videntes, motivo de fascínio para as damas e de zombarias para os homens. Expansivo e *bon vivant,* Isidro celebrava tudo com um cigarro numa das mãos e uma taça na outra, sem desanimar com a atitude da esposa, escandalizada com aquela alegria compulsória, que cheirava a pecado e dissipação.

Laura olhou-se no espelho segurando as lágrimas. O vestido ficaria esplêndido em outra mulher, pensou; ela não o merecia, como não merecia quase nada do que tinha. Estava consciente de sua situação privilegiada, da boa sorte de ter nascido na família Vizcarra, de ter-se casado com Isidro del Solar e de tantos outros benefícios obtidos misteriosamente, sem esforço nem planejamento por parte dela. Sempre fora protegida e servida. Dera à luz seis filhos e nunca sequer havia trocado uma fralda ou preparado uma mamadeira; disso se encarregava a boa Juana, que supervisionava as amas de leite e as criadas. Juana tinha criado as crianças, inclusive Felipe, que logo ia fazer 29 anos. Não ocorrera a Laura perguntar a Juana quantos anos tinha nem quantos anos fazia que trabalhava em sua casa; também não se lembrava de como ela tinha chegado. Deus lhe dera em demasia. Por que a ela? O que lhe pedia em troca? Ela nem desconfiava, e essa dívida com a divindade a atormentava. No *Normandie*, tinha assomado, por curiosidade, na coberta de terceira classe para observar a vida lá, transgredindo as instruções de não se misturar com passageiros de outra classe por razões sanitárias, como rezava o aviso na porta de sua suíte. Se, por azar, houvesse um surto de tuberculose ou de outra doença contagiosa, podiam acabar todos em quarentena, explicou-lhe o oficial que chamou sua atenção. Laura conseguiu ver o suficiente e comprovou o que notara quando ia com as Damas Católicas fazer caridade nas populações carentes; os pobres são de outra cor, têm um cheiro esquisito, a pele mais escura, o cabelo sem brilho, a roupa desbotada. Quem eram os da terceira classe? Não pareciam maltrapilhos nem desesperados como os indigentes de Santiago, mas tinham a mesma pátina cinzenta. Por que eles e não eu?, perguntou-se Laura naquela ocasião, com um misto de alívio e vergonha. A pergunta ficou flutuando em sua mente como um ruído tenaz. No *Reina del Pacífico*, a divisão de classes era semelhante à do *Normandie*, mas o contraste acabava sendo menos dramático, porque os tempos tinham mudado, e o vapor era menos luxuoso. Os passageiros da classe turística, como se chamavam agora os das cobertas inferiores, embarcados no Chile, no Peru e em outros portos do Pacífico, eram funcionários, escriturários, estudantes, pequenos comerciantes, imigrantes de volta à Europa para visitar a família. Laura percebeu que eles se divertiam muito mais do que os da primeira classe, num ambiente relaxado e festivo, com cantoria, danças, cerveja, concursos e jogos; ninguém se vestia de *tweed* para almoçar, de seda para tomar chá, de gala para jantar.

Naquela penúltima noite diante do espelho, enfaixada no traje de baile, perfumada e com o colar herdado da mãe, Laura só desejava seu cálice de xerez com umas gotas de valeriana, acomodar-se na cama e dormir e dormir durante meses, até o fim da viagem, até se achar de volta em sua casa de quartos frescos, em seu ambiente, com Leonardo. Estava morrendo de saudade dele, era um suplício passar tanto tempo longe do filho; quando ela voltasse ele talvez não a reconhecesse, a memória era fraca como tudo nele. E se ele ficasse doente? Melhor nem pensar. Deus lhe dera cinco filhos normais e, por acréscimo, lhe mandara aquele inocente, uma alma pura. Dormir, se pudesse dormir. A frustração lhe queimava o estômago, ela sentia um rugido trancado no peito. "Sempre eu que preciso ceder, sempre se faz a vontade de Isidro, primeiro ele, segundo ele e terceiro ele, é assim que ele repete, como se fosse engraçado, e eu aceito. Como queria ser viúva!", pensou. Precisava lutar com orações e penitências contra aquele pensamento recorrente. Desejar a morte de outra pessoa era pecado mortal; Isidro tinha mau gênio, mas era excelente marido e pai, não merecia aquele desejo perverso da própria esposa, da mulher que lhe jurara lealdade e obediência quando se casaram; ela tinha jurado diante do altar. "Estou louca, além de gorda", suspirou, e de repente aquela conclusão lhe pareceu divertida. Não pôde evitar um sorriso de regozijo, que o marido interpretou como aceitação. "É assim que eu gosto, minha linda", e foi para o banheiro cantarolando.

Ofelia entrou na suíte dos pais sem se anunciar. Aos dezenove anos continuava sendo uma mocinha impertinente; um dia ia amadurecer, alegava o pai sem convicção, porque ela era sua predileta, a única de seus descendentes que se parecia com ele, audaciosa e teimosa como ele, impossível de vergar. A garota não acertava uma no colégio e tinha se formado só porque as freiras queriam se ver livres dela. Tinha aprendido muito pouco nos doze anos de escola, mas dava um jeito de disfarçar a ignorância com simpatia, tinha instinto para ficar calada e capacidade de observação. Sua boa memória não foi suficiente para lhe garantir aprovação em história ou para aprender a tabuada de vezes, mas ela sabia de cor a letra de qualquer canção que tocasse no rádio. Era distraída, coquete e bonita demais; o pai temia que ela fosse presa fácil de homens sem escrúpulos. Todos os oficiais de bordo e a metade dos passageiros homens, inclusive os velhos, punham olho-grande nela, disso ele tinha certeza. Vários deles tinham comentado com ele o tanto de talento que sua filha tinha, referindo-se às aquarelas que ela pintava no convés, mas eles não a cercavam para admirar seus quadrinhos insípidos, e sim por outros motivos. Isidro esperava vê-la casada logo, assim ela passaria a ser responsabilidade de Matías Eyzaguirre — farinha de outro saco, como dizia —, e ele poderia respirar tranquilo, mas também seria melhor esperar um pouco, porque, se ela se casasse muito jovem, como as irmãs, em poucos anos estaria transformada numa matrona mal-humorada.

Partindo do Chile, no extremo sul da América, a viagem para a Europa era uma odisseia longa e cara, que poucas famílias podiam encarar. Os del Solar não estavam entre as maiores fortunas chilenas — como talvez estivessem se o pai de Isidro tivesse deixado de herança o que recebera e gastara por inteiro antes de abandonar a família —, mas estavam bem perto disso. Em todo caso, a posição social dependia menos do dinheiro do que da linhagem. Diferentemente de muitas famílias ricas, mas de mentalidade provinciana, Isidro acreditava ser necessário ver o mundo. O Chile era uma ilha delimitada ao norte pelo mais inóspito deserto; a leste, pela impenetrável Cordilheira dos Andes; a oeste, pelo Oceano Pacífico; e ao sul, pelo continente gelado da Antártida. Com razão, os chilenos viviam girando em torno do próprio umbigo, enquanto além de suas fronteiras o século xx corria a galope. Para ele, viajar era um investimento necessário. Tinha mandado os dois filhos varões para os Estados Unidos e para a Europa assim que tiveram idade suficiente, e gostaria de ter oferecido o mesmo às filhas, mas elas tinham se casado antes que ele encontrasse o momento oportuno para fazê-lo. Ia evitar esse descuido com Ofelia; precisava tirá-la do ambiente fechado e carola de Santiago e dar-lhe um verniz de cultura. Alimentava a ideia secreta — que nem sua mulher conhecia por enquanto — de deixar Ofelia num colégio de moças em Londres no fim do *tour*. Um ou dois anos de educação britânica lhe cairiam bem; ela poderia melhorar o inglês, que tinha estudado desde pequena com a preceptora e com professores particulares, como o restante dos filhos, menos Leonardo, claro. O inglês poderia vir a ser o idioma do futuro, a menos que a Alemanha se apoderasse da Europa. Era de um colégio em Londres que a filha precisava antes de se casar com Matías Eyzaguirre, noivo eterno que tinha futuro na carreira diplomática.

Ofelia ocupava o segundo dormitório da suíte, separado por uma porta do dormitório dos pais. Fazia dias que nele reinava o caos: baús, malas e chapeleiras abertos, roupas, sapatos e cosméticos espalhados, raquetes de tênis e revistas de moda no chão. Atendida por criados, a menina andava pelo mundo semeando bagunça sem se perguntar quem recolhia as coisas ou arrumava a desordem. A um toque de campainha ou sineta, alguém aparecia magicamente para servi-la. Naquela noite ela havia resgatado do caos um vestido leve e justo, que provocou uma exclamação de contrariedade no pai.

— De onde você tirou esse vestido de puta?

— Está na moda, papai. Quer me ver vestida de freira, como a tia Teresa?

— Não seja insolente. O que o Matías ia pensar se a visse assim?

— Ficaria de boca aberta, que é como ele sempre está, papai. Não tenha ilusões, não penso em me casar com ele.

— Então não deveria deixá-lo esperando.

— Ele é um beato.

— Preferia que fosse ateu?

— Nem tanto ao mar nem tanto à terra, papai. Mamãe, eu vim pedir emprestado o colar da vovó, mas vejo que está usando. Está lindíssimo.

— Pode ficar com ele, Ofelita, vai ficar melhor em você do que em mim — apressou-se a dizer a mãe, levando as mãos ao fecho.

— De jeito nenhum, Laura! Não me ouviu dizer que quero que você o use esta noite? — interrompeu secamente o marido.

— Que importância tem isso, Isidro? Vai ficar melhor na menina.

— Para mim tem importância! Chega. Ofelia, vá vestir um xale ou um colete, está muito decotada — ordenou-lhe, lembrando a vergonha que tinha passado na festa de fantasia a bordo, ao cruzarem a Linha do Equador, quando Ofelia apareceu fantasiada de odalisca, com um véu no rosto e um pijama revelador.

— Faça de conta que não me conhece, papai. Por sorte não preciso me sentar à sua mesa com aquela velharada chata. Espero ficar com uns caras boa-pinta.

— Não seja ordinária! — conseguiu exclamar o pai antes que ela saísse com um gesto de dançarina flamenca.

O jantar do capitão pareceu eterno para Laura e Ofelia del Solar. Depois da sobremesa — um vulcão de sorvete e merengue com uma chama acesa no centro —, a mãe se recolheu à suíte com enxaqueca, e a filha desforrou-se dançando *swing* no salão, ao som de magistrais trompetes. Exagerou no champanhe e terminou num canto do convés aos beijos com um oficial escocês de cabelo cor de cenoura e mãos atrevidas. De lá foi capturada pelo pai. "Pelo amor de Deus, que desgostos você me dá! Não sabe que mexerico voa? Matías vai ficar sabendo disso antes de atracarmos em Liverpool. Você vai ver!"

Em Santiago, na casa da rua Mar del Plata, respirava-se ar de férias prolongadas. Fazia quatro semanas que os donos viajavam, e já nem o cachorro sentia falta deles. Essa ausência não alterava a rotina nem diminuía os afazeres da criadagem, mas ninguém se apressava demais. Os rádios troavam com novelas, boleros e futebol, sobrava tempo para fazer a sesta. Até Leonardo, tão apegado à mãe, parecia contente e tinha parado de perguntar por ela. Era a primeira vez que se separavam e, em vez de lamentar, o Bêbe aproveitou para explorar os rincões proibidos daquela mansão de três andares: porão, cocheira, adega e sótão. O filho mais velho, Felipe, responsável pela casa e pelo irmão menor, cumpria seu papel superficialmente, porque não tinha vocação para chefe de família e porque andava ocupado com assuntos mais interessantes. A política pegava fogo com a questão dos refugiados espanhóis, de modo que para ele dava no mesmo se serviam sopa aguada ou siri à mesa, ou se o Bêbe dormia com o cachorro na cama. Não conferia as contas do armazém e, se lhe pedissem instruções, respondia que fizessem como sempre.

Juana Nancucheo, mestiça de crioulo com índio mapuche, do Sul Profundo, de idade difícil de adivinhar, baixa de estatura e sólida como os troncos antigos de seus bosques nativos, tranças compridas e pele olivácea, rude nos modos e fiel por hábito, estava no comando da administração doméstica desde tempos imemoriais. Dirigia com gestos severos as três criadas, a cozinheira, a lavadeira, o jardineiro e o homem que encerava o chão, carregava lenha e carvão, cuidava das galinhas e realizava as tarefas pesadas; ninguém se lembrava do nome dele, era simplesmente "o hominho de serviço". O único que se livrava da vigilância de Juana era o motorista, que morava nos altos da garagem e dependia diretamente dos patrões; se bem que, segundo ela, isso se prestava a muitos abusos: estava sempre de olho nele, que não era de se confiar, levava mulheres ao quarto, ela tinha certeza. "Nesta casa está sobrando pessoal doméstico", costumava opinar Isidro del Solar. "E quem o senhor está pensando em mandar embora, patrão?", perguntava ela. "Ninguém, digo por dizer", retratava-se ele de imediato. "Alguma razão ele deve ter", admitia Juana com seus botões. As crianças tinham crescido, e havia vários quartos fechados. As duas filhas mais velhas estavam casadas e com seus próprios filhos; o segundo filho andava estudando as alterações climáticas no Caribe, "se bem que isso não tem nada que ser estudado, só que ser aguentado", afirmava Juana; e Felipe morava em sua própria casa. Restavam a menina Ofelia, que ia se casar com o jovem Matías — tão amável, tão cavalheiro, tão apaixonado —, e o Bêbe, seu anjinho, que ficaria para sempre com ela porque não ia crescer.

Os patrões tinham viajado antes, quando as crianças eram menores, antes de Leonardo nascer, e ela tinha ficado de dona da casa. Naquela ocasião, cumprira suas obrigações sem merecer uma única repreensão, mas desta vez os patrões tiveram a ideia de deixar esse encargo com Felipe, como se ela fosse uma tonta inútil. Tantos anos servindo a família para lhe pagarem com aquela desconsideração, pensava. A vontade que ela tinha era de catar sua trouxinha e mandar-se dali, mas não tinha para onde ir. Devia estar com uns seis ou sete anos de idade quando foi dada a Vicente Vizcarra, pai de Laura, em pagamento de um favor. Era a época em que o senhor Vizcarra negociava madeiras finas, mas na região mapuche já nada restava daqueles bosques perfumados que haviam sido derrotados pelo machado e pela serra e substituídos por árvores comuns, plantadas em fileiras como soldados, para fazer papel. Juana era uma pirralha descalça que mal entendia algumas palavras de espanhol; sua língua era o mapudungun. Apesar de seu aspecto de criatura selvagem, Vizcarra aceitou, porque recusá-la teria sido um tremendo insulto ao devedor. Levou-a para Santiago e entregou-a à esposa, que por sua vez a pôs nas mãos das empregadas da casa para ser treinada nos serviços básicos; o resto Juana aprendeu sozinha, sem outra escola além de sua capacidade de ouvir e de sua vontade de obedecer. Quando Laura, uma das filhas da família Vizcarra, se casou com Isidro del Solar, ela foi mandada para servi-la. Juana calculava que por aquela época devia ter uns 18 anos, embora ninguém a tivesse registrado quando nasceu; legalmente, ela não existia. Desde o começo Isidro e Laura del Solar atribuíram-lhe a função de governanta; confiavam cegamente nela. Certo dia ela se atreveu a perguntar gaguejando se por acaso os patrões não poderiam lhe pagar um pouco, não muito, "e perdoem se estou pedindo", ela tinha alguns gastos, algumas necessidades. "Mas pelo amor de Deus, se você é da família, como vamos pagar!", foi a resposta. "Desculpem, mas da família eu não sou, sou do serviço, só isso." Pela primeira vez Juana Nancucheo começou a receber um salário que ela gastava em guloseimas para as crianças e num par de sapatos novos por ano; economizava o resto. Ninguém conhecia melhor cada membro daquela família, ela era a guardiã dos segredos. Quando Leonardo nasceu, e ficou evidente que ele era diferente dos outros, com seu doce rosto de lua, Juana se propôs viver o necessário para cuidar dele até o último dia. O Bêbe tinha problemas de coração e, segundo os médicos, ia durar pouco, mas o instinto e o carinho de Juana rejeitaram esse diagnóstico. Com paciência, ela lhe ensinou a comer sozinho e a usar o sanitário. Outras famílias escondiam as crianças como ele, envergonhavam-se, como se fosse um castigo de Deus, mas graças a ela isso não aconteceu com o Bêbe. Desde que estivesse limpo e sem gritos e birras, os pais o apresentavam como mais um entre seus filhos.

Felipe, o filho mais velho, era a luz dos olhos de Juana Nancucheo e assim continuou sendo depois do nascimento de Leonardo, porque se tratava de amores diferentes. Felipe ela considerava seu mentor, a bengala que a ampararia na velhice. Ele sempre tinha sido um bom menino e para ela continuava sendo. Era advogado, mas a contragosto, porque gostava mesmo era de arte, conversação e ideias, nada que sirva para muita coisa neste mundo, como dizia o pai. Felipe fora ensinando Juana a ler, escrever e fazer contas à medida que ele mesmo aprendia no colégio religioso onde eram educados os filhos das famílias mais conservadoras e destacadas do país. Isso os uniu numa firme cumplicidade. Juana escondia as travessuras dele, e ele a mantinha informada. "O que está lendo agora, menino Felipe?" "Espere que eu termine o livro e lhe conto, é de piratas." Ou então "Nada que lhe interesse, Juana, é sobre os fenícios, que viveram há muitos séculos e ninguém está nem ligando para eles, não sei para quê os padres nos ensinam essas bobagens". Felipe tinha crescido em tamanho e idade, mas continuou contando-lhe suas leituras e explicando-lhe as coisas do mundo; mais tarde ajudou-a a investir suas economias em algumas ações da Bolsa, as mesmas que Isidro del Solar comprava. Tinha gestos delicados com ela, introduzia-se furtivamente no quarto dela para lhe deixar dinheiro ou balas debaixo do travesseiro. Ela vivia atenta à saúde de Felipe, que era frágil, resfriava-se com correntes de ar e tinha indigestão com desgostos e comida pesada. Infelizmente, seu Felipe era tão inocente quanto Leonardo, incapaz de perceber a falsidade e a perfídia nos outros. Idealista, era como o chamavam. Além disso, bastante distraído, perdia tudo, e de índole branda, as pessoas se aproveitavam dele. Vivia emprestando dinheiro, que ninguém devolvia, e contribuindo com causas nobres que Juana considerava inúteis, porque o mundo não tem remédio. Com razão não se casara, que mulher aguentaria aqueles caprichos, que ficam muito bem nos santos do calendário, mas não num cavalheiro sensato, como ela dizia. Isidro del Solar também não apreciava a generosidade do filho, que extrapolava seus impulsos caridosos e afetava sua clareza de pensamento. "Qualquer dia você vai chegar com a novidade de que virou comunista", suspirava. As discussões entre pai e filho eram terríveis. Terminavam com portas batendo, sempre por assuntos alheios à família, como a situação do país e do mundo, que segundo Juana não incumbia a nenhum dos dois. Num daqueles confrontos, Felipe optou por mudar-se para uma casa que ele alugou a seis quadras de distância. Juana botou a boca no mundo, porque um bom filho só sai da casa paterna quando se casa, e não antes. Mas o restante da família aceitou sem fazer drama. Felipe não desapareceu, chegava para almoçar todos os dias, era preciso preparar sua dieta e lavar e passar sua roupa como ele gostava. Juana ia à casa dele vigiar o trabalho de suas empregadas, duas índias folgadas e sujas, em sua opinião. No fim das contas, mais trabalho, melhor seria que tivesse ficado em seu quarto de solteiro, resmungava Juana. A encrenca entre Felipe e o pai tinha jeito de eternizar-se, mas um grave ataque hepático de dona Laura obrigou-os a reconciliar-se.

Juana se lembrava da causa daquela briga, era impossível esquecer porque abalou o país e ainda se falava daquilo no rádio. Ocorreu na primavera do ano anterior, época das eleições presidenciais. Havia três candidatos: o preferido de Isidro del Solar, um militar conservador com fama de especulador; outro do Partido Radical, educador, advogado e senador, em quem Felipe ia votar; e um general que anteriormente havia exercido a presidência como ditador e apresentava-se apoiado, entre outros, pelo partido dos nazistas. Deste ninguém da família gostava. Na infância, Felipe tinha uma coleção de soldadinhos de chumbo do exército prussiano, mas perdeu toda a simpatia pelos alemães quando Hitler chegou ao poder. "Você viu os nazistas desfilando com uniformes pardos e o braço erguido pelo centro de Santiago, Juana? Que ridículo!" Sim, ela tinha visto e sabia de um tal de Hitler, porque Felipe tinha contado.

— Seu pai estava certo de que o candidato dele ia ganhar.

— Sim, porque aqui a direita sempre ganha. Os partidários do general quiseram impedir que eles ganhassem e tentaram provocar um golpe de Estado. Não deu certo.

— No rádio disseram que uns rapazes foram mortos que nem cachorro.

— Era um punhado de nazistas exaltados, Juana. Tomaram o edifício da Universidade do Chile e outro na frente do palácio presidencial. Os carabineiros e os militares os reprimiram rapidamente. Renderam-se com as mãos ao alto e estavam desarmados, mas foram mortos a tiros do mesmo jeito. Havia uma ordem de não deixar ninguém vivo.

— Seu pai disse que mereceram porque eram cretinos.

— Ninguém merece isso, Juana. Meu pai deveria ter mais cuidado com suas opiniões. Foi uma matança indigna do Chile. O país está furioso, e isso custou a eleição da direita. Quem ganhou foi Pedro Aguirre Cerda, como você sabe, Juana. Temos um presidente radical.

— O que é isso?

— É um homem de ideias progressistas. Segundo meu pai, é de esquerda. Qualquer um que não pense como meu pai é de esquerda.

Para Juana, esquerda e direita eram direções das ruas, não das pessoas, e o nome daquele presidente não significava nada. Não era de família conhecida.

— Pedro Aguirre Cerda representa a Frente Popular, formada por partidos de centro e de esquerda, coisa parecida com o que houve na Espanha e na França. Lembra que eu expliquei da Guerra Civil Espanhola?
— Quer dizer que aqui pode acontecer a mesma coisa?
— Espero que não, Juana. Se você pudesse votar, teria votado em Aguirre Cerda. Um dia as mulheres vão poder votar nas eleições presidenciais, eu prometo.
— E o senhor votou em quem, menino Felipe?
— Em Aguirre Cerda. Era o melhor candidato.
— O seu papai não gosta desse senhor.
— Mas eu gosto e você também.
— Eu não sei nada disso.
— É ruim você não saber, mulher. A Frente Popular representa os operários, os camponeses, os mineradores do Norte, as pessoas como você.
— Eu não sou nenhuma dessas coisas, e o senhor também não. Eu sou empregada doméstica.
— Você pertence à classe trabalhadora, Juana.
— Que eu saiba o senhor é um patrãozinho, e eu não entendo por que votou pela classe trabalhadora.
— O que lhe falta é escola. O presidente disse que governar é educar. Educação gratuita e obrigatória para todas as crianças do Chile. Saúde pública para todos. Melhores salários. Fortalecimento dos sindicatos. O que acha disso?
— Pra mim tanto faz.
— Mas como você é cabeça-dura, Juana. Como assim, tanto faz! O que fez muita falta para você foi a escola.
— Muita instrução tem o senhor, menino Felipe, mas ainda cheira a cueiros. E aproveito para dizer agora mesmo que não me traga gente aqui em casa sem avisar. A cozinheira fica brava, e eu não quero passar vergonha com visita que sai daqui dizendo que não sabemos receber como Deus manda. Muita instrução também devem ter seus amiguinhos, mas tomam as bebidas do patrão sem pedir licença. Espere só seu pai voltar pra ver o que ele vai dizer quando descobrir o que está faltando na adega.

Era o penúltimo sábado do mês, dia da reunião informal do Clube dos Furiosos, grupo de amiguinhos de Felipe, como dizia Juana Nancucheo. Em tempos normais eles se reuniam na casa de Felipe, mas, desde que seus pais estavam ausentes, Felipe os recebia na casa da rua Mar del Plata, onde a comida era excelente. Apesar da contrariedade que aquela gente lhe causava, Juana se esmerava em conseguir ostras frescas e servir os melhores guisados da cozinheira, mulherão de mau gênio e bom tempero. Os amigos de Felipe eram membros do Clube da União, como todo varão de sua classe. Ali eram ventilados assuntos pessoais, assim como questões financeiras e políticas do país, mas aqueles salões lúgubres, com painéis de madeira escura, lustres com pingentes e poltronas de veludo, prestavam-se pouco às animadas discussões filosóficas dos Furiosos. Além disso, o Clube da União era apenas para homens, e o que seria das tertúlias sem a presença revigorante de algumas mulheres solteiras e livres, artistas, escritoras, aventureiras de qualidade, entre elas uma amazona de sobrenome croata que viajava sozinha para lugares que não estavam no mapa? O assunto recorrente dos últimos três anos tinha sido a situação da Espanha e, nos meses recentes, o destino dos refugiados republicanos, que definhavam e morriam desde janeiro em campos de concentração na França. O êxodo maciço de gente da Catalunha para a fronteira francesa coincidiu com um terremoto que sacudiu o Chile em janeiro, o pior de sua história. Embora se gabasse de ser um racionalista incurável, Felipe via naquela coincidência um chamado à compaixão e à solidariedade. O terremoto deixou o saldo de mais de vinte mil mortos e cidades inteiras arrasadas, mas, por comparação, a Guerra Civil Espanhola, com centenas de milhares de mortos, feridos e refugiados, era uma tragédia muito maior.

Naquela noite contavam com um convidado especial, Pablo Neruda, que aos 34 anos era considerado o melhor poeta de sua geração, uma proeza, porque no Chile poeta dava como mato. Alguns de seus *Vinte poemas de amor* tinham passado a fazer parte da cultura popular, e até os analfabetos os recitavam. Neruda era um homem do Sul, da chuva e da madeira, filho de ferroviário; recitava seus versos com voz cavernosa e definia-se como duro de nariz e mínimo de olhos. Personagem polêmico por causa da celebridade e da simpatia pela esquerda, especialmente pelo Partido Comunista, no qual militaria no futuro, tinha sido cônsul na Argentina, na Birmânia, no Ceilão, na Espanha e recentemente na França, porque os governos de plantão preferiam mantê-lo longe do país, segundo diziam seus inimigos políticos e literários. Em Madri, onde esteve pouco antes de explodir a Guerra Civil, fez amizade com intelectuais e poetas, entre os quais Federico Garcia Lorca, assassinado pelos franquistas, e Antonio Machado, morto na França, num povoado próximo à fronteira durante a Retirada. Tinha publicado um hino às glórias dos combatentes republicanos, *España en el corazón,* quinhentos exemplares numerados, impressos pelos milicianos do Exército do Leste na abadia de Montserrat, em plena guerra, com papel feito do que havia à mão, desde camisas ensanguentadas até uma bandeira inimiga. O poema também foi publicado no Chile numa edição comum, mas Felipe tinha um dos exemplares originais. "*Y por las calles la sangre de los niños / corría simplemente, como sangre de niños. / [...] Venid a ver la sangre por las calles, / venid a ver / la sangre por las calles, / venid a ver la sangre / por las calles!**" Neruda amava a Espanha de paixão, abominava o fascismo e angustiava-se tanto com a sorte dos republicanos vencidos que tinha conseguido convencer o novo presidente a admitir certo número deles no Chile, desafiando a oposição intransigente dos partidos de direita e da Igreja Católica. Para falar disso tinha sido convidado à reunião dos Furiosos. Estava de passagem por Santiago, depois de semanas angariando ajuda econômica para os refugiados na Argentina e no Uruguai. Conforme dizia a imprensa de direita, outros países ofereciam dinheiro, mas nenhum queria receber os vermelhos, aqueles violadores de freiras, assassinos, gente armada, ateus sem escrúpulos e judeus, que poriam em risco a segurança do país.

Neruda anunciou aos Furiosos que partiria nos próximos dias para Paris, como cônsul especial para a emigração espanhola.

---

* E pelas ruas o sangue das crianças / corria simplesmente, como sangue de crianças. / [...] Vinde ver o sangue nas ruas, / vinde ver / o sangue nas ruas, / vinde ver o sangue / nas ruas! [N. T.]

— Na legação do Chile na França não gostam de mim, são todos uns direitistas camuflados, decididos a atrapalhar minha missão — disse o poeta. — O governo me manda sem um tostão e eu preciso conseguir um navio. Vamos ver como me arranjo.

Explicou que tinha ordens de escolher trabalhadores especializados que pudessem ensinar seus ofícios a operários chilenos, pessoas pacíficas e honradas, nada de políticos, jornalistas nem intelectuais potencialmente perigosos. Segundo Neruda, o critério chileno de imigração sempre tinha sido racista, existiam instruções confidenciais para os cônsules negarem visto a pessoas de várias categorias, raças e nacionalidades, desde ciganos, negros e judeus até os chamados orientais, termo vago que se prestava a várias interpretações. À xenofobia se somava agora o componente político, nada de comunistas, socialistas e anarquistas, mas, como isso ainda não estava especificado por escrito nas instruções aos cônsules, havia certa margem de ação. Neruda tinha uma tarefa hercúlea pela frente: precisava financiar e preparar um navio, selecionar os imigrantes e conseguir para eles a cota de dinheiro exigida pelo governo para garantir sua manutenção em caso de não contarem com parentes ou amigos no Chile para recebê-los. Tratava-se de três milhões em moeda chilena que precisavam ser depositados no Banco Central antes de embarcá-los.

— De quantos refugiados estamos falando? — perguntou Felipe.

— Digamos uns 1.500, mas serão mais, porque como vamos trazer os homens e deixar as mulheres e os filhos para trás?

— Quando chegarão aqui?

— No fim de agosto ou no início de setembro.

— Quer dizer que temos mais ou menos três meses para organizar ajuda econômica e conseguir moradia e trabalho para eles. Também é preciso fazer uma campanha para neutralizar a propaganda da direita e mobilizar a opinião pública a favor dos espanhóis — disse Felipe.

— Isso vai ser fácil. A simpatia popular está com os republicanos. A maior parte da colônia espanhola no Chile, os bascos e os catalães estão prontos para ajudar.

À uma da madrugada os Furiosos se despediram e Felipe, em seu Ford, foi levar o poeta à casa onde ele estava hospedado. Ao voltar, encontrou Juana a esperá-lo no salão com uma jarra de café quente.

— O que houve, Juana? Você deveria estar dormindo.

— Eu estive escutando o que os seus amiguinhos diziam.

— Espionando?

— Seus amiguinhos comem que nem uns condenados e nem falar do tanto que bebem. Essas mulheres de olho pintado bebem mais que os homens. É um bando de ordinários que não se despedem nem agradecem.

— Não posso acreditar que você me esperou para dizer isso.

— Esperei para o senhor me explicar por que esse poeta é famoso. Começou a recitar e não parava nunca, uma bobagem atrás da outra sobre peixes com colete e olhos crepusculares. Vai saber que doença é essa.

— Metáforas, Juana, isso é poesia.

— Vá caçoar da sua avó, que descanse em paz. Como não vou saber o que é poesia, se o mapudungun é pura poesia? Aposto que o senhor não sabia disso! E garanto que esse Neruda também não. Faz muitos anos que não ouço o meu idioma, mas me lembro. Poesia é o que fica na cabeça e não se esquece.

— Isso! E música é o que se pode assobiar, certo?

— Se o senhor está dizendo...

Isidro del Solar recebeu um telegrama do filho Felipe no último dia de sua estada no Hotel Savoy, depois de passar um mês inteiro com a mulher e a filha na Grã-Bretanha. Em Londres, foram aos pontos turísticos obrigatórios, às compras, ao teatro, a concertos e a corridas de cavalos. O embaixador do Chile na Inglaterra, outro dos numerosos primos de Laura Vizcarra, pôs à sua disposição um automóvel oficial para que percorressem o interior e visitassem as universidades de Oxford e Cambridge. Também conseguiu que fossem convidados para um almoço no castelo de um duque ou marquês, não estavam muito certos do título, porque no Chile os títulos nobiliárquicos tinham sido abolidos fazia muito tempo e já ninguém se lembrava deles. O embaixador lhes deu instruções sobre os códigos de comportamento e vestuário: precisavam fingir que a criadagem não existia, mas era conveniente cumprimentar os cachorros; abster-se de fazer comentários sobre a comida, mas extasiar-se com as rosas; vestir roupa simples e, se possível, velha; nada de babados nem de gravatas-borboleta de seda, porque no campo a nobreza se vestia de pobre. Foram à Escócia, onde Isidro havia acertado um negócio de sua lã da Patagônia, e a Gales, onde pensava em fazer o mesmo, mas não deu certo.

Sem o conhecimento da mulher e da filha, Isidro visitou uma antiga *finishing school* para moças que datava do século XVII, numa mansão deslumbrante, em frente ao palácio e aos jardins de Kensington. Ali Ofelia aprenderia etiqueta, a arte de relacionar-se socialmente, receber convidados como se deve, montar um menu, comportamentos, como postura, imagem pessoal e decoração do lar, entre outras virtudes que lhe faziam muita falta. Era uma pena que sua mulher não tivesse aprendido nada daquilo, pensou Isidro; seria um bom negócio fundar um estabelecimento semelhante no Chile, para refinar tantas senhoritas em estado bruto que havia por aquelas bandas. Ia estudar essa possibilidade. Por enquanto ocultaria seus planos de Ofelia, porque ela criaria uma tremenda encrenca e estragaria o resto da viagem. Diria no fim, quando não houvesse tempo para chiliques.

Estavam no salão da cúpula de vidro do hotel, uma sinfonia em branco, dourado e marfim, no inelutável chá das cinco com xícaras de porcelana florida, quando se apresentou um mensageiro com uniforme de almirante trazendo o telegrama de Felipe. "Exilados do poeta ocuparão aposentos. Juana não libera chaves. Mande instruções." Isidro o leu três vezes e entregou a Laura e Ofelia.

— O que significa essa babaquice?

— Por favor, não fale assim na frente da menina.

— Espero que Felipe não tenha dado para beber — resmungou.

— O que vai responder? — perguntou Laura.

— Que vá à merda.

— Não se irrite, Isidro. Melhor não responder nada. Essas coisas sempre se arranjam sozinhas.

— Do que meu irmão está falando? — perguntou Ofelia.

— Não faço ideia. Nada que nos diga respeito — respondeu o pai.

Outro telegrama idêntico os apanhou no hotel de Paris. Isidro lia *Le Figaro* a duras penas porque tinha aprendido alguma coisa de francês no colégio, mas, como não sabia nada de inglês, na Inglaterra não soube das notícias. Pelo jornal, ficou sabendo que o Partido Comunista Francês e o

Serviço de Evacuação dos Refugiados Espanhóis tinham adquirido um cargueiro, o *Winnipeg*, e o estavam preparando para mandar cerca de dois mil exilados ao Chile. Ele quase teve um ataque. Era o que faltava naquele tempo de desgraças, grunhiu. Primeiro um presidente do Partido Radical, depois o terremoto apocalíptico e agora iam encher o país de comunistas. O telegrama revelou-se em todo o seu sinistro significado: o filho pretendia nada menos do que meter aquela gentalha em sua própria casa. Bendita Juana que não soltava as chaves.

— Explique o que é isso de exilados, papai — insistiu Ofelia.

— Olhe, querida, houve uma revolução de gente ruim na Espanha, uma coisa tremenda. Os militares se revoltaram e lutaram pelos valores da pátria e da moral. Ganharam, claro.

— Ganharam o quê?

— A guerra civil. Salvaram a Espanha. Os exilados que Felipe menciona são os covardes que fugiram e estão na França.

— Por que fugiram?

— Porque perderam e precisavam arcar com as consequências.

— Parece que há muitas mulheres e crianças entre os refugiados, Isidro. O jornal está dizendo que são centenas de milhares... — interveio Laura, timidamente.

— Que seja. O que o Chile tem a ver com isso? É culpa do Neruda, aquele comunista. O Felipe não tem o menor critério, nem parece filho meu. Vou ter uma boa conversa com ele quando voltarmos.

Laura aferrou-se a isso para sugerir que seria melhor voltarem a Santiago antes que Felipe fizesse uma loucura, mas o jornal indicava que o navio sairia em agosto. Tinham tempo de sobra para ir às termas de Évian, visitar Lourdes e o templo de Santo Antônio de Pádua, na Itália, pagar as frequentes promessas de Laura, e ir ao Vaticano receber a bênção privada do novo papa Pio XII, o que lhes custaria influências e dinheiro, antes de voltarem à Inglaterra. Ali Isidro deixaria Ofelia na *finishing school* nem que fosse na marra e embarcaria com a mulher de volta ao Chile no *Reina del Pacífico*. Em suma, uma viagem perfeita.

SEGUNDA PARTE

Exílio, amores e desencontros

V

1939

> *Guardemos cólera, dolor y lágrimas,*
> *llenemos el vacío desolado*
> *y que la hoguera en la noche recuerde*
> *la luz de las estrellas fallecidas.**
>
> PABLO NERUDA,
> "José Miguel Carrera (1810)",
> *Canto general.*

Víctor Dalmau passou vários meses no campo de concentração de Argelès-sur-Mer, sem desconfiar que Roser também estivera ali. Não recebera notícias de Aitor, mas supunha que ele tinha cumprido a tarefa de tirar sua mãe e Roser da Espanha. Naquela altura, a população do campo compunha-se quase exclusivamente de dezenas de milhares de soldados republicanos submetidos à fome, à miséria, a pancadas e humilhações constantes dos carcereiros. As condições continuavam sendo desumanas, mas pelo menos foi passando a fase mais rigorosa do inverno. Os prisioneiros organizaram-se para sobreviver sem enlouquecer. Havia comícios revolucionários, divididos em partidos políticos, como durante a guerra. Cantavam, liam o que lhes caía

---

* Guardemos cólera, dor e lágrimas, / enchamos o vazio desolado / e que a fogueira na noite recorde / a luz das estrelas falecidas. [N. T.]

nas mãos, alfabetizavam quem precisava ser alfabetizado, publicavam um jornal — uma folha escrita à mão que circulava de um leitor a outro — e tentavam preservar a dignidade cortando cabelos, catando piolhos uns aos outros, lavando-se e lavando a roupa na água gelada do mar. Dividiram o campo em ruas com nomes poéticos, criaram na areia e no lodo o delírio de praças e avenidas como as de Barcelona, inventaram a ilusão de uma orquestra sem instrumentos, para tocar música clássica e popular, de restaurantes de comida invisível, que os cozinheiros descreviam em detalhes e os outros saboreavam de olhos fechados. Com o pouco material que conseguiram, levantaram abrigos, barracões e cabanas. Viviam atentos às notícias do mundo, que estava à beira de outra guerra, e à possibilidade de saírem em liberdade. Alguns, os mais preparados, costumavam ser empregados no campo ou na indústria, mas a maioria, antes de atuar como soldados, tinha trabalhado como lavradores, lenhadores, pastores, pescadores, enfim, ofícios que não eram úteis na França. Suportavam a pressão constante das autoridades para serem repatriados e em alguns casos eram conduzidos, ludibriados, à fronteira espanhola.

Víctor ficou com um pequeno grupo de médicos e enfermeiros, porque naquela praia infernal ele tinha uma missão: estava a serviço dos doentes, feridos e loucos. Tinha sido precedido pela lenda de que pusera para bater o coração de um garoto morto na estação do Norte. Isso lhe angariou a confiança cega dos pacientes, por mais que ele repetisse que para os males maiores era preciso recorrer aos médicos. O dia era curto para a sua tarefa. O tédio e a depressão, flagelo da maioria dos refugiados, não o afetavam; ao contrário, no trabalho ele encontrava uma exaltação parecida com a felicidade. Estava tão magro e debilitado quanto o resto da população do campo, mas não sentia fome e em mais de uma ocasião deu a outro sua magra porção de bacalhau seco. Seus camaradas diziam que ele se alimentava de areia. Trabalhava desde o amanhecer, mas, quando o sol se punha, ainda lhe restavam algumas horas para preencher. Então pegava o violão e cantava. Tinha feito aquilo raras vezes durante os anos da guerra civil, mas se lembrava das canções românticas que a mãe lhe ensinara para combater a timidez e, evidentemente, das canções revolucionárias, que os outros acompanhavam em coro. O violão pertencera a um jovem andaluz que fizera a guerra abraçado a ele, saíra para o exílio sem soltá-lo e com ele vivera em Argelès-sur-Mer até o fim de fevereiro, quando foi despachado por uma pneumonia. Como Víctor cuidou dele em seus últimos dias, ele lhe deixou o violão de herança. Era dos poucos instrumentos reais no campo; havia outros, de imaginação, cujos sons eram imitados pelos homens de bom ouvido.

Naqueles meses o congestionamento humano no campo foi se aliviando. Os velhos e os doentes morriam e eram enterrados num cemitério adjacente. Os mais afortunados conseguiram auxílio e vistos e emigraram para o México e a América do Sul. Muitos soldados se incorporaram à Legião Estrangeira, apesar de sua disciplina brutal e da reputação de acolher criminosos, porque qualquer coisa era preferível a permanecer no campo. Quem reunia requisitos suficientes foi empregado na Companhia de Trabalhadores Estrangeiros, criada para substituir a força de trabalho francesa mobilizada na preparação para a guerra. Mais tarde, outros iriam para a União Soviética lutar no Exército Vermelho ou se uniriam à resistência francesa. Destes, milhares morreriam em campos de extermínio nazistas e outros nos *gulags* de Stálin.

Um dia de abril, quando o frio insuportável do inverno tinha dado lugar à primavera e já se anunciavam os primeiros calores do verão, Víctor foi chamado ao escritório do comandante do campo porque tinha uma visita. Era Aitor Ibarra, com chapéu de palhinha e sapatos brancos: demorou quase um minuto para reconhecer Víctor no espantalho maltrapilho à sua frente Abraçaram-se emocionados, ambos com os olhos marejados de lágrimas.

— Você nem imagina como demorei para encontrá-lo, irmão. Você não está em nenhuma lista. Achei que estava morto.

— Quase. E você, como é que anda assim vestido de janota?

— De empresário, você deve dizer. Vou contar.

— Primeiro me diga o que aconteceu com minha mãe e com Roser.

Aitor contou o desaparecimento de Carme. Tinha feito indagações sem conseguir descobrir nada de concreto, senão que ela não tinha voltado para Barcelona e que a casa dos Dalmau fora requisitada. Outras pessoas moravam ali. De Roser, em compensação, trazia boas notícias. Resumiu a saída de Barcelona, a travessia a pé pelos cumes dos Pireneus e o modo como foram separados na França. Ficou sem saber dela por algum tempo.

— Eu fugi assim que pude, Víctor, e não entendo por que você não tentou. É fácil.

— Aqui precisam de mim.

— Com essa mentalidade, camarada, você vai estar sempre fodido.

— Certo. Fazer o quê? Voltemos a Roser.

— Essa eu localizei sem problemas assim que consegui lembrar o nome da sua amiga, aquela enfermeira. Com tantos sobressaltos, tinha fugido da minha memória. Roser esteve aqui neste mesmo campo e saiu graças a Elisabeth Eidenbenz. Está morando com uma família que a recebeu em Perpignan. Trabalha como costureira e dá aulas de piano. Teve um menino sadio que já está com um mês e é a coisa mais linda.

Aitor tinha se arranjado como antes, negociando. Na guerra, conseguia o que era mais valorizado, desde cigarros e açúcar até sapatos e morfina, que ele trocava por outras coisas em permutas de formiguinha, mas sempre com uma margem de lucro para ele. Também obtinha tesouros, como a pistola alemã e o canivete americano que tanto impressionaram Roser. Destes ele nunca se desfaria e ainda sentia raiva quando lembrava de quando lhe tinham sido retirados. Conseguira entrar em contato com uns primos distantes que haviam emigrado para a Venezuela vários anos antes, e eles iam recebê-lo e conseguir trabalho para ele naquele país. Graças à sua inata habilidade, tinha juntado dinheiro para a passagem e o visto.

— Vou embora dentro de uma semana, Víctor. É preciso sair da Europa o quanto antes: outra guerra mundial vai cair em cima da cabeça da gente, e essa será pior que a primeira. Assim que chegar à Venezuela, vou tomar providências para você poder ir e lhe mando a passagem.

— Não posso deixar Roser e o menino.

— Eles também, claro, homem.

A visita de Aitor deixou Víctor mudo durante vários dias. Ele teve certeza mais uma vez de se encontrar amarrado, suspenso num limbo, sem controle sobre seu destino. Depois de passar horas caminhando pela praia, pesando e medindo sua responsabilidade com os doentes do campo, decidiu que chegara o momento de dar prioridade à sua responsabilidade com Roser e a criança, assim como a seu próprio destino. Em 1º de abril, Franco, como Caudilho da Espanha, dignidade que ostentava desde dezembro de 1936, dera por terminada a guerra que durara 988 dias. A França e a Grã-Bretanha tinham reconhecido seu governo. A pátria estava perdida, não havia esperança de retornar. Víctor tomou banho de mar, esfregando-se com areia, na falta de sabão, pediu a um camarada que lhe cortasse o cabelo, barbeou-se com esmero e pediu seu passe para ir buscar a caixa de medicamentos que lhe entregavam no hospital local, como fazia toda semana. No começo, ia acompanhado por um guarda, mas, depois de vários meses de idas e vindas, permitiram que ele fosse sozinho. Saiu sem problemas e simplesmente não voltou. Aitor lhe deixara algum dinheiro, que ele usou na primeira refeição decente desde janeiro, num terno cinzento, duas camisas e um chapéu, tudo usado, mas em bom estado, e num par de sapatos novos. Como dizia sua mãe: bem calçado, bem recebido. Um caminhoneiro deu-lhe carona, e assim ele chegou a Perpignan, ao escritório da Cruz Vermelha, perguntando pela amiga.

Eidenbenz recebeu Víctor em sua maternidade improvisada, com um bebê em cada braço, tão atarefada que nem se lembrou do romance entre eles que nunca ocorrera. Víctor não tinha esquecido. Ao vê-la, com aqueles olhos límpidos e o uniforme alvo, serena como sempre, concluiu que ela era perfeita e que ele devia ser um idiota para imaginar que ela poderia prestar atenção nele; aquela mulher não tinha vocação para apaixonada, mas para missionária. Ao reconhecê-lo, Elisabeth entregou as crianças a outra mulher e o abraçou com genuíno afeto.

— Como você mudou, Víctor, deve ter sofrido muito, meu amigo.

— Menos que outros. Tive sorte, no fim das contas. Você, em compensação, está bem como sempre.

— Acha?

— Como faz para estar sempre impecável, tranquila e sorridente? Eu a conheci assim no meio de uma batalha, e você continua igual, como se os maus tempos que vivemos não a afetassem de modo nenhum.

— Os maus tempos me obrigam a ser forte e trabalhar duro, Víctor. Você veio falar comigo por causa de Roser, certo?

— Não sei como agradecer o que fez por ela, Elisabeth.

— Não há nada que agradecer. Vamos precisar fazer hora até as oito, quando ela termina sua última aula de piano. Não está morando aqui. Está com uns amigos quacres que me ajudam a conseguir recursos para a maternidade.

Foi o que fizeram. Elisabeth apresentou-o às mães que viviam na casa, mostrou-lhe as instalações e depois os dois se sentaram para tomar chá com biscoitos, enquanto se punham a par das vicissitudes que cada um enfrentara desde Teruel, quando se viram pela última vez. Às oito, Elisabeth o levou em seu carro, mais atenta à conversa do que ao volante. Víctor imaginou como seria irônico ter sobrevivido à guerra e ao campo de concentração para morrer esmagado como barata no veículo de sua noiva improvável.

A casa dos quacres ficava a vinte minutos de distância, e foi Roser que lhes abriu a porta. Ao ver Víctor, deu um grito e levou as mãos ao rosto, como se estivesse diante de uma alucinação, e o apertou em seus braços. Na lembrança dele, ela era magra, de quadris estreitos e sem peitos, com sobrancelhas grossas e traços pronunciados, o tipo de mulher sem vaidade que com os anos acabaria seca ou masculina. Tinha visto Roser pela última vez no final de dezembro, com barriga proeminente e espinhas no rosto. A maternidade a suavizara, pusera curvas onde antes havia ângulos; ela estava amamentando o filho, com os peitos grandes, a pele clara e o cabelo brilhante. O encontro foi tão emocionado que até Elisabeth, acostumada a presenciar cenas de partir o coração, se comoveu. Víctor achou o sobrinho indescritível; todas as crianças daquela idade se pareciam com Winston Churchill. Ele era gordo e careca. Um olhar mais atento lhe revelou alguns traços familiares, como os olhos pretos de azeitona dos Dalmau.

— Como ele se chama? — perguntou a Roser.

— Por enquanto a gente chama de nenenzinho. Estou esperando Guillem para pôr nome e registrar.

Era hora de lhe dar a má notícia, porém mais uma vez faltou coragem a Víctor.

— Por que não põe o nome de Guillem?

— Porque Guillem me avisou que nenhum de seus filhos deveria ter o nome dele. Ele não gosta do nome que tem. Combinamos que, se fosse menino, se chamaria Marcel e, se fosse menina, Carme, em homenagem ao seu pai e à sua mãe.

— Bom, então você já sabe.
— Vou esperar Guillem.

A família dos quacres, pai, mãe e filhos, convidaram Víctor e Elisabeth para jantar. Apesar de serem ingleses, a comida estava aceitável. Falavam bom espanhol porque tinham passado os anos da guerra na Espanha, ajudando organizações de amparo à infância, e desde a Retirada trabalhavam entre os refugiados. A isso se dedicariam sempre, como disseram. Tal como afirmava Elisabeth, sempre há guerra em algum lugar.

— Estamos muito agradecidos — disse-lhes Víctor. — Graças aos senhores, o menino está conosco. No campo de Argelès-sur-Mer ele não teria sobrevivido e acho que nem Roser. Esperamos não abusar de sua hospitalidade por muito tempo.

— Não há o que agradecer, senhor. Roser e a criança já são da família. Por que têm pressa de ir embora?

Víctor falou-lhes do amigo Aitor Ibarra e do plano de emigrarem para a Venezuela. Parecia a única saída viável.

Se o que querem é emigrar, talvez pudessem considerar a possibilidade de irem para o Chile — indicou Elisabeth. — Vi uma notícia no jornal sobre um navio que vai levar espanhóis para o Chile.

— Chile? Onde fica isso? — perguntou Roser.
— Nos pés do mundo, me parece — disse Víctor.

No dia seguinte, Elisabeth encontrou a nota mencionada e mandou entregá-la a Víctor. O poeta Pablo Neruda, por incumbência de seu governo, estava preparando um navio chamado *Winnipeg* para levar exilados ao seu país. Elisabeth deu-lhe dinheiro para tomar o trem até Paris e tentar a sorte com aquele poeta que ele desconhecia.

Com a ajuda de um mapa da cidade, Víctor Dalmau chegou à avenida de La Motte-Picquet, nº 2, perto dos Inválidos, onde se erguia a elegante mansão da legação do Chile. Havia fila na porta, controlada por um porteiro de mau humor. Eram também hostis os funcionários que ficavam dentro do edifício, incapazes de responder a um cumprimento. Víctor achou que aquilo era um sinal de mau agouro, como era de mau agouro o ambiente pesado e tenso daquela primavera parisiense. Hitler ia engolindo territórios europeus com mordidas vorazes, e a nuvem negra da guerra já escurecia o céu. As pessoas da fila falavam espanhol e quase todas tinham o recorte de jornal nas mãos. Quando chegou a vez de Víctor, indicaram-lhe a escada que começava de mármore e bronze nos primeiros andares e terminava estreita e pobre numa espécie de sótão. Não havia elevador, e ele precisou ajudar outro espanhol mais coxo que ele, porque não tinha uma das pernas e mal conseguia subir agarrado ao corrimão.

— É verdade que só aceitam comunistas? — perguntou Víctor.

— É o que dizem. Você é o quê?

— Só republicano.

— Não complique as coisas. Melhor dizer ao poeta que é comunista e pronto.

Num aposento pequeno, mobiliado com três cadeiras e uma escrivaninha, ele foi recebido por Pablo Neruda. Era um homem ainda jovem, de olhos inquisidores e pálpebras de árabe*, largo de ombros e um tanto encurvado; parecia mais maciço e corpulento do que realmente era, como Víctor pôde comprovar quando ele ficou de pé para se despedir. A entrevista durou escassos dez minutos e o deixou com a impressão de que tinha fracassado em sua tentativa. Neruda lhe fez algumas perguntas corriqueiras: idade, estado civil, formação e experiência de trabalho.

— Ouvi dizer que só vão escolher comunistas... — disse Víctor, estranhando que o poeta não lhe perguntasse sua filiação política.

— Ouviu mal. É por cotas: comunistas, socialistas, anarquistas e liberais. Decidimos, o Serviço de Evacuação de Refugiados Espanhóis e eu. O mais importante é o caráter da pessoa e a utilidade que ela possa ter no Chile. Estou estudando centenas de petições e, assim que tomar uma decisão, comunicarei, não se preocupe.

— Se sua resposta for afirmativa, senhor Neruda, por favor, leve em conta que não viajarei sozinho. Uma amiga com o filho de poucos meses também iria.

---

* "[...] *tinha as pálpebras árabes e os cabelos crespos do pai*" (Gabriel García Márquez *Crônica de uma morte anunciada*). [N. T.]

— Uma amiga?

— Roser Bruguera, a noiva do meu irmão.

— Nesse caso seu irmão teria de vir falar comigo e preencher a petição.

— Supomos que meu irmão morreu na batalha do Ebro, senhor.

— Sinto muito. O senhor percebe que preciso dar prioridade aos familiares imediatos, certo?

— Entendo. Volto para falar com o senhor dentro de três dias, se me permitir.

— Em três dias não terei nenhuma resposta, meu amigo.

— Mas eu, sim. Muito obrigado.

Naquela mesma tarde ele tomou o trem de volta para Perpignan, chegou cansado, noite fechada, dormiu num hotel pulguento onde sequer pôde tomar uma ducha e no dia seguinte apareceu no ateliê de costura de Roser. Saíram à rua para poder conversar. Víctor tomou-a pelo braço e conduziu-a até um banco solitário numa praça próxima e lhe contou sua experiência na legação do Chile, omitindo detalhes, como a má vontade dos funcionários chilenos e a pouca certeza que Neruda lhe dera.

— Se esse poeta o aceitar, Víctor, você precisa ir de qualquer maneira. Não se preocupe comigo.

— Roser, há uma coisa que eu devia ter dito meses atrás, mas, cada vez que tento, uma mão de ferro me estrangula, e eu fico calado. Quem me dera não fosse eu que...

— Guillem? É alguma coisa sobre Guillem? — exclamou ela, alarmada.

Víctor assentiu, sem se atrever a olhar para ela. Estreitou-a contra o peito num abraço firme e deu-lhe tempo de chorar aos gritos, como uma menina desesperada, estremecendo, com o rosto afundado em sua jaqueta de segunda mão, até ficar rouca e sem lágrimas. Ele teve a impressão de que ela desafogava um pranto longamente reprimido, de que a terrível notícia não era surpresa, de que ela devia desconfiar daquilo havia muito tempo, porque só aquilo podia explicar o silêncio de Guillem. Claro, as pessoas se perdem na guerra, os casais se separam, as famílias se dispersam, mas o instinto deve ter advertido Roser de que ele estava morto. Ela não pediu provas, mas ele lhe mostrou a carteira meio queimada e a fotografia que Guillem sempre levava consigo.

— Está vendo por que não posso deixá-la aqui, Roser? Você precisa ir comigo para o Chile, se nos aceitarem. Na França também haverá guerra. Precisamos proteger o menino.

— E a sua mãe?

— Ninguém a viu desde que saímos de Barcelona. Perdeu-se no tumulto e, se estivesse viva, teria se comunicado comigo ou com você. Se aparecer no futuro, veremos como ajudá-la. Por enquanto você e seu filho são o mais importante, entende?

— Entendo, Víctor. O que preciso fazer?

— Desculpe. Vai ter de se casar comigo.

Ela ficou olhando para ele com uma expressão tão espavorida que Víctor não conseguiu conter um sorriso, que acabou sendo um tanto impróprio para a solenidade do momento. Repetiu-lhe a informação de Neruda sobre a prioridade às famílias.

— Você nem minha cunhada é, Roser.

— Eu me casei com Guillem sem papéis e sem bênção de padre.

— Infelizmente isso não conta nesse caso. Em poucas palavras, Roser, você é viúva, mas não é de fato. Vamos nos casar hoje mesmo, se for possível, e registrar o menino como nosso filho; vou ser o pai dele, vou cuidar dele, protegê-lo e querer-lhe bem como se fosse meu filho, prometo. E o mesmo vale para você.

— Não estamos apaixonados.

— Está querendo demais, mulher. Não lhe bastam o carinho e o respeito? Nos tempos atuais isso é mais do que suficiente. Nunca vou lhe impor uma relação que você não queira, Roser.

— O que significa isso? Que não vai se deitar comigo?

— Isso mesmo. Não sou um safado.

E assim, em pouco tempo, no banco da praça, tomaram a decisão que haveria de marcar o resto da vida deles e a do menino. Na fuga precipitada, muitos desterrados chegaram à França sem documentos de identidade, enquanto outros os perderam pelo caminho ou nos campos de concentração, mas eles os tinham. Os amigos quacres serviram de testemunhas do casamento numa breve cerimônia na prefeitura. Víctor tinha lustrado os sapatos novos e exibia uma gravata emprestada; Roser, com os olhos inchados de tanto chorar, mas tranquila, pusera o melhor vestido e um chapéu primaveril. Depois de se casarem, registraram o menino como Marcel Dalmau Bruguera. Esse seria o nome dele, se o pai estivesse vivo. Celebraram na pequena maternidade de Elisabeth Eidenbenz com um jantar especial que culminou com um bolo de creme chantilly. Os noivos partiram o bolo e o distribuíram equitativamente entre os presentes.

Tal como anunciara a Pablo Neruda, Víctor, depois de três dias exatos, voltou ao escritório da legação chilena em Paris e pôs sobre a escrivaninha sua certidão de casamento e a de nascimento de seu filho. Neruda ergueu o olhar de pálpebras sonolentas e o examinou durante longos segundos, intrigado.

— Estou vendo que tem imaginação de poeta, jovem. Bem-vindo ao Chile — disse finalmente, pondo seu carimbo na petição. — Disse que sua mulher é pianista?

— Sim, senhor. E também costureira.

— Temos costureiras no Chile, mas faltam pianistas. Apresente-se com sua mulher e seu filho no cais de Trompeloup, em Bordeaux, na sexta-feira bem cedo. Partirão no *Winnipeg* ao anoitecer.

— Não temos dinheiro para a passagem, senhor.

— Ninguém tem. Vamos ver isso. E esqueça o pagamento do visto chileno, que alguns cônsules pretendem cobrar. Parece-me repugnante cobrar visto aos refugiados. Isso também vamos ver em Bordeaux.

Aquele dia de verão, 4 de agosto de 1939, em Bordeaux, ficaria para sempre na memória de Víctor Dalmau, Roser Bruguera e outros dois mil e tantos espanhóis que partiam para aquele país comprido da América do Sul, agarrado às montanhas para não cair no mar, sobre o qual nada sabiam. Neruda haveria de defini-lo como "*largo pétalo de mar y vino y nieve...*" com uma "*cinta de espuma blanca y negra*"*, mas isso não teria esclarecido os desterrados sobre

---

* Longa pétala de mar e vinho e neve [com uma] fita de espuma branca e preta: do poema

seu destino. No mapa, o Chile era estreito e remoto. A praça de Bordeaux fervilhava de gente: multidão imensa que crescia a cada minuto, meio sufocada de calor, debaixo de um céu azulíssimo. Iam chegando trens, caminhões e outros veículos cheios de gente, a maioria saída diretamente dos campos de concentração, faminta, fraca, sem ter tido a oportunidade de se lavar. Como os homens tinham ficado separados das mulheres e dos filhos durante meses, os encontros dos casais e das famílias eram um delírio de drama e emoção. Dependuravam-se das janelas, chamavam-se aos gritos, reconheciam-se e abraçavam-se chorando. Um pai que achava que o filho tinha morrido no Ebro, dois irmãos que nada sabiam um do outro desde o *front* de Madri, um soldado calejado a descobrir a mulher e os filhos que já não esperava voltar a ver. E tudo isso em perfeita ordem, com um instinto natural de disciplina que facilitou a tarefa dos guardas franceses.

Pablo Neruda, vestido de branco da cabeça aos pés, com sua esposa Delia del Carril, também vestida de branco e com um chapelão de abas largas, dirigia os trâmites de identificação, saúde e seleção como um semideus, ajudado por cônsules, secretários e amigos instalados em longas mesas. A autorização ficava pronta com a assinatura dele em tinta verde e um carimbo do Serviço de Evacuação de Refugiados Espanhóis. Neruda resolveu o problema dos vistos com um visto coletivo. Os espanhóis se posicionavam em grupos, batia-se uma foto, que era revelada às pressas, depois alguém cortava os rostos da foto e os grudava na autorização. Voluntários caridosos distribuíam lanches e utensílios de asseio para cada pessoa. As 350 crianças receberam um enxoval completo; a cargo de sua distribuição estava Elisabeth Eidenbenz.

Era o dia da partida, e ao poeta ainda faltava bastante dinheiro para pagar aquele translado maciço, que o governo do Chile se recusou a custear porque era impossível justificá-lo perante uma opinião pública hostil e dividida. Então, inesperadamente, apresentou-se no cais um pequeno grupo de pessoas muito sérias, dispostas a pagar a metade de cada passagem. Roser as viu de longe, pôs o menino nos braços de Víctor, saiu da fila e correu para cumprimentá-las. No grupo estavam os quacres que os haviam acolhido.

"Cuándo de Chile". [N. T.]

Vinham em nome de sua comunidade cumprir o dever que se haviam imposto desde suas origens, no século XVII, de servir à humanidade e promover a paz. Roser disse-lhes o que ouvira de Elisabeth: "Os senhores estão sempre onde são mais necessários".

Víctor, Roser e a criança estavam entre os primeiros que subiram a passarela. Era um velho navio de umas cinco mil toneladas que transportava carga da África e servira para carregar tropas na Primeira Guerra Mundial. Tinha sido concebido para vinte marinheiros em trajetos curtos e foi adaptado para carregar mais de duas mil pessoas durante um mês. À pressa, haviam sido construídos beliches triplos de madeira nos porões e instalados uma cozinha, um refeitório e uma enfermaria com três médicos. A bordo, foram-lhes indicados os dormitórios: Víctor com os homens na proa, e Roser com as mulheres e as crianças na popa.

Nas horas seguintes terminaram de embarcar os passageiros afortunados; em terra ficaram centenas de refugiados que não couberam. Ao anoitecer, com a maré alta, o *Winnipeg* levantou âncora. No convés, alguns choravam em silêncio e outros entoavam em catalão, com a mão no peito, a canção do emigrante: *"Dolça Catalunya, / pàtria del meu cor, / quan de tu s'allunya / d'enyorança es mor"**. Talvez pressentissem que nunca mais voltariam a ver sua terra. Do cais, Pablo Neruda os despediu agitando um lenço até se perderem de vista. Também para ele aquele dia seria inesquecível, e anos depois escreveria: "Que a crítica apague toda a minha poesia, se quiser. Mas esse poema, que hoje recordo, ninguém poderá apagar".

Os beliches eram como nichos de cemitério; precisava-se subir de quatro e ficar deitado sem se mexer em colchõezinhos recheados de palha, que pareciam um luxo se comparados às tocas na areia molhada dos campos de concentração. Os passageiros contavam com um sanitário para cada cinquenta pessoas, e havia três turnos no refeitório, que todos respeitavam sem reclamar. Quem vinha da miséria e da fome achava-se no paraíso: fazia meses que não provavam um prato quente, e no navio a comida era muito simples, porém saborosa; além disso, podia-se repetir o prato de legumes

---

* Doce Catalunha, / pátria de meu coração, / quem de ti se afasta / de saudade morre. [N. T.]

quantas vezes se quisesse; eles tinham vivido atormentados por piolhos e percevejos e ali poderiam lavar-se em bacias, com água fresca e sabão; tinham sido dominados pelo desespero e agora navegavam para a liberdade. Até cigarro havia. E cerveja ou bebida num barzinho, para quem pudesse pagar. Quase todos os passageiros se ofereceram para colaborar com a faina de bordo, desde operar as máquinas até descascar batatas e varrer o convés. Na primeira manhã, Víctor se pôs à disposição dos médicos na enfermaria. Deram-lhe boas-vidas, um jaleco branco e a informação de que vários refugiados tinham sintomas de disenteria e bronquite, e havia alguns casos de tifo que tinham escapado à atenção dos serviços sanitários.

As mulheres se organizaram para cuidar das crianças. No convés, delimitaram um espaço protegido com gradis, destinado a jardim de infância e escola. Desde o primeiro dia houve creche, brincadeiras, arte, exercícios e aulas, uma hora e meia pela manhã e uma hora e meia à tarde. Roser ficou mareada, como quase todos os demais, porém, assim que pôde se levantar, dispôs-se a ensinar música aos pequenos com um xilofone e tambores improvisados com baldes. Estava nisso quando chegou o segundo de navegação, um francês do Partido Comunista, com a boa notícia de que Neruda mandara levar um piano e dois acordeões a bordo para ela e para outros que soubessem tocar. Alguns passageiros tinham uns dois violões e um clarinete. A partir desse momento houve música para as crianças, concertos e bailes para os adultos, além do enérgico coro dos bascos.

Cinquenta anos depois, quando Víctor Dalmau foi entrevistado na televisão para narrar a odisseia de seu exílio, falaria do *Winnipeg* como a nave da esperança.

Para Víctor Dalmau, a viagem acabou sendo um período prazeroso de férias, mas Roser, que passara meses comodamente instalada na casa dos amigos quacres, de início sofreu com o aperto e o mau cheiro. Não lhe passou pela cabeça falar disso, teria sido o cúmulo da descortesia, e logo se acostumou, a ponto de deixar de notá-los. Colocou Marcel numa mochila improvisada e andava sempre com ele grudado às costas, inclusive enquanto tocava piano; revezava com Víctor, que também o carregava quando não estava na enfermaria. Ela era a única mulher que conseguia amamentar o filho; as outras mães, desnutridas como estavam, contavam com um impecável serviço de mamadeiras para os quarenta bebês a bordo. Várias mulheres ofereceram-se para lavar a roupa e as fraldas de Roser, para que ela não estragasse as mãos. Uma camponesa curtida pelos anos de trabalho pesado, mãe de sete filhos, examinava suas mãos maravilhada, sem entender como ela conseguia arrancar música do piano sem olhar para as teclas. Aqueles dedos eram mágicos. O marido era trabalhador da cortiça antes da guerra e, quando Neruda lhe explicou que no Chile não havia sobreiros, ele replicou secamente: "Pois haverá". Essa resposta pareceu esplêndida ao poeta, que o embarcou junto a pescadores, camponeses, braçais, operários e até intelectuais, apesar das instruções do governo chileno de evitar pessoas com ideias. Neruda não levou em conta essa ordem; era uma insensatez deixar para trás os homens e as mulheres que tinham defendido com heroísmo suas ideias. Secretamente, tinha a esperança de que eles sacudissem a modorra insular de sua pátria.

    No convés a vida transcorria até muito tarde, porque embaixo a ventilação era péssima, e o espaço, tão estreito que mal se conseguia circular. Os passageiros criaram um jornal com as notícias do mundo, que pioravam dia a dia, à medida que Hitler ia engolindo mais território. No décimo nono dia de navegação, quando souberam do pacto de não agressão entre a União Soviética e a Alemanha nazista, firmado em 23 de agosto, muitos comunistas que tinham lutado contra o fascismo sentiram-se profundamente traídos. As divisões políticas que haviam fraturado o governo da República mantiveram-se a bordo; às vezes explodiam brigas, por culpas e ressentimentos passados, que eram rapidamente sufocadas por outros passageiros, antes da intervenção do capitão Pupin, homem de direita sem nenhuma simpatia pelos viajantes sob sua responsabilidade, mas com inalterável senso de dever. Os espanhóis, que não conheciam esse aspecto de seu caráter, suspeitavam que ele pudesse atraiçoá-los, mudar o rumo e levá-los de volta à Europa. Observavam-no com a mesma atenção com que observavam o curso da navegação. O segundo oficial e a maioria dos marinheiros eram comunistas, e eles também estavam de olho em Pupin.

As tardes eram ocupadas com recitais de Roser, coros, danças, jogos de cartas e dominó. Víctor organizou um clube de xadrez para quem soubesse jogar e quem quisesse aprender. O xadrez o salvara do desespero nas horas mortas da guerra e no campo de concentração, quando a alma já não aguentava mais e ele sentia a tentação de deitar-se no chão como um cachorro e deixar-se morrer. Naqueles momentos, se não tinha um adversário, jogava de memória contra si mesmo com tabuleiro e peças invisíveis. No navio também davam conferências sobre ciência e outros assuntos, mas nada de política, porque o compromisso com o governo chileno era abster-se de propagar doutrinas capazes de instigar uma revolução. "Em outras palavras, senhores, não venham revolver nosso galinheiro", resumiu um dos poucos chilenos que viajavam no *Winnipeg*. Os chilenos davam palestras aos outros como preparação para o que iam encontrar. Neruda lhes entregara um breve folheto e uma carta bastante realista sobre o país: "*Espanhóis, de toda a vasta América o Chile talvez tenha sido para vós a região mais remota. Também o foi para vossos antepassados. Muitos perigos e muita miséria os conquistadores espanhóis enfrentaram. Durante trezentos anos viveram em contínua batalha contra os indomáveis araucanos. Daquela dura resistência fica uma raça acostumada às dificuldades da vida. O Chile está muito longe de ser um paraíso. Nossa terra só oferece seus esforços a quem a trabalha duramente*". Essa advertência e outras dos chilenos não assustaram ninguém. Foi explicado que o Chile lhes abrira as portas graças ao governo populista do presidente Pedro Aguirre Cerda, que desafiara os partidos de oposição e resistira à campanha de terror da direita e da Igreja Católica. "Quer dizer que teremos ali os mesmos inimigos que tínhamos na Espanha", observou Víctor. Isso inspirou vários artistas a pintar uma tela gigantesca em homenagem ao presidente chileno.

Ficaram sabendo que o Chile era um país pobre, com uma economia baseada na mineração, sobretudo do cobre, mas que havia muita terra fértil, milhares de quilômetros de costa para a pesca, bosques infinitos e espaços quase despovoados para estabelecer-se e prosperar. A natureza era prodigiosa, desde o deserto lunar do Norte até os glaciares do Sul. Os chilenos estavam acostumados à escassez e às catástrofes naturais, como os terremotos que costumavam destruir tudo e deixar imenso número de mortos e feridos, mas aos desterrados aquilo pareceu um mal menor, comparado ao que tinham vivido e ao que seria a Espanha sob a férula de Franco. Disseram-lhes que se preparassem para retribuir, porque iam receber muito; que as penúrias coletivas não tornavam os chilenos amargos, mas hospitaleiros e generosos, sempre dispostos a abrir os braços e os lares. "Hoje por mim, amanhã por ti", era esse o lema. E também aconselharam os solteiros a tomarem cuidado com as chilenas, porque aqueles que caíssem nas graças delas não tinham escapatória: eram sedutoras, fortes e mandonas, combinação letal. Tudo isso soava como fantasia.

No segundo dia de viagem, Víctor, na enfermaria, ajudou a dar à luz uma menina. Tinha visto os ferimentos mais atrozes e a morte em todas as suas formas, mas nunca lhe coubera presenciar o nascimento de uma vida e, quando puseram a recém-nascida sobre o peito da mãe, foi-lhe difícil dissimular as lágrimas. O capitão lavrou a certidão de nascimento de Agnes América Winnipeg. Certa manhã um homem que ocupava um dos beliches superiores no dormitório de Víctor não apareceu para o café da manhã. Acreditando-se que ele estivesse dormindo, ninguém foi incomodá-lo até o meio-dia, quando Víctor foi sacudi-lo para o almoço e o encontrou morto. Dessa vez o capitão Pupin precisou lavrar um atestado de óbito. Naquela tarde, em breve cerimônia, lançou-se ao mar o corpo envolto numa lona. Dele se despediram seus camaradas, em formação sobre o convés, entoando com o coro dos bascos uma canção da guerra. "Está vendo, Víctor, como a vida e a morte andam sempre de mãos dadas?", comentou Roser, comovida.

Os casais eludiram o inconveniente da falta de privacidade utilizando os botes salva-vidas. Precisavam fazer turnos organizados para o amor, assim como se revezavam para tudo e, enquanto os apaixonados desfrutavam do bote, um amigo montava guarda para avisar o restante dos passageiros e distrair algum eventual membro da tripulação que se aproximasse. Ao ficarem sabendo que Víctor e Roser eram recém-casados, vários deles lhes cederam a vez, mas eles recusaram com efusivas demonstrações de gratidão. No entanto, como levantariam suspeitas se passassem o mês inteiro sem manifestar nenhuma urgência amorosa, em algumas ocasiões foram ao lugar dos amores separadamente, como faziam todos os casais, de acordo com um protocolo tácito, ela vermelha de vergonha e ele sentindo-se um idiota, enquanto um voluntário passeava Marcel pelo convés. O interior do bote era sufocante, incômodo e fedia a bacalhau podre, mas a possibilidade de ficarem sozinhos e conversarem cochichando, sem testemunhas, uniu-os mais do que se tivessem feito amor. Deitados lado a lado, ela com a cabeça no ombro dele, falaram dos ausentes, Guillem e Carme, que eles não queriam imaginar morta, especularam sobre a terra desconhecida que os esperava no fim do mundo e planejaram o futuro. No Chile, tentariam estabelecer-se e conseguir trabalho no que quer que fosse: isso era o mais premente. Depois, poderiam divorciar-se e ambos ficariam livres. A conversa deixou-os tristes. Roser pediu que sempre continuassem amigos, já que ele era a única família que restava a ela e a seu filho. Não se sentia parte de sua família original de Santa Fe, que ela visitara em raríssimas ocasiões, desde que Santiago Guzmán a levou para morar com ele, e com a qual já nada tinha em comum. Víctor reiterou-lhe a promessa de ser um bom pai para Marcel. "Enquanto eu puder trabalhar, nada faltará a vocês", acrescentou. Ela não se referia a esse ponto porque se sentia plenamente capaz de manter-se sozinha e educar bem o menino, mas preferiu calar-se. Ambos evitavam aprofundar-se em temas sentimentais.

A primeira escala foi na ilha de Guadalupe, possessão francesa, para abastecer o navio de víveres e água; continuaram navegando até o Panamá, sempre alertas à possibilidade de cruzarem com submarinos alemães. Ali ficaram retidos muitas horas sem saber o que estava acontecendo, até ouvirem pelos alto-falantes que tinham esbarrado em problemas administrativos. Isso provocou revolta entre os viajantes, convencidos de que o capitão Pupin tinha encontrado um bom pretexto para voltar à França. Víctor e outros dois homens, escolhidos por sua equanimidade, foram incumbidos de averiguar o que estava ocorrendo e negociar uma solução. Pupin, de péssimo humor, explicou-lhes que a culpa era dos organizadores da viagem, que não tinham pagado os direitos do canal, e agora ele estava perdendo tempo e dinheiro naquele inferno. Por acaso eles sabiam quanto custava só para manter o *Winnipeg* flutuando? Na solução do problema perderam cinco dias de angustiosa espera, apinhados no navio, com um calor de fornalha, até que por fim receberam permissão de passar e entraram na primeira eclusa. Víctor, Roser e os outros passageiros e tripulantes observaram maravilhados o sistema de comportas que os levava do Atlântico ao Pacífico. As manobras eram um prodígio de precisão num espaço tão justo que do convés eles podiam conversar com os homens que trabalhavam em terra de ambos os lados do navio. Dois deles eram bascos e foram festejados pelo coro de seus compatriotas do *Winnipeg*, cantando em euscaro. No Panamá os refugiados sentiram o afastamento definitivo da Europa; o canal os separava de sua terra e do passado.

— Quando poderemos voltar à Espanha? — perguntou Roser a Víctor.

— Logo, espero, o Caudilho não será eterno. Mas tudo depende da guerra.

— Por quê?

— A guerra é iminente, Roser. Será uma guerra de ideologia e de princípios, uma guerra entre duas maneiras de entender o mundo e a vida, uma guerra da democracia contra nazistas e fascistas, uma guerra entre liberdade e autoritarismo.

— Franco vai pôr a Espanha do lado de Hitler. De que lado estará a União Soviética?

— É uma democracia do proletariado, mas não confio em Stálin. Pode aliar-se a Hitler e se transformar num tirano pior que Franco.

— Os alemães são invencíveis, Víctor.

— É o que dizem. Há de se ver.

Os passageiros que navegavam pela primeira vez pelo Oceano Pacífico surpreenderam-se com o nome, porque de pacífico ele tinha pouco. Roser, como muitos outros que se acreditavam curados do enjoo inicial, voltou a cair fulminada pela fúria das ondas, mas Víctor foi pouco afetado porque passou a turbulência ocupado na enfermaria com o nascimento de outra criança. Depois de deixarem para trás a Colômbia e o Equador, entraram em águas territoriais do Peru. A temperatura tinha caído, estavam no inverno do hemisfério sul e, passado o calor terrível que fora a pior coisa do apinhamento a bordo, o ânimo dos passageiros melhorou muito. Estavam longe dos alemães e havia menos probabilidades de o capitão Pupin mudar de rumo. Iam se aproximando do destino com um misto de esperança e apreensão. Pelas notícias do telégrafo, sabiam que no Chile as opiniões estavam divididas e que a situação deles era motivo de apaixonadas discussões no Congresso e na imprensa, mas também ficaram sabendo que havia planos para ajudá-los com hospedagem e trabalho por parte do governo, de partidos políticos de esquerda, de sindicatos e de grupos de imigrantes espanhóis chegados muito antes ao país. Não estariam desamparados.

VI

1939-1940

*Delgada es nuestra patria
y en su desnudo filo de cuchillo
arde nuestra bandera delicada.**

PABLO NERUDA,
"Sí, camarada, es hora de jardín",
El mar y las campanas.

Em fins de agosto o *Winnipeg* chegou a Arica, o primeiro porto no norte do Chile, muito diferente da ideia que os refugiados tinham de um país sul-americano: nada de selva luxuriante e de praias luminosas com coqueiros; parecia-se mais com o Saara. Disseram-lhes que tinha clima temperado e era o lugar habitado mais seco da Terra. Do mar, conseguiram enxergar a costa e, ao longe, uma cadeia de montanhas arroxeadas como pinceladas de aquarela contra um céu límpido, cor de lavanda. O navio se deteve em alto-mar, e dele logo se aproximou um bote com funcionários da Imigração e do Departamento Consular da Chancelaria, que subiram a bordo. O capitão lhes cedeu o escritório para que pudessem entrevistar os passageiros, lavrar os documentos de identidade e os vistos e indicar-lhes em que lugar do país iam residir, segundo as respectivas ocupações.

---

* Esguia é nossa pátria / e em seu gume nu de faca / arde nossa bandeira delicada. [N. T.]

Víctor e Roser, com Marcel no colo, apresentaram-se no estreito camarote do capitão, diante do jovem funcionário consular Matías Eyzaguirre, que carimbava o visto em cada documento e apunha sua assinatura.

— Aqui diz que sua residência será na província de Talca — explicou.
— Essa história de indicar onde vocês devem se estabelecer é uma bobagem da Imigração. No Chile há liberdade absoluta de movimento. Não liguem para isso, vão para onde quiserem.
— O senhor é basco? Pergunto por causa do sobrenome — disse Víctor.
— Meus bisavós eram bascos. Aqui somos todos chilenos. Bem-vindos ao Chile.

Matías Eyzaguirre tinha feito de trem a viagem a Arica para ir ao encontro do *Winnipeg*, que chegou com dias de atraso por causa do problema no Panamá. Era um dos funcionários mais jovens do departamento e coube-lhe acompanhar o chefe. Nenhum dos dois ia de boa vontade, porque estavam em total desacordo com a ideia de o Chile aceitar os refugiados, uma cambada de vermelhos, ateus e possivelmente criminosos que vinham tirar trabalho dos chilenos justamente quando havia uma grave onda de desempregos, e o país não se recuperara da depressão econômica nem do terremoto; mas cumpriam o dever. No porto, tinham sido postos a bordo de um barco desconjuntado que, desafiando as ondas, levou-os até o navio, onde precisaram subir por uma escada de cordas sacudida pelo vento, empurrados de baixo por uns marinheiros franceses bem rudes. Lá em cima foram recebidos pelo capitão Pupin com uma garrafa de conhaque e charutos cubanos. Os funcionários sabiam que Pupin tinha feito aquela viagem a contragosto e detestava sua carga, mas tiveram uma surpresa com o homem. Ocorre que, no mês de convivência com os espanhóis, Pupin foi mudando de opinião a respeito deles, mesmo mantendo intactas suas convicções políticas. "Essa gente sofreu muito, senhores. São pessoas de boa moral, ordeiras e respeitosas, vêm a este país dispostas a trabalhar e a refazer a vida", disse-lhes.

Matías Eyzaguirre provinha de uma família que se considerava aristocrática, de um ambiente católico e conservador, oposto à imigração, mas, ao se encontrar frente a frente com cada um daqueles refugiados, homens, mulheres e crianças, passou a ter um ponto de vista diferente da situação, tal como Pupin. Tinha sido educado num colégio religioso e vivia protegido pelos privilégios de sua classe. O avô e o pai haviam sido juízes da Suprema Corte e dois irmãos seus eram advogados, de modo que ele estudou leis, como se esperava na família, embora não fosse feito para essa profissão. Conseguiu frequentar a universidade com muito esforço durante alguns anos e depois entrou na Chancelaria graças aos contatos da família. Começou de baixo e aos 24 anos, quando lhe incumbiu carimbar vistos no *Winnipeg*, já havia provado ter estofo de bom funcionário e diplomata. Ao cabo de alguns meses partiria para o Paraguai, em sua primeira missão, e esperava ir casado ou pelo menos noivo da prima Ofelia del Solar.

Resolvida a documentação, uma dúzia de passageiros desembarcou porque havia trabalho para eles no Norte, e o *Winnipeg* navegou para o Sul daquela "longa pétala" de Neruda. A bordo, uma expectativa muda ia se apoderando dos espanhóis. Em 2 de setembro, avistaram o perfil de Valparaíso, seu destino final, e ao anoitecer o navio fundeou diante do porto. A ansiedade a bordo chegava às raias do delírio coletivo. Mais de dois mil rostos anelantes amontoavam-se no convés, à espera do momento de pisar aquela terra desconhecida, mas as autoridades portuárias decidiram que o desembarque se faria no dia seguinte, com a claridade da manhã e em calma. Milhares de luzes trêmulas do porto e das casas das altas montanhas de Valparaíso competiam com as estrelas, de modo que não se sabia onde terminava o paraíso prometido e onde começava o céu. Era uma cidade esquisita, de escadas e elevadores, ruas estreitas para burros, casas malucas dependuradas de ladeiras empinadas, cheia de cães vadios, pobre e suja, uma cidade de comerciantes, marinheiros e vícios, como quase todos os portos, porém maravilhosa. Vista do navio, ela brilhava como uma cidade mítica salpicada de diamantes. Ninguém se deitou naquela noite; ficaram todos no convés, admirando aquele espetáculo mágico e contando as horas. Víctor lembraria aquela noite como uma das mais belas de sua vida. Pela manhã, o *Winnipeg* finalmente atracou no Chile, trazendo dependurados num dos costados um gigantesco retrato do presidente Pedro Aguirre Cerda, pintado numa tela, e uma bandeira chilena

Ninguém a bordo esperava a acolhida que receberam. Tantas advertências tinham ouvido sobre a campanha de desprestígio da direita, a oposição cerrada da Igreja Católica e a proverbial sobriedade dos chilenos, que nos primeiros momentos não entenderam o que estava acontecendo no porto. A multidão apinhada atrás de cordões de isolamento, com cartazes e bandeiras da Espanha, da República, de Euskadi e da Catalunha, os ovacionava com um único clamor rouco de boas-vindas. Uma banda musical tocava os hinos do Chile e da Espanha republicana, assim como a *Internacional*, acompanhada por centenas de vozes. A canção nacional do Chile resumia em poucas linhas, um tanto sentimentais, o espírito hospitaleiro e a vocação à liberdade do país que os recebia: "*Dulce patria, recibe los votos / con que Chile en tus aras juró, / que o la tumba serás de los libres, / o el asilo contra la opresión*"*. No convés, os duros combatentes, que tantas provas brutais haviam sofrido, choravam. Às nove começou o desembarque em fila indiana por uma passarela. Embaixo, cada refugiado passou primeiro por uma tenda da Saúde Pública para ser vacinado e depois caiu nos braços do Chile, como expressaria anos depois Víctor Dalmau, quando pôde agradecer pessoalmente a Pablo Neruda.

Naquele 3 de setembro de 1939, dia esplendoroso da chegada dos desterrados espanhóis ao Chile, teve início a Segunda Guerra Mundial na Europa.

Felipe del Solar viajara ao porto de Valparaíso no dia anterior à chegada do *Winnipeg*, porque desejava estar presente naquele evento histórico, conforme definiu. Segundo seus companheiros do Clube dos Furiosos, ele era um exagerado. Diziam que seu fervor pelos refugiados não se devia tanto a seu bom coração quanto à vontade de contrariar o pai e o clã. Passou boa parte do dia cumprimentando os recém-chegados, misturando-se às pessoas que tinham ido recebê-los e conversando com os conhecidos que encontrou. Em meio à multidão entusiasta do cais havia autoridades do governo, representantes dos trabalhadores e das colônias catalã e basca com os quais estivera

---

* Doce pátria, recebe os votos / com que o Chile em teus altares jurou, / que serás ou a tumba dos livres, / ou o asilo contra a opressão. [N. T.]

em contato durante os últimos meses para preparar a chegada do *Winnipeg*, artistas, intelectuais, jornalistas e políticos. Entre eles estava um médico de Valparaíso, Salvador Allende, dirigente socialista que ao cabo de alguns dias foi nomeado ministro da Saúde e três décadas depois seria presidente do Chile. Apesar de jovem, era personalidade destacada nos meios políticos, admirado por uns, rechaçado por outros, respeitado por todos. Em mais de uma oportunidade participara das tertúlias dos Furiosos e, ao reconhecer Felipe del Solar na multidão, cumprimentou-o de longe.

Felipe tinha conseguido um convite para embarcar no trem especial que transportou os viajantes de Valparaíso a Santiago. Ali dispôs de várias horas para ser informado em primeira mão do que sucedera na Espanha, o que ele só conhecia pela imprensa e pelos testemunhos de uns poucos, como Pablo Neruda. Vista do Chile, a Guerra Civil era um acontecimento tão remoto que parecia ter ocorrido em outra época. O trem avançava sem paradas, mas passava muito devagar diante das estações dos povoados do caminho, porque em cada uma delas havia uma aglomeração saudando os recém-chegados com bandeiras, canções, empanadas ou bolos, que eram entregues pelas janelas por pessoas que corriam junto aos vagões. Em Santiago, eram esperados por uma multidão frenética na estação, tão densa que era impossível circular; havia gente trepada nas colunas e dependurada nas vigas, saudando aos gritos, cantando e jogando flores para o alto. Coube aos carabineiros tirar os espanhóis da estação e levá-los para o jantar, com um contundente menu chileno preparado pelo Comitê de Recepção.

No trem, Felipe del Solar ouvira diferentes histórias unidas pelo fio comum da desgraça. Terminou entre dois vagões, fumando com Víctor Dalmau, que lhe descreveu seu ponto de vista sobre a guerra a partir do sangue e da morte dos postos de primeiros socorros e dos hospitais de evacuação.

— O que sofremos na Espanha é uma amostra do que vão sofrer na Europa — concluiu Víctor. — Os alemães experimentaram suas armas conosco, deixaram povoados inteiros reduzidos a escombros. Na Europa vai ser pior.

— Por enquanto só a Inglaterra e a França estão fazendo frente a Hitler, mas com certeza contarão com aliados. Os americanos vão ter de se pronunciar — disse Felipe.

— E qual será a posição do Chile? — perguntou Roser, que se aproximara com o filho nas costas, na mesma mochila que tinha usado durante meses.

— Esta é Roser, minha mulher — apresentou-a Víctor.

— Muito prazer, senhora. Felipe del Solar a seu dispor. Seu marido me falou da senhora. Pianista, certo?

— Sim. Trate-me por você — disse Roser, e repetiu a pergunta.

Felipe falou da numerosa colônia alemã estabelecida no país havia várias décadas e citou os nazistas chilenos, mas acrescentou que não havia o que temer. Sem dúvida o Chile se manteria neutro na guerra. Mostrou-lhes a lista de industriais e empresários que queriam empregar alguns espanhóis, de acordo com suas habilidades, mas nenhum daqueles empregos se adequava a Víctor. Ele não podia se dedicar à única coisa que sabia fazer sem ter diploma. Felipe aconselhou-o a inscrever-se na Universidade do Chile, gratuita e muito prestigiosa, para estudar medicina. Talvez fossem reconhecidos os cursos que ele fizera em Barcelona e os conhecimentos adquiridos na guerra, mas mesmo assim ele ia demorar anos para obter o título.

— A primeira coisa é ganhar a vida — replicou Víctor. — Vou tentar conseguir um emprego noturno para estudar durante o dia.

— Eu também preciso de trabalho — comentou Roser.

— Para você vai ser fácil. Sempre precisamos de pianistas por estes lados.

— Neruda disse isso — acrescentou Víctor.

— Por enquanto vocês vêm morar na minha casa — decidiu Felipe.

Ele tinha dois quartos disponíveis e, antecipando-se à chegada do *Winnipeg*, havia contratado mais pessoal doméstico; contava com uma cozinheira e duas criadas; assim evitava mais problemas com Juana. As chaves dos quartos vazios da casa paterna, que a boa mulher não liberava, foram o único motivo de briga que tiveram em vinte e tantos anos, mas gostavam-se demais para permitir que aquilo os separasse. Quando chegou de Paris o telegrama do pai, deixando claro que nenhum vermelho pisaria em sua casa, Felipe já tinha resolvido organizar-se para receber alguns espanhóis sob seu teto. A família Dalmau pareceu-lhe ideal.

— Agradeço-lhe muito, mas entendo que o Comitê de Refugiados conseguiu alojamento para nós numa pensão e vão pagar os seis primeiros meses — disse Víctor.

— Tenho um piano e passo o dia no meu escritório. Você poderá tocar quando quiser, sem ninguém para incomodá-la, Roser.

Esse foi o argumento definitivo. A casa, num bairro que aos hóspedes pareceu tão senhorial quanto o melhor de Barcelona, era elegante por fora e estava quase vazia por dentro, porque Felipe só tinha comprado os móveis indispensáveis; detestava o estilo rebuscado dos pais. Não havia cortinas nas janelas de vidros biselados nem tapetes nos pisos de parquete, nenhuma floreira, nenhuma planta à vista, e as paredes permaneciam nuas, mas, apesar da escassa decoração, da casa emanava um ar de inegável refinamento. Felipe lhes ofereceu dois quartos, um banheiro e a atenção exclusiva de uma das empregadas a quem foi atribuído o papel de babá. Marcel teria quem cuidasse dele enquanto os pais trabalhavam.

Dois dias depois, Felipe levou Roser a uma emissora de rádio, cujo diretor era seu amigo, e naquela mesma tarde ela foi posta diante de um piano para acompanhar um programa. De passagem, aproveitaram para anunciar seu talento de concertista e professora de música. Nunca haveria de lhe faltar trabalho. Para Víctor, conseguiu um emprego no bar do Clube Hípico com o mesmo sistema comum entre conhecidos, em que o mérito contava muito menos do que o compadrio. O turno era das sete da noite às duas da madrugada; isso lhe permitiria estudar assim que conseguisse matricular-se na Escola de Medicina, o que, segundo Felipe, seria muito fácil, porque o reitor era parente da família de sua mãe, os Vizcarra. Víctor começou carregando caixas de cerveja e lavando copos, até que aprendeu a diferenciar vinhos e preparar coquetéis. Então foi posto atrás do balcão, onde devia apresentar-se de terno escuro, camisa branca e gravata-borboleta. Ele só tinha uma muda de roupa de baixo e o terno comprado com o dinheiro de Aitor Ibarra ao fugir de Argelès-sur-Mer, mas Felipe pôs seu guarda-roupa à disposição dele.

Juana Nancucheo aguentou uma semana sem perguntar pelos hóspedes de Felipe, até que a curiosidade foi mais forte que o orgulho e, munida de uma bandeja de brioches recém-desenfornados, ela foi bisbilhotar. Quem lhe abriu a porta foi a nova empregada com um menino no colo. "Os patrões não estão", disse. Juana a apartou com um esbarrão e entrou a passos largos. Inspecionou tudo de cima a baixo, verificando que os vermelhos — como os chamava dom Isidro — eram bastante limpos e organizados; destampou as panelas na cozinha e deu instruções à babá, que ela considerou jovem demais e com cara de boba: "Por onde anda batendo perna a mãe do pirralho? Bem bom isso de ter filhos e deixá-los largados. Simpático o Marcelito, não se pode negar. Olhos grandes, roliço e nada tímido, abraçou o meu pescoço e se pendurou na minha trança", contou mais tarde a Felipe.

Em 4 de setembro, em Paris, Isidro del Solar estava preparando a mulher para lhe comunicar a decisão sobre o colégio de moças em Londres, no qual já tinha matriculado Ofelia, quando foi surpreendido pela notícia de que a guerra havia começado. Fazia meses que se via o conflito chegando, mas ele tinha dado um jeito de rechaçar o temor coletivo porque este interferia em suas férias. A imprensa exagerava. O mundo sempre estava à beira de algum problema bélico, que necessidade havia de angustiar-se por aquilo? Mas bastou-lhe pôr a cabeça fora da porta do quarto para adivinhar a gravidade do ocorrido. Deparou com uma atividade frenética: os empregados do hotel corriam com malas e baús, os hóspedes se empurravam, as damas com seus cachorrinhos fraldiqueiros, os cavalheiros brigando pelos táxis disponíveis, as crianças confusas e chorando. Na rua também reinava um alvoroço de batalha: meia cidade pretendia fugir para o campo até que as coisas se aclarassem, o trânsito estava congestionado pela aglomeração de veículos carregados de bagagem até o teto, tentando avançar entre pedestres apressados, dos alto-falantes soavam instruções peremptórias, e guardas a cavalo faziam de tudo para manter a ordem. Isidro del Solar precisou admitir que seus planos de voltar a Londres tranquilamente, retirar o automóvel último modelo que tinha comprado para levar ao Chile e embarcar no *Reina del Pacífico* tinham ido por água abaixo. Precisava sair da Europa rapidamente. Ligou para o embaixador do Chile na França.

Passaram três dias angustiosos antes que a legação conseguisse passagens para o último navio chileno disponível, um cargueiro cheio até a borda com trezentos passageiros onde normalmente viajavam cinquenta. Para que os del Solar coubessem, esteve-se a ponto de desembarcar uma família judia, que pagara suas passagens e subornara um cônsul chileno com as joias da avó para obter os vistos. Já havia acontecido de não deixarem embarcar judeus ou de o navio voltar com eles ao ponto de partida porque nenhum país os aceitava. Aquela família, como várias outras entre os passageiros, saíra da Alemanha depois de sofrer tremendas vexações, sem o direito de levar consigo nada de valor. Para eles, afastar-se da Europa era questão de vida ou morte. Ofelia ouviu-os suplicar ao capitão e adiantou-se para ceder-lhes sua cabine sem consultar os pais, embora isso significasse dividir um beliche estreito com a mãe. "Em tempos de crise a gente precisa se adaptar", disse Isidro, mas estava incomodado com a mistura de gente de várias laias, incluindo sessenta judeus, com a comida péssima, de arroz mais arroz, com a falta de água para o banho, com o susto de navegar às escuras para esconder-se dos aviões. "Não sei como vamos suportar um mês apertados como sardinhas nesta casca de noz enferrujada", dizia, enquanto a mulher rezava e a filha se mantinha ocupada distraindo as crianças e desenhando retratos e cenas de bordo. Logo Ofelia, inspirada pela proverbial generosidade do irmão Felipe, distribuiu parte de sua roupa entre os judeus que haviam embarcado sem nada além do que tinham no corpo. "Gastar tanto em lojas, para essa menina sair distribuindo o que compramos; ainda bem que o enxoval de noiva dela está nos baús do porão", resmungou Isidro, surpreso com o gesto daquela sua filha que parecia tão frívola. Meses depois, Ofelia ficaria sabendo que a Segunda Guerra Mundial a salvara do colégio de moças.

A navegação em tempos normais durava 28 dias, mas foi feita a todo vapor em 22, desviando de minas flutuantes e evitando os vasos de guerra de ambos os lados. Em teoria, estavam a salvo porque iam sob a bandeira neutra do Chile, mas na prática podia haver um trágico mal-entendido em que eles acabassem afundados pelos alemães ou pelos Aliados. No canal do Panamá, presenciaram medidas extraordinárias de proteção contra sabotagens, redes de arrastão e mergulhadores para recolher possíveis bombas deixadas nas eclusas. Para Laura e Isidro del Solar, o calor e os mosquitos eram um tormento, a falta de comodidade era devastadora, e a angústia da guerra lhes embrulhava o estômago, mas para Ofelia a experiência era mais divertida do que a viagem no *Reina del Pacífico*, com seu ar condicionado e suas orgias de chocolate.

Felipe os esperava em Valparaíso com seu automóvel e um caminhão alugado, dirigido pelo motorista da família, para transportar a bagagem. A irmã, que sempre lhe parecera de natureza néscia e aspecto brega, o surpreendeu. Parecia mais velha e mais séria; seu corpo espichara, e suas feições se haviam definido; já não era a menina com cara de boneca que partira, mas uma jovem bastante interessante. Não fosse sua irmã, ele diria que Ofelia era muito bonita. Matías Eyzaguirre também estava no porto com seu automóvel e um buquê de rosas para a noiva recalcitrante. Tal como Felipe, ficou impressionado ao ver Ofelia. Ela sempre tinha sido atraente, mas agora lhe parecia linda, e ele foi invadido pelo receio atroz de que aparecesse outro mais inteligente ou mais rico e a roubasse. Decidiu adiantar os planos. Anunciaria de imediato a notícia de sua primeira missão diplomática e, assim que ficassem sozinhos, lhe ofereceria o anel de brilhantes que fora de sua bisavó. Um suor nervoso empapava sua camisa: sabe-se lá como reagiria aquela jovem caprichosa ante a perspectiva de se casar e ir morar no Paraguai.

A caravana de dois carros e um caminhão passou por um grupo de uns vinte jovens com suásticas que protestavam contra os judeus vindos a bordo e gritavam insultos a quem havia chegado para recebê-los. "Coitados, vêm fugindo da Alemanha e olhe o que encontram aqui", comentou Ofelia. "Não faça caso, os carabineiros vão dispersá-los", tranquilizou-a Matías.

Na viagem para Santiago (quatro horas por um caminho de curvas sem pavimentação), Felipe, que ia com os pais num dos automóveis, teve tempo de lhes contar como os espanhóis estavam se adaptando às mil maravilhas e em menos de um mês a maioria estava instalada e trabalhando. Muitas famílias chilenas os haviam hospedado; era vergonhoso não fazerem o mesmo, tendo uma casa grande com meia dúzia de quartos vazios. "Já sei que você tem uns ateus comunistas em casa. Vai se arrepender", advertiu Isidro. Felipe esclareceu que comunistas não eram; talvez anarquistas e, quanto a serem ateus, ainda precisava verificar. Falou-lhes dos Dalmau, de como eram decentes e cultos, e do menino, que estava apaixonado por Juana. Isidro e Laura já sabiam que a fiel Juana Nancucheo os traíra, que ia diariamente ver Marcel para inspecionar o que ele comia e levá-lo ao parque tomar sol com Leonardo, porque a mãe dele era rueira, como dizia, e nunca estava em casa, com a desculpa do piano, enquanto o pai vivia metido num bar. Felipe achou prodigioso os pais terem obtido tanta informação em alto-mar.

Em dezembro Matías Eyzaguirre partiu para o Paraguai sob as ordens de um embaixador déspota com os subalternos e servil com os de cima na escala social. Matías estava nesta última categoria. Foi sozinho, porque Ofelia recusou o anel com o pretexto de ter prometido ao pai ficar solteira até os 21 anos. Matías sabia que, se ela quisesse se casar, ninguém poderia impedir, mas resignou-se a esperar, com o risco que isso implicava. A Ofelia sobravam admiradores, mas seus futuros sogros lhe asseguraram que ela estaria muito bem cuidada. "Dê tempo à menina, ela é muito imatura. Vou rezar por vocês, para se casarem e serem muito felizes", prometeu dona Laura. Matías pretendia seduzir definitivamente Ofelia de longe, valendo-se de uma correspondência ininterrupta, um dilúvio de cartas de amor — para isso existia correio —, e ele podia ser muito mais eloquente por escrito do que por fala. Paciência. Amava Ofelia desde criança, eram feitos um para o outro, disso ele não tinha dúvida.

Dias antes do Natal, Isidro del Solar mandou trazer do campo um porco criado com leite, como fazia todos os anos nessa data, e contratou um abatedor para esquartejá-lo no terceiro pátio* da casa, longe das vistas de Laura, de Ofelia e do Bêbe. Juana supervisionou a transformação do infeliz animal em carne para assado, linguiças, costeletas, presunto e toucinho. Estava encarregada da ceia de 24 de dezembro, que reunia a extensa família, e de pôr um presépio sobre a lareira com figuras de gesso trazidas da Itália. Logo pela manhã, quando foi levar café ao patrão na biblioteca, plantou-se à frente dele.

— Algum problema, Juana?

---

* Nas casas coloniais de pessoas mais endinheiradas havia três pátios. O primeiro era público; o segundo era familiar; o terceiro, no fundo do terreno, era dos escravos e dos criados. (Fonte: Maria Verônica Secreto, *Negros em Buenos Aires*, Rio de Janeiro, Mauad Editora, 2013, p. 32). [N. T.]

— Na minha opinião se devia convidar os comunistas do menino Felipe.

Isidro del Solar levantou os olhos do jornal e ficou olhando para ela, perplexo.

— Estou falando isso por causa do Marcelito — disse ela.

— Quem?

— O senhor sabe de quem estou falando, patrão. O pirralhinho, pois, o filho dos comunistas.

— Os comunistas estão pouco se lixando para o Natal, Juana, não acreditam em Deus e não querem nem saber de Menino Jesus.

Juana engoliu um grito e se benzeu. Felipe lhe havia explicado um monte de bobagens dos comunistas, sobre igualdade e luta de classes, mas ela nunca tinha ouvido ninguém dizer que eles não acreditavam em Deus e se lixavam para o Menino Jesus. Custou-lhe um minuto inteiro recuperar a fala.

— Que seja, patrão, mas o pirralho não tem culpa disso. Na minha opinião, eles deviam comer aqui na véspera de Natal. Eu já falei isso pra o menino Felipe, e ele concordou. A dona Laura e a Ofelita também.

Foi assim que os Dalmau passaram seu primeiro Natal no Chile com a família del Solar em peso. Roser pôs o mesmo vestido que tinha usado em suas núpcias, em Perpignan, azul-escuro com aplicação de flores brancas na gola, e prendeu os cabelos na nuca com uma rede de miçangas pretas e uma fivela de azeviche, que Carme lhe dera de presente ao ficar sabendo que ela esperava um filho de Guillem. "Você já é minha nora, para isso não é preciso papéis", disse. Víctor vestiu um terno de Felipe, que lhe ficava um pouco largo e curto de pernas. Quando chegaram à casa da rua Mar del Plata, Juana se apoderou de Marcel e levou-o para brincar com Leonardo, enquanto Felipe empurrava os Dalmau para o salão, a fim de fazer as apresentações de praxe. Contara-lhes que no Chile as classes sociais são como um bolo mil-folhas: é fácil descer, mas quase impossível subir, porque dinheiro não compra linhagem. As únicas exceções eram o talento, como Pablo Neruda, e a beleza de certas mulheres. Esse fora o caso da avó de Ofelia, filha de um modesto comerciante inglês, uma beldade com porte de rainha, que conseguiu melhorar a raça, como diziam seus descendentes, os Vizcarra. Se os Dalmau fossem chilenos, jamais teriam sido convidados para a mesa dos del Solar, mas, como eram estrangeiros exóticos, por enquanto flutuavam no limbo. Se tudo corresse bem, eles terminariam em alguma das numerosas subclassificações da classe média. Felipe avisou-os de que na casa dos pais eles seriam examinados como feras de circo por gente conservadora, religiosa e intolerante, mas, depois de superada a curiosidade inicial, seriam acolhidos com a indefectível hospitalidade chilena. Assim foi. Ninguém lhes fez perguntas sobre a guerra civil nem sobre as razões do exílio, em parte por ignorância — segundo Felipe, mal liam as páginas sociais do jornal *El Mercurio* —, mas também por amabilidade; não queriam incomodá-los. Víctor de repente voltou à timidez da adolescência, que ele acreditava superada, e ficou de pé num canto do salão francês, entre poltronas estilo Luís xv forradas de seda cor de musgo, mudo ou respondendo o mínimo possível. Roser, em compensação, estava à vontade e não se fez de rogada para tocar canções alegres ao piano, acompanhada pelo coro de vários dos presentes que tinham bebido uma taça a mais.

Quem mais se impressionou com os Dalmau foi Ofelia. Pelo pouco que sabia deles, com base em comentários de Juana, ela imaginava um casal de tétricos funcionários soviéticos, apesar de Matías ter-lhe falado de sua boa experiência com os espanhóis em geral, quando carimbou os vistos no *Winnipeg*. Roser era uma jovem que irradiava segurança, sem sombra de vaidade ou arrivismo. Explicou a um grupo de senhoras, todas de preto com colar de pérolas — uniforme das chilenas distintas —, que tinha sido pastora de cabras, padeira e costureira, antes de ganhar a vida com o piano. Disse isso com tal naturalidade que foi celebrada como se tivesse exercido esses ofícios por capricho. Depois se sentou ao piano e terminou de seduzi-las. Ofelia sentiu um misto de inveja e vergonha, ao comparar sua própria existência de mocinha rica, ignorante e ociosa, com a de Roser, que era apenas uns dois anos mais velha que ela, segundo lhe dissera Felipe, mas vivera três vidas. Vinha da pobreza, sobrevivera a uma guerra perdida e sofrera a desolação do desterro, era mãe e esposa, tinha cruzado os mares e chegado a uma terra alheia com uma mão na frente e outra atrás, sem medo de nada. Ofelia desejou ser digna, forte e valente, desejou ser ela. Como se tivesse adivinhado seu pensamento, Roser se aproximou, e as duas ficaram sozinhas por algum tempo, fumando na sacada para fugir ao calor. Para Roser, o Natal em pleno verão era incompreensível. Ofelia descobriu-se a confessar àquela desconhecida seu sonho de ir para Paris ou Buenos Aires e dedicar-se à pintura, mas aquilo era uma loucura porque seu azar era ser mulher, prisioneira da família e das convenções sociais. Acrescentou com um trejeito brincalhão, para dissimular a vontade de chorar, que o pior obstáculo era a dependência: ela nunca seria capaz de ganhar a vida com a arte. "Se você tem vocação para a pintura, cedo ou tarde vai pintar, e é melhor que seja cedo. Por que tem de ser em Paris ou Buenos Aires? Você só precisa de disciplina. É como o piano, sabe? Raramente dá para viver, mas é preciso tentar", argumentou Roser.

Naquela noite Ofelia sentiu várias vezes o olhar ardente de Víctor Dalmau a segui-la pelo salão, mas, como ele permaneceu no seu canto sem fazer menção de se aproximar, ela cochichou a Felipe que o apresentasse.

— Este é meu amigo Víctor, de Barcelona. Foi miliciano na Guerra Civil.

— Na verdade, fui paramédico, nunca precisei disparar uma arma — esclareceu Víctor.

— Miliciano? — perguntou Ofelia, que nunca tinha ouvido essa palavra.

— Assim eram chamados os combatentes antes de se incorporarem ao exército regular — explicou Víctor.

Felipe deixou-os sozinhos, e Ofelia ficou algum tempo com Víctor, tentando entabular conversa, sem encontrar um assunto comum nem eco da parte dele. Perguntou-lhe do bar, porque Juana o havia mencionado, e com muito esforço conseguiu arrancar a informação de que ele pretendia terminar os estudos de medicina iniciados na Espanha. Por fim, aborrecida com tantas pausas, deixou-o sozinho. Surpreendeu-o depois de novo a observá-la, e o atrevimento dele a incomodou um pouco, embora ela também o estudasse dissimuladamente, fascinada por aquele rosto ascético de nariz aquilino e pômulos pronunciados, por aquelas mãos vigorosas de dedos longos, aquele corpo esbelto e duro. Gostaria de desenhá-lo, fazer um retrato com pinceladas pretas e brancas sobre fundo cinzento, em formato grande, com um fuzil nas mãos e nu. Enrubesceu ao pensar nisso; nunca tinha pintado ninguém nu, e o pouco que sabia de anatomia masculina tinha aprendido dos museus da Europa, onde a maioria das estátuas estava mutilada ou coberta com folha de parreira. As mais atrevidas eram decepcionantes, como o *Davi* de Michelangelo, com suas mãos enormes e um pintinho de neném. Matías ela nunca tinha visto nu, mas os dois tinham se acariciado o suficiente para ela adivinhar o que se ocultava por dentro das calças dele. Precisava ver para julgar. Por que o espanhol mancava? Poderia ser um heroico ferimento de guerra. Perguntaria a Felipe.

A curiosidade de Ofelia por Víctor foi recíproca. Ele concluiu que os dois vinham de planetas distintos e que aquela jovem era de uma espécie diferente das mulheres de seu passado. A guerra deformava tudo, até a memória. Talvez antes tivesse havido moças como Ofelia, frescas, preservadas da fealdade do mundo, com vida impoluta como página em branco, na qual elas podiam escrever seu destino com caligrafia elegante, sem um único borrão, mas ele não se lembrava de nenhuma assim. A beleza dela o intimidou, ele estava acostumado a mulheres marcadas prematuramente pela pobreza ou pela guerra. Ela parecia alta porque tudo nela era longitudinal, desde o pescoço comprido até os pés finos, mas, de perto, viu que ela lhe chegava ao queixo. Sua cabeleira tinha vários tons de madeira e era contida por uma tiara de veludo preto; a boca estava sempre entreaberta, como se lhe sobrassem dentes, e os lábios eram pintados de rubi. O mais chamativo eram os olhos azuis, com sobrancelhas arqueadas em ponta, muito separadas, e uma expressão perdida de quem olha o mar. Isso ele atribuiu a certa vesguice.

Depois de cear, a família em peso, com crianças e criados, saiu em cortejo para a missa do galo na igreja do bairro. Os del Solar ficaram surpresos porque os Dalmau, supostamente ateus, foram com eles, e Roser ainda por cima acompanhou o rito em latim, como lhe fora ensinado pelas freiras. No caminho, Felipe segurou Ofelia pelo braço e a fez ficar para trás, porque queria falar claro com ela: "Se pego você dando bola para o Dalmau, vou contar ao papai, entendeu? Quero ver como ele vai reagir quando souber que você flertou com um sujeito casado, imigrante sem um tostão no bolso". Ela fingiu surpresa diante do comentário, como se aquela ideia nunca lhe tivesse ocorrido. Felipe absteve-se de fazer essa advertência a Víctor, porque não quis humilhá-lo, mas decidiu impedir por qualquer meio que ele voltasse a ver sua irmã. A atração entre eles era tão fulminante que sem dúvida outros também haviam notado. Tinha razão. Mais tarde, quando Víctor foi dar boa-noite a Roser, que dormia com Marcel em outro quarto, ela o preveniu contra a tentação de se aventurar por aquele caminho.

— Essa moça é inatingível. Tire isso da cabeça, Víctor. Você nunca vai pertencer ao meio social dela, muito menos à família dela.

— Isso seria de menos. Há inconvenientes maiores que a classe social.

— É verdade. Além de ser pobre e moralmente suspeito aos olhos daquele clã fechado, você não é dos mais simpáticos.

— Está esquecendo o principal: tenho esposa e filho.

— Podemos nos divorciar.

— Neste país não há divórcio, Roser, e segundo Felipe nunca haverá.

— Quer dizer que estamos amarrados para sempre! — exclamou Roser, espantada.

— Você poderia expressar isso de maneira mais delicada. Enquanto vivermos aqui, estaremos legalmente casados, mas, quando voltarmos à Espanha, com a república restabelecida, nos divorciaremos e pronto.

— Pode demorar muito, Víctor. Enquanto isso, vamos nos estabelecer aqui. Quero que Marcel cresça como chileno.

— Como chileno, que seja, mas nosso lar será sempre catalão e com muita honra.

— Franco proibiu falar catalão — lembrou-lhe Roser.

— Por isso mesmo, mulher.

VII

1940-1941

He dormido contigo
toda la noche mientras
la oscura tierra gira
con vivos y con muertos...*

PABLO NERUDA,
"La noche en la isla",
Los versos del capitán.

Víctor Dalmau entrou na universidade para completar os estudos de medicina, ajudado pelo infalível sistema de conexões amistosas do Chile. Felipe del Solar apresentou-o a Salvador Allende, um dos fundadores do Partido Socialista, homem de confiança do presidente e ministro da Saúde. Allende acompanhara com interesse apaixonado o triunfo da República na Espanha, a sublevação militar, a derrota da democracia e a ditadura instaurada por Franco, como se pressentisse que um dia deixaria a vida num conflito semelhante em seu país. Allende ouviu o pouco que Víctor Dalmau lhe contou sobre a guerra e o exílio e adivinhou o resto. Com um telefonema conseguiu que a Escola de Medicina validasse os cursos feitos por ele na Espanha e

---

* Dormi contigo / toda a noite enquanto / a escura terra gira / com vivos e com mortos. [N. T.]

lhe permitisse completá-los em três anos para obter o diploma. Os estudos eram intensos. Victor sabia tanto quanto os professores na prática, porém muito pouco de teoria. Uma coisa era remendar ossos fraturados, outra era identificá-los pelo nome. Foi até o gabinete do ministro para agradecer, sem saber como retribuir o favor. Allende perguntou-lhe se sabia jogar xadrez e o desafiou para uma partida no tabuleiro que tinha no escritório. Perdeu de bom humor. "Se quiser me pagar, venha jogar comigo quando o chamar", disse ele ao despedir-se. O xadrez seria o fundamento da amizade entre os dois homens, que determinaria o segundo exílio de Víctor Dalmau.

Roser, Víctor e o menino moraram com Felipe durante alguns meses até poderem pagar uma pensão. Negaram-se a aceitar ajuda do Comitê porque havia outros mais necessitados. Felipe quis retê-los em sua casa, mas eles consideraram que já haviam recebido muito e estava na hora de cuidarem sozinhos de si mesmos. Juana Nancucheo foi a mais afetada pela mudança, porque, para ver Marcel, precisava tomar um bonde. A amizade de Víctor e Felipe continuou, mas ficou mais difícil cultivá-la porque eles pertenciam a círculos diferentes e ambos eram muito ocupados. Felipe tentou incorporar Víctor ao Clube dos Furiosos, imaginando como ele poderia contribuir com as tertúlias, que estavam perdendo ímpeto intelectual e adquirindo um tom cada vez mais frívolo, porém ficou claro que ele nada tinha em comum com seus amigos. Na única ocasião em que assistiu a uma reunião, Víctor esquivou-se com monossílabos do bombardeio de perguntas sobre sua vida arriscada e a guerra na Espanha; logo os membros do clube se fartaram de arrancar-lhe migalhas de informação e deixaram de prestar atenção nele. Para evitar que ele se encontrasse com Ofelia, Felipe não o levou de novo à casa dos pais.

O emprego noturno de Víctor no bar mal lhe dava para o sustento, mas serviu para aprender aquele ofício interessante e estudar os fregueses. Foi assim que conheceu Jordi Moliné, viúvo catalão que migrara para o Chile vinte anos antes; era dono de uma fábrica de sapatos e instalava-se no balcão para beber e conversar em seu idioma. Numa daquelas longas noites, acariciando seu cálice de bebida, ele explicou a Víctor que fabricar sapatos era uma chatice, apesar de dar muito lucro, e, agora que estava sozinho e envelhecendo, tinha chegado a hora de fazer o que lhe dava gosto. Convidou-o a montar com ele uma taverna no estilo da Catalunha; ele poria o dinheiro para começar, e Víctor, a experiência. Víctor respondeu que tinha vocação para médico, e não para taverneiro, mas naquela noite, ao contar a Roser a barbaridade proposta pelo catalão, ela achou que a ideia era esplêndida; melhor ter um negócio próprio do que trabalhar para os outros e, se não desse certo, eles teriam perdido pouco, já que o sapateiro arriscaria o capital. Era preciso ser prudente nos gastos e levar em conta que os fregueses iam lá beber e afogar as mágoas; o resto pouco importava. Inspiraram-se no Rocinante, o bar de Barcelona onde o pai de Víctor jogou dominó até os últimos dias. Montaram o negócio numa espelunca barata, com tonéis servindo de mesa, presuntos e réstias de alho dependurados do teto, cheiro de vinho ranço, mas bem situada, em pleno centro de Santiago. Roser participou cuidando das contas, porque era melhor de cabeça e conhecimento de matemática do que qualquer um dos dois sócios. Chegava carregando Marcel e o instalava com algum brinquedo no cercadinho atrás do balcão, enquanto fazia anotações em seus cadernos. Nem a mais humilde cerveja escapava de sua fastidiosa contabilidade. Conseguiram uma cozinheira capaz de preparar linguiça catalã com cubos de berinjela, anchovas e lulas ao alho, atum com tomate e outras delícias do país distante que atraíram uma clientela fiel de imigrantes espanhóis. A taverna recebeu o nome de *Winnipeg*.

Naqueles dezoito meses que passaram casados, Víctor e Roser desenvolveram uma perfeita relação de irmãos e camaradas. Compartilhavam tudo, menos a cama: ela, pela lembrança de Guillem; ele, para evitar confusão. Roser decidira que o amor só acontece uma vez, e ela já havia consumido sua cota. Por sua vez, Víctor dependia dela para lidar com seus fantasmas; ela era sua melhor amiga, e ele gostava mais dela quanto mais a conhecia. Às vezes desejava cruzar a fronteira invisível que os separava, abraçar sua cintura num momento de descuido e beijá-la, mas isso seria trair o irmão e acarretaria consequências nefastas. Um dia teriam de falar disso, de quanto tempo dura um luto, de quanto tempo os mortos hão de nos assombrar. Esse dia chegaria quando Roser decidisse, como decidia quase tudo. Até então ele se distrairia pensando em Ofelia del Solar como quem pensa em ganhar na loteria, uma especulação inútil. Tinha se apaixonado por ela à primeira vista com intensidade de adolescente, mas, como não voltou a vê-la, o amor se transformou rapidamente em lenda. Em seus vagos devaneios, repassava os detalhes do rosto, dos movimentos, do vestido, da voz dela. Ofelia era uma miragem bruxuleante que com a menor vacilação se dissipava. Ele a amava teoricamente, como os trovadores de outrora.

Desde o começo Víctor e Roser adotaram um sistema de confiança e ajuda mútua, indispensável para a boa convivência e para tocar a vida no exílio. Combinaram que Marcel seria o primordial para eles até fazer dezoito anos. Víctor mal lembrava que ele não era seu filho, e sim seu sobrinho, mas Roser sempre tinha isso em mente e por esse motivo gostava de Víctor tanto quanto este gostava de seu filho. O dinheiro dos dois era guardado numa caixa de charutos para os gastos comuns, e Roser manejava as finanças. Separava o dinheiro do mês em quatro envelopes, um para cada semana, e eles se atinham rigorosamente àquela quantidade, ainda que tivessem de comer feijão e nada além de feijão. Quanto a lentilhas, nem pensar. Víctor tinha ficado enjoado delas no campo de concentração. Se sobrasse algum dinheiro, levavam o menino tomar sorvete.

Eram de temperamentos opostos, por isso se entendiam bem. Roser nunca sucumbia ao sentimentalismo dos desterrados, nada de olhar para trás nem de idealizar uma Espanha que já não existia. Por algum motivo tinham saído de lá. Seu implacável senso de realidade a salvava dos desejos frustrados, das censuras inúteis, dos pesados rancores e do vício de lamentar-se. Era indiferente ao cansaço e à desesperança, nenhum esforço ou sacrifício lhe parecia demasiado, tinha uma determinação de trator para derrubar obstáculos. Seus planos eram de uma clareza meridiana, nada de continuar tocando piano nas radionovelas, sempre o mesmo repertório de composições tristes, românticas, aguerridas ou tenebrosas, segundo o argumento. Estava até o pescoço da marcha triunfal da *Aída* e do *Danúbio azul*. Seu interesse era levar a música a sério como único propósito de vida, e o resto que fosse para o inferno, mas ela precisava esperar. Assim que a taverna desse para viver e Víctor se formasse, ela se matricularia na Faculdade de Música. Seguiria os passos de seu mentor e se tornaria professora e compositora, como Marcel Lluíz Dalmau.

O marido, em compensação, costumava ser derrubado pelas investidas das lembranças tristes e pelo rigor da saudade. Só Roser ficava sabendo dos períodos sombrios, porque Víctor continuava indo à faculdade, estudando e atendendo na taverna à noite, como em tempos normais, mas andava ensimesmado, com ar ausente de sonâmbulo, não tanto pelo cansaço de quem dorme, ora sim, ora não, de pé como os cavalos, mas por se sentir desgastado, preso num emaranhado de responsabilidades. Enquanto Roser imaginava um futuro luminoso, ele via sombras de todos os lados. "Aos 27 anos já estou velho", dizia, mas Roser, se por acaso o ouvisse, dava-lhe uma bronca feroz: "Tenha colhões, todos passamos penúrias, e com essa história de ficar se queixando você não aprecia o que temos, mal-agradecido, do outro lado do mar há uma guerra espantosa, e nós aqui de barriga cheia e em paz, e já vou avisando que vamos ficar por muito tempo, porque o Caudilho, maldito seja, tem ótima saúde, e gente ruim não morre". No entanto, enternecia-se nas noites em que o ouvia gritar dormindo. Então ia acordá-lo, introduzia-se em sua cama, abraçava-o como uma mãe e deixava-o desafogar-se de seus pesadelos com membros amputados, peitos destroçados, metralhas, baionetas caladas, poças de sangue, valas cheias de ossos.

Foi preciso esperar mais de um ano até Ofelia e Víctor se reencontrarem. Naquela época Matías Eyzaguirre alugou, numa rua importante de Assunção, uma casa imponente e pouco apropriada a seu posto de segundo escalão e a seu soldo de funcionário público. O embaixador achou aquilo um atrevimento e aproveitava qualquer ocasião para fazer algum comentário sarcástico. Matías mobiliou a casa com um carregamento de móveis e objetos de decoração enviados do Chile, e a mãe dele viajou especialmente para treinar os domésticos, tarefa nada fácil porque eles falavam guarani. Sua noiva recalcitrante finalmente tinha concordado em casar-se, graças à sua perseverante correspondência amorosa e à eficácia das missas e novenas da futura sogra, dona Laura. No começo de dezembro, quando Ofelia completou 21 anos, Matías foi a Santiago para o noivado oficial, que se realizou numa festa no jardim da casa dos del Solar, com os parentes mais próximos das duas famílias, umas duzentas pessoas. As alianças foram abençoadas por Vicente Urbina, sobrinho de dona Laura, sacerdote carismático, intrigante e enérgico, em quem uma farda de coronel teria caído melhor que a batina. Embora tivesse menos de quarenta anos, Urbina exercia temível influência sobre seus superiores eclesiásticos e sobre os paroquianos do bairro alto, entre os quais atuava como conselheiro, árbitro e juiz. Era um privilégio contar com ele na família.

A data das núpcias foi marcada para setembro do ano seguinte, mês dos casamentos elegantes. Matías pôs o antigo anel de brilhantes no dedo anular da mão direita de Ofelia, para avisar aos possíveis rivais que a jovem estava reservada e que o mudaria para a outra mão no dia do casamento, para deixar estabelecido que ela estava irremediavelmente tomada. Quis contar-lhe em detalhes os preparativos que fizera no Paraguai para recebê-la como uma rainha, mas ela o interrompeu um tanto distraída: "Que pressa é essa, Matías, daqui até setembro pode acontecer muita coisa". Alarmado, ele perguntou que coisas, e ela fez menção à Segunda Guerra Mundial, que poderia chegar ao Chile, a outro terremoto ou a alguma catástrofe no Paraguai. "Ou seja, nada que nos diga respeito", concluiu Matías.

Ofelia aproveitava essa fase de espera e expectativa arrumando o enxoval em baús com papel de seda e raminhos de lavanda, mandando bordar no convento de tia Teresa toalhas de mesa e de banho e lençóis com as iniciais dela e de Matías entrelaçadas, deixando-se homenagear pelas amigas no salão de chá do Hotel Crillon, experimentando e voltando a experimentar o vestido de noiva e o enxoval de casamento, aprendendo com as irmãs os fundamentos da organização doméstica para a qual demonstrou surpreendente disposição, levando-se em conta sua fama de indolente e desorganizada. Dispunha de nove meses antes das núpcias, mas já estava planejando formas de prolongar essa trégua. O que a assustava era dar o passo irrevogável de casar-se para sempre, de viver com Matías em outro país sem conhecer ninguém, longe da família e rodeada de indígenas guaranis, de ter filhos e acabar submetida e frustrada, como a mãe e as irmãs, mas a alternativa era pior. Ficar solteirona significava depender da generosidade do pai e do irmão Felipe nas questões econômicas e tornar-se uma pária social. A possibilidade de trabalhar para ganhar a vida era uma quimera tão absurda como ir para Paris pintar numa mansarda de Montmartre. Estava planejando um rosário de pretextos para adiar o casamento sem imaginar que o céu lhe mandaria o único pretexto válido: Víctor Dalmau. Quando topou com ele dois meses depois de ficar noiva e sete meses antes da data marcada para as bodas, descobriu o amor dos romances, o amor que Matías nunca lhe havia inspirado, com sua inalterável fidelidade.

Em pleno verão quente e seco de Santiago, quando quem podia emigrava em massa para as praias e os campos, Víctor e Ofelia encontraram-se na rua. A surpresa paralisou os dois, como se tivessem sido apanhados em falta, e transcorreu um minuto eterno antes que ela tomasse a iniciativa de cumprimentá-lo engasgada, com um "olá" pouco audível, que ele interpretou a seu favor. Um ano achando que a amava sem a menor esperança, e eis que ela também tinha pensado nele, como lhe pareceu evidente pelo nervosismo de potranca da jovem. Ela era mais bonita do que ele lembrava, com seus olhos claros e a pele bronzeada, vestido decotado e madeixas alvoroçadas a escapar de um chapéu de colegial. Víctor conseguiu recobrar-se e dar início a um diálogo insosso; assim ficou sabendo que os del Solar estavam passando os três meses de verão entre a fazenda e a casa de praia em Viña del Mar; ela viera à capital para cortar cabelo e ir ao dentista. Ele, por sua vez, falou em quatro frases de Roser, da criança, da universidade e da taverna. Logo os assuntos se esgotaram, eles ficaram em silêncio, suando debaixo do sol, conscientes de que, separando-se, perderiam uma oportunidade preciosa. Quando ela começou a se despedir, Víctor tomou-a pelo braço e a arrastou para a sombra mais próxima, o toldo de uma farmácia, e pediu-lhe de chofre que passassem a tarde juntos.

— Preciso voltar para Viña del Mar. O motorista está me esperando — disse ela sem a menor convicção.

— Diga que espere, precisamos conversar.

— Vou me casar, Víctor.

— Quando?

— O que importa? Você está casado.

— É sobre isso justamente que precisamos conversar. Não é o que você está pensando, deixe explicar.

Levou-a para um hotel modesto, embora não pudesse permitir-se aquele gasto, e ela voltou para Viña del Mar lá pela meia-noite, quando os pais estavam a ponto de comunicar seu desaparecimento à polícia. O motorista, devidamente subornado, disse que um pneu tinha furado no caminho.

Desde os quinze anos, quando atingiu a altura definitiva e ganhou formas de mulher, Ofelia atraía os homens com um poder de sedução alheio às suas intenções. Nem se dava conta do vendaval de paixões desenfreadas que deixava atrás de si, a não ser em uns poucos casos em que o apaixonado chegara a ser ameaçador, e o pai precisara interferir. Sua plácida existência de moça rica transcorria mimada e vigiada: uma faca de dois gumes, que por um lado reduzia os riscos e por outro a impedia de desenvolver alguma sagacidade ou intuição. Por trás de sua atitude coquete escondia-se uma espantosa ingenuidade. Nos anos seguintes, ela constatou que sua aparência lhe abria portas e facilitava quase tudo. Era a primeira coisa que os outros viam e às vezes a única; nenhum esforço de sua parte era necessário, porque suas ideias e opiniões passavam despercebidas. Durante os quatrocentos anos transcorridos desde aquele tosco conquistador da colônia, os Vizcarra foram refinando sua herança genética com o puro sangue europeu, embora, segundo Felipe del Solar, no Chile ninguém, por mais branco que pareça, deixa de ter algo de indígena, com exceção dos imigrantes recém-chegados. Ofelia pertencia a uma casta de mulheres bonitas, mas foi a única que puxou os espetaculares olhos azuis da avó inglesa. Laura del Solar acreditava que o diabo planta a beleza com o único propósito de danar a alma, tanto de quem a padece, quanto daqueles que ela atrai. Por isso, em sua casa não se mencionava a aparência física, era de mau gosto, pura vaidade. O marido apreciava a formosura em outras mulheres, mas a considerava um problema nas filhas, porque precisava cuidar da virtude delas, especialmente de Ofelia. A moça acabou por aceitar a teoria familiar de que a beleza se opõe à inteligência: pode-se ter uma ou outra, as duas não andam juntas. Isso explicaria o motivo de ter ido mal na escola, sua preguiça para cultivar a pintura e a dificuldade de manter-se no caminho reto pregado pelo padre Urbina. Sua sensualidade, que ela não sabia identificar, a atormentava. A insistente pergunta de Urbina sobre o que ela tencionava fazer da vida dava voltas em sua cabeça sem que ela encontrasse resposta. O destino de casar-se e ter filhos parecia-lhe tão sufocante quanto o convento, mas ela aceitava ser inevitável. Só podia postergá-lo um pouco. E, como repetia todo mundo, ela devia agradecer por Matías Eyzaguirre — tão bom, tão nobre e tão bonito — existir. Sua sorte era invejável.

Matías havia sido seu inamovível apaixonado desde a infância. Com ele descobriu e explorou o desejo até onde era permitido pela rigorosa formação católica e pelo natural cavalheirismo dele, apesar de ela tentar frequentemente ultrapassar esses limites, porque, afinal de contas, qual era a diferença entre se acariciarem vestidos até desfalecerem e simplesmente pecarem nus? O castigo divino seria o mesmo. Em vista da fraqueza dela, Matías se responsabilizou sozinho pela abstinência dos dois. Respeitava Ofelia tal como exigia que os outros respeitassem suas irmãs e convenceu-se de que nunca trairia a confiança que a família del Solar depositava nele. O desejo da carne só pode ser satisfeito numa união santificada pela Igreja, com a finalidade de ter filhos, acreditava ele. Não teria admitido, no mais fundo do coração, que o motivo fundamental para a abstinência não era o respeito ou o pecado, mas o medo da gravidez. Ofelia nunca falou do assunto com a mãe ou as irmãs, mas para ela estava claro que esse tipo de falta, por mais tênue que seja, só se apaga com o casamento. O sacramento da confissão perdoa a ofensa, mas a sociedade não perdoa nem esquece. "A reputação de uma mocinha decente é de seda branca, e qualquer mancha a arruína", asseguravam as freiras. Vai saber quantas manchas ela tinha acumulado com Matías.

Naquela tarde quente Ofelia foi para o hotel com Víctor Dalmau consciente de que seria algo diferente dos extenuantes embates com Matías, que a deixavam confusa e irritada. Achou um espanto sua própria determinação, tomada em um instante, assim como a desenvoltura com que tomou a iniciativa quando a sós com ele no quarto. Viu-se senhora de um conhecimento que não sabia onde tinha obtido e de uma falta de pudor que normalmente provém de longa prática. Com as freiras aprendera a despir-se por partes, primeiro punha uma camisola de mangas compridas, que a cobria do pescoço aos pés, depois ia tirando a roupa por baixo às apalpadelas, mas naquela tarde com Dalmau sumiu o recato; ela deixou cair no chão vestido, anágua, sutiã e calcinhas, passou por cima deles nua e olímpica com um misto de curiosidade pelo que ia acontecer e de raiva de Matías por ser puritano. "Merece a infidelidade", decidiu, entusiasmada.

Víctor não desconfiou que Ofelia fosse virgem, porque nada na impressionante segurança da jovem dava indícios disso e porque ele não pensou no assunto. A virgindade tinha sido relegada aos anos incertos e quase esquecidos da adolescência. Ele vinha de outra realidade, de uma revolução que havia abolido as diferenças sociais, o puritanismo nos costumes e a autoridade da religião. Na Espanha republicana, a virgindade tinha ficado obsoleta; as milicianas e as enfermeiras que ele amara brevemente desfrutavam da mesma liberdade sexual que ele. Também não lhe ocorreu que Ofelia o tivesse acompanhado movida por um impulso de mulher mimada, mais do que por amor. Estava apaixonado e automaticamente supôs que ela também estivesse. Haveria de analisar a magnitude do acontecimento mais tarde, ao descansarem abraçados, depois do amor, naquela cama de lençóis amarelados pelo uso e manchados de sangue virginal, depois de ele lhe ter contado como e por que se casara com Roser e de ter confessado que tinha passado mais de um ano sonhando com ela.

— Por que não me disse que essa era sua primeira vez? — perguntou ele.

— Porque você teria dado para trás — respondeu ela, espreguiçando-se como um gato.

— Eu deveria ter sido mais cuidadoso com você, Ofelia, desculpe.

— Não há o que desculpar. Estou feliz, meu corpo está vibrando. Mas preciso ir embora, já é muito tarde.

— Diga quando nos vemos de novo.

— Eu aviso quando puder escapar. Daqui a três semanas voltamos para Santiago e aí vai ser mais fácil. Precisamos ser muito prudentes, porque, se ficarem sabendo, vamos pagar caro. Não quero nem pensar no que meu pai faria.

— Em algum momento vou precisar falar com ele.

— Você está doido? Como pode pensar nisso! Se souber que eu ando com um imigrante casado e pai de um filho, ele mata os dois. Felipe já me avisou.

Com o pretexto do dentista, Ofelia deu um jeito de voltar para Santiago mais uma vez. Nas semanas de separação, constatou assustada que sua curiosidade inicial tinha dado lugar à obsessão de lembrar minuciosamente os detalhes daquela tarde no hotel, à necessidade insuportável de voltar a se encontrar com Víctor e fazer amor, falar e falar, contar seus segredos e sondar o passado dele. Queria lhe perguntar por que mancava, fazer um inventário de suas cicatrizes, saber de sua família e do sentimento que o unia a Roser. Aquele homem carregava tantos mistérios que os decifrar seria tarefa demorada: o que significavam exílio, sublevação militar, vala comum, campo de concentração? Que história era aquela de mulas rebentadas ou de pão da guerra? Víctor Dalmau tinha mais ou menos a idade de Matías Eyzaguirre, mas era infinitamente mais velho, duro como cimento por fora, impenetrável por dentro, marcado por cicatrizes e tristes recordações. Diferentemente de Matías, que nela admirava o temperamento de dinamite e o turbilhão de caprichos, Víctor se impacientava com suas criancices, porque esperava dela clareza e inteligência. Nada que fosse superficial lhe interessava. Se fazia uma pergunta, ouvia a resposta com atenção de mestre, sem a deixar escapulir com alguma brincadeira ou mudando de assunto. Assustada, Ofelia enfrentou o desafio de ser tratada com seriedade.

Quando acordou pela segunda vez nos braços do amante, em que havia dormido alguns minutos depois de fazer amor, Ofelia decidiu que tinha encontrado o homem de sua vida. Nenhum dos jovens de seu meio, pretensiosos, mimados e frouxos, com o destino aplanado pelo dinheiro e pelo poder da família, podia competir com ele. Víctor recebeu a confissão emocionado, porque também sentia que ela era a eleita, mas não perdeu a cabeça: pôs na balança a garrafa de vinho que haviam tomado e a novidade que aquela situação era para ela. As circunstâncias se prestavam a reações exageradas; era preciso conversar quando o corpo esfriasse.

Ofelia teria rompido o noivado com Matías Eyzaguirre sem vacilar, se Víctor tivesse permitido, mas ele mostrou que não era livre e não poderia oferecer-lhe nada além daqueles encontros corridos e proibidos. Então ela lhe propôs fugirem para o Brasil ou para Cuba, onde poderiam viver sob palmeiras, sem serem conhecidos por ninguém. No Chile estavam condenados à clandestinidade, mas o mundo era grande. "Tenho um compromisso com Roser e Marcel, além disso você não sabe o que é pobreza e desterro. Você não aguentaria nem uma semana comigo debaixo daquelas palmeiras", respondeu Víctor de bom humor. Ofelia começou a deixar sem resposta as cartas de Matías, para ver se ele se cansava de sua indiferença, mas não foi o que aconteceu, porque o pertinaz apaixonado atribuiu o silêncio dela ao nervosismo de uma noiva sensível. Enquanto isso ela, surpresa com sua própria duplicidade, continuou demonstrando perante a família uma disposição benevolente, que estava longe de sentir, para com os preparativos das núpcias. Deixou que vários meses se passassem sem se decidir, enquanto se encontrava com Víctor às furtadelas, em momentos roubados, mas, à medida que setembro se aproximava, compreendeu que precisava criar coragem para romper o noivado, com ou sem o consentimento de Víctor. Os convites já tinham sido enviados, e o casamento, anunciado no *El Mercurio*. Por fim, sem dizer nada a ninguém, foi até a Chancelaria pedir a um amigo que mandasse um envelope para o Paraguai na mala diplomática. O envelope continha o anel e uma carta explicando a Matías que ela estava apaixonada por outro.

Assim que recebeu o envelope de Ofelia, Matías Eyzaguirre voou para o Chile sentado no chão de um avião militar, porque em plena guerra mundial faltava gasolina para voos de lazer. Entrou como um furacão na casa da rua Mar del Plata na hora do chá, dando esbarrões nas frágeis mesinhas e cadeiras de pés retorcidos, e Ofelia se viu diante de um desconhecido. O noivo complacente e conciliador tinha sido suplantado por um possesso que a chacoalhou, vermelho de raiva e molhado de suor e lágrimas. Suas repreensões em voz alta atraíram a família, e assim Isidro del Solar ficou sabendo do que estava acontecendo já fazia algum tempo debaixo de seu nariz. Conseguiu tirar o iracundo pretendente de sua casa com a promessa de que ia resolver aquele problema à sua maneira, mas sua esmagadora autoridade defrontou-se com a matreira obstinação da filha. Ofelia recusou-se a dar explicações, a confessar o nome do apaixonado e ainda mais a arrepender-se da decisão. Simplesmente fechou a boca e não houve jeito de lhe arrancar nenhuma palavra; ficou impassível diante das ameaças do pai, do pranto da mãe e dos argumentos apocalípticos do padre Vicente Urbina, que acudiu ao chamado urgente, por ser guia espiritual e administrador do raio punitivo de Deus. Em vista da impossibilidade de argumentar com ela, o pai a proibiu de sair de casa e incumbiu Juana da tarefa de mantê-la isolada.

Juana Nancucheo tomou a incumbência a peito porque tinha afeição por Matías Eyzaguirre — moço que era um cavalheiro de pura cepa, daqueles que cumprimentam os criados por seus respectivos nomes — e adorava a menina Ofelia; que mais se podia esperar? Quis de boa-fé cumprir as ordens do patrão, mas seu empenho de carcereira nada podia diante da astúcia dos amantes. Víctor e Ofelia deram um jeito de se encontrar nas horas e nos locais mais inesperados: no bar *Winnipeg* quando estava fechado, em hotéis de aparência duvidosa, em parques e cinemas, quase sempre com a cumplicidade do motorista. Ofelia dispunha de muito tempo livre, desde que burlasse a vigilância de Juana, mas Víctor tinha os minutos contados, vivia correndo de um lado ao outro para dar conta dos estudos e da taverna, a duras penas conseguia escamotear uma hora aqui e outra ali para passar com ela. Descuidou por inteiro a família. Roser notou a mudança e o encarou com a franqueza habitual: "Você anda apaixonado, não? Não quero saber quem é, mas exijo discrição. Neste país nós somos hóspedes e, se você se meter em alguma encrenca, vamos ser deportados. Ficou claro?". Ele se ofendeu com a dureza de Roser, embora correspondesse perfeitamente ao estranho acordo matrimonial entre os dois.

Em novembro morreu de tuberculose o presidente Pedro Aguirre Cerda, com apenas três anos de mandato. Os pobres, que tinham sido beneficiados por suas reformas, choraram como se chora um pai nos funerais mais impressionantes jamais vistos. Até seus inimigos da direita tiveram de admitir sua honradez e aceitar a contragosto sua visão — ele tinha impulsionado a indústria nacional, a saúde e a educação —, mas não iam permitir que o Chile resvalasse para a esquerda. O socialismo era bom para os soviéticos, que viviam muito longe e eram uns bárbaros, mas nunca para a pátria. O espírito laico e democrático do finado presidente era um precedente perigoso que não devia se repetir.

Felipe del Solar encontrou-se com os Dalmau no funeral. Não se viam fazia meses, e depois do desfile os convidou para comer e pôr a conversa em dia. Ficou sabendo do progresso de ambos, e que Marcel, que ainda não tinha feito dois anos, já balbuciava em catalão e espanhol. Falou de sua família; disse que o Bêbe estava sofrendo do coração, que a mãe pretendia levá-lo em peregrinação ao santuário de Santa Rosa de Lima porque no Chile havia uma lamentável escassez de santos próprios, e que o casamento de sua irmã Ofelia tinha sido adiado. Nada em Víctor revelou o choque que o sacudiu por dentro ao ouvir falar de Ofelia, mas Roser sentiu sua reação na pele e então soube sem sombra de dúvida quem era a amante de seu marido. Preferia que sua identidade tivesse continuado um mistério, uma vez que com aquele nome ela se transformava em ineludível realidade. A situação era muito pior do que ela imaginara.

— Eu disse que você precisava esquecê-la, Víctor — repreendeu-o naquela noite, quando ficaram sozinhos.

— Não consigo, Roser. Você se lembra de como gostou de Guillem? E gosta ainda? É o que me acontece com a Ofelia.

— E ela?

— É recíproco. Ela sabe que nunca vamos poder ficar juntos abertamente e aceita isso.

— Quanto tempo você acha que essa menina vai aguentar no papel de sua amante? Ela tem uma vida de privilégios pela frente. Precisaria estar louca para sacrificar essa vida por você. Vou repetir, Víctor, se isso vier à tona, vamos ser expulsos a pontapés deste país. Essa gente é muito poderosa.

— Ninguém vai ficar sabendo.

— Tudo se sabe, mais cedo ou mais tarde.

O casamento de Ofelia foi cancelado com o pretexto de problemas de saúde da noiva, e Matías Eyzaguirre voltou para seu posto no Paraguai, que ele tinha abandonado na correria sem permissão do superior nem da Chancelaria. Aquela escapada lhe valeu uma advertência sem maiores consequências, porque ele tinha demonstrado uma habilidade incomum para a diplomacia e conseguido colocar-se nas esferas políticas e sociais nas quais o embaixador, homem ressentido e de poucas luzes, mal tinha espaço. O castigo de Ofelia foi o ócio forçado. Com 21 anos, a jovem se viu de braços cruzados dentro de casa, debaixo do olhar de Juana Nancucheo, morta de tédio. De nada adiantou alegar que, perante a lei, era maior de idade, visto que não tinha para onde ir e era incapaz de se sustentar sozinha, como lhe demonstraram claramente. "Tenha muito cuidado, Ofelia, porque, se você sair pela porta da rua, não vai voltar a entrar nesta casa", ameaçou o pai. Ela quis obter a simpatia de Felipe, ou de alguma das irmãs, mas o clã se fechou para proteger a honra familiar e no fim ela só conseguiu a ajuda do motorista, homem de retidão negociável. Acabou-se sua vida social, porque como ia andar em festas se todos supunham que ela estava doente? Suas únicas saídas eram para as visitas aos cortiços dos pobres com as Senhoras

Católicas, para a missa com a família e para as aulas de arte, onde dificilmente se encontraria com alguém de seu círculo. Valendo-se de um chilique épico, tinha conseguido que o pai cedesse na questão das aulas. O motorista tinha instruções para esperá-la na porta durante as três ou quatro horas da aula. Passaram-se vários meses sem que Ofelia progredisse em sua arte, provando assim que carecia de talento, como já se sabia na família. Na realidade, entrava na escola de arte pela porta principal, armada de telas, cavalete e tintas, atravessava o prédio e saía pela porta de trás, onde era esperada por Víctor. Os encontros eram pouco frequentes, porque ele precisava fazer coincidir suas raras horas livres com o horário das aulas dela.

Víctor andava tresnoitado, com olheiras de sonâmbulo, tão exausto que às vezes pegava no sono antes que a amante conseguisse tirar a roupa nos encontros do hotel. Em compensação, Roser ostentava uma energia imbatível. Estava se adaptando à cidade e aprendendo a entender os chilenos, que no fundo se pareciam com os espanhóis no que tinham de generosos, impulsivos e dramáticos. Propusera-se fazer amigos e angariar boa reputação de pianista. Tocava na rádio, no Hotel Crillon, na catedral, em clubes e em casas particulares. Correu voz de que ela era uma jovem de boa aparência e boas maneiras, de que conseguia tocar de ouvido o que lhe pedissem; bastava assobiar alguns compassos, e em poucos segundos ela tirava a melodia no piano; era o complemento ideal de festas e ocasiões solenes. Ganhava muito mais que Víctor com seu *Winnipeg*, mas precisou descuidar seu papel de mãe. Marcel não a chamava de mamãe, mas de senhora, até os quatro anos. As primeiras palavras do menino foram "vinho branco" em catalão, pronunciadas em seu cercadinho atrás do balcão da taverna do pai. Roser e Víctor revezavam-se para carregá-lo na mochila até que ele ficou muito pesado. O aperto e a tepidez da mochila grudada ao corpo da mãe ou do pai deram-lhe segurança. Era um menino tranquilo, quieto, que se entretinha sozinho e raramente pedia alguma coisa. A mãe o levava para a estação de rádio, e o pai, para a taverna, mas ele passava a maior parte do tempo na casa de uma viúva que tinha três gatos e cuidava dele por módica quantia.

Ao contrário do esperado, a relação de Víctor e Roser fortaleceu-se nesse período conturbado, em que a vida deles mal coincidia e ele tinha o coração tomado por outra mulher. A amizade de sempre se transformou em profunda cumplicidade, em que não cabiam segredos, suspeitas nem ofensas; partiam da base de que jamais se prejudicariam mutuamente e, se isso ocorresse, seria por engano. Um dava respaldo ao outro, e assim as penúrias do presente e os fantasmas do passado eram suportáveis.

Nos meses que Roser passou em Perpignan, quando vivia com os quacres, aprendeu a costurar. No Chile, com as primeiras economias, comprou uma máquina Singer de pedal, preta, reluzente, com letras e flores douradas, um prodígio de eficiência. O som rítmico da máquina de costura imitava os exercícios de piano e, ao terminar um vestido ou um macacão para o menino, ela sentia tanta satisfação como com o aplauso do público. Copiava das revistas de moda e andava bem vestida. Para as apresentações musicais, fez um longo de cor cinza, no qual punha e tirava laços de várias cores, mangas curtas ou compridas, gola, flores e broches, de modo que em cada apresentação aparecia com algo diferente. Penteava-se à antiga, com um coque na nuca, enfeitado com pentes ou fivelas, e pintava as unhas e os lábios de vermelho, tal como faria até o final da vida, quando ficaria com os cabelos rajados de fios brancos e os lábios secos. "Sua mulher é muito bonita", disse Ofelia a Víctor em certa ocasião. Tinha se encontrado com ela por acaso no enterro de um tio, em que Roser tocava melodias tristes no órgão, enquanto os parentes do defunto desfilavam dando os pêsames à viúva e aos filhos. Ao ver Ofelia, Roser interrompeu a apresentação, cumprimentou-a com um beijo na face e cochichou ao seu ouvido que podia contar com ela para o que viesse a precisar. Isso confirmou para Ofelia que era correta a versão de Víctor sobre a relação fraterna com sua mulher. O comentário de Ofelia sobre a aparência de Roser surpreendeu Víctor, porque, ao pensar em Roser, a imagem que lhe acudia à mente era da jovem magra e simples da Espanha, a menina desamparada que os pais adotaram, a noiva insignificante de Guillem. O fato de Roser ser aquela de antes ou esta que Ofelia acabava de admirar não alterava, na essência, o grau e o modo em ele gostava dela. Nada, nem a tentação insuportável de fugir com Ofelia para um paraíso de palmeiras, podia induzi-lo a separar-se de Roser e do menino.

VIII

1941-1942

*Ahora bien,
si poco a poco dejas de quererme,
dejaré de quererte poco a poco.
Si de pronto
me olvidas
no me busques,
que ya te habré olvidado.**

PABLO NERUDA,
"Si tú me olvidas",
Los versos del capitán.

Quando trancaram Ofelia na casa da rua Mar del Plata, os encontros amorosos no hotel passaram a ser cada vez mais esporádicos e breves. Em sua nova existência sem ter Ofelia à disposição a todo momento, Víctor Dalmau viu que o tempo se espichava e que de vez em quando podia aceitar o convite de Salvador Allende para jogar xadrez. Carregava a jovem na alma, mas já não padecia da ansiedade permanente de escapar para abraçá-la às escondidas e não precisava estudar a noite inteira para compensar as

---

* Pois bem, / se pouco a pouco deixares de amar-me, / deixarei de amar-te pouco a pouco. // Se de repente / me esqueceres / não me procures, / pois já terei te esquecido. [N. T.]

horas que passava com ela. Na universidade cabulava as aulas teóricas, nas quais ninguém controlava presença, porque podia estudar com livros e apontamentos. Concentrava-se no laboratório, nas autópsias e na prática do hospital, onde precisava disfarçar sua experiência para não humilhar os professores. Na taverna, cumpria inteiramente seu turno da noite, aproveitando as horas de pouco movimento para estudar, com um olho posto no cercadinho de Marcel. Jordi Moliné, o sapateiro catalão, mostrou ser o sócio ideal, sempre contente com os modestos ganhos do *Winnipeg* e agradecido por ter um lugar seu, mais acolhedor do que seu lar de homem sozinho, para bater papo com amigos, beber seu Nescafé com aguardente, saborear os pratos de sua terra e tocar canções no acordeão. Víctor resolveu ensiná-lo a jogar xadrez, mas Moliné nunca entendeu o sentido de mover peças para lá e para cá no tabuleiro sem nenhum ganho material. Algumas noites em que notava o cansaço de Víctor, mandava-o dormir e o substituía feliz da vida, embora só servisse vinho, cerveja e conhaque aos fregueses. De coquetéis não entendia nada; considerava-os uma moda imposta por maricas. Sentia tanto respeito por Roser quanto carinho por Marcel; era capaz de passar longo tempo agachado atrás do balcão a brincar com ele; era o neto que lhe faltava. Um dia Roser lhe perguntou se ainda tinha família na Catalunha, e ele contou que saíra de seu povoado para ganhar a vida fazia mais de trinta anos. Tinha sido marinheiro no Sudeste Asiático, lenhador no Oregon, maquinista de trem e construtor na Argentina; enfim, tivera muitos ofícios antes de chegar ao Chile e fazer dinheiro com sua fábrica de sapatos.

— Digamos que em princípio me resta família por lá, mas vai saber o que aconteceu com eles. Na guerra estavam divididos, uns eram republicanos e outros ficaram com Franco; havia milicianos comunistas de um lado e padres e freiras de outro.

— Tem contato com alguém?

— Sim, com uns poucos parentes. Imagine que tenho um primo que ficou escondido até o fim da guerra e agora é prefeito do povoado. É fascista, mas boa pessoa.

— Qualquer dia vou lhe pedir um favor.

— Peça agora mesmo, Roser.

— É que na Retirada minha sogra se perdeu, a mãe de Víctor, e não conseguimos descobrir nada sobre ela. Procuramos nos campos de concentração da França, fizemos indagações dos dois lados da fronteira, mas nada.

— Isso aconteceu com muita gente. Tantos mortos, exilados e desalojados! Tantos vivendo na clandestinidade! As prisões estão cheias até a boca, todas as noites tiram presos ao acaso e os fuzilam sem mais nem menos, sem julgamento nem nada. Essa é a justiça de Franco. Não quero ser pessimista, Roser, mas sua sogra pode ter morrido.

— Eu sei, Carme preferia a morte ao desterro. Separou-se de nós a caminho da França e desapareceu na noite sem se despedir nem deixar rastro. Se o senhor tiver contatos na Catalunha, talvez eles possam perguntar por ela.

— Me dê os dados que eu me encarrego, mas lhe dou pouca esperança, Roser. A guerra é um furacão que deixa muitos destroços por onde passa.

— Eu que o diga, dom Jordi.

Carme não era a única pessoa que Roser procurava. Um de seus trabalhos irregulares, mas frequentes, era na embaixada da Venezuela, casa enterrada entre as árvores de um frondoso jardim, por onde passeava um solitário pavão. Valentín Sánchez, o embaixador, era um *bon vivant*, amante da boa cozinha, bebidas finas e, sobretudo, da música. Pertencia a uma estirpe de músicos, poetas e sonhadores. Tinha feito várias viagens à Europa para resgatar partituras esquecidas e em seu salão de música tinha uma extraordinária coleção de instrumentos, desde um cravo atribuído a Mozart até seu mais valioso tesouro, uma flauta pré-histórica que, segundo o dono, tinha sido talhada numa presa de mamute. Roser silenciava suas dúvidas a respeito da autenticidade do cravo e da flauta, mas agradecia os livros de história da arte e de música que Valentín Sánchez lhe emprestava e a honra de ser a única pessoa que tinha permissão dele para usar algumas peças de sua coleção. Uma noite ela ficou um pouco com seu anfitrião depois da saída das visitas, tomando um trago e falando do estapafúrdio projeto que lhe ocorrera, por inspiração da própria coleção do embaixador, de formar uma orquestra de música antiga. Era um assunto que apaixonava igualmente os dois: ela queria reger a orquestra e ele queria patrociná-la. Antes de se despedirem, Roser se atreveu a lhe pedir ajuda para encontrar uma pessoa perdida no exílio. "Chama-se Aitor Ibarra e foi para a Venezuela porque ali tem parentes que trabalham com construção civil", disse. Dois meses depois recebeu o telefonema de uma secretária da embaixada com dados de Iñaki Ibarra e Filhos, empresa de materiais de construção em Maracaibo. Roser escreveu várias cartas, com a sensação de estar lançando ao mar mensagens numa garrafa. Nunca recebeu resposta.

O pretexto da má saúde de Ofelia, que a família explorou durante vários meses para explicar o adiamento das núpcias com Matías Eyzaguirre, veio bem a calhar no começo do ano seguinte, quando Juana Nancucheo se deu conta de que a moça estava grávida. Primeiro foram os vômitos matutinos, que Juana tratou em vão com infusões de funcho, gengibre e cominho; depois ela fez as contas e percebeu que fazia nove semanas que não via paninhos higiênicos na roupa lavada. Um dia, encontrando de novo Ofelia a destripar o mico no sanitário, encarou-a com as mãos na cintura: "Você vai me dizer com quem se meteu antes que seu pai descubra", desafiou. O desconhecimento de Ofelia sobre seu próprio corpo era quase absoluto; até Juana lhe perguntar com quem tinha andado, ela não havia relacionado Víctor Dalmau com a causa de seu mal-estar, que atribuía a um vírus digestivo. Naquele instante compreendeu o que estava acontecendo, e o pânico lhe cortou a voz. "Quem é o tipo?", insistiu Juana. "Não vou dizer nem morta", respondeu Ofelia quando conseguiu falar. Essa seria sua única resposta durante os cinquenta anos seguintes.

Juana tomou o caso em suas mãos, acreditando que orações e remédios caseiros pudessem resolver o problema sem levantar suspeitas da família. Ofereceu várias velas aromáticas a São Judas, santo das causas impossíveis, e deu a Ofelia chá de arruda para tomar e talos de salsinha para introduzir na vagina. Administrou-lhe a arruda sabendo que era veneno, porque considerou que um buraco no estômago era menos grave que um *huacho*, um bastardo. Depois de uma semana sem outro resultado além do aumento alarmante dos vômitos e de uma canseira insuperável, Juana decidiu pedir socorro a Felipe, pessoa em quem sempre confiara Primeiro o fez jurar que não ia contar a ninguém, mas, quando lhe disse o que estava ocorrendo, Felipe a convenceu de que aquele segredo era grande demais para os dois carregarem sozinhos.

Felipe encontrou Ofelia deitada na cama, encolhida de dor de barriga por causa da arruda e febril de angústia.

— Como aconteceu isso? — perguntou-lhe, tentando manter-se calmo.

— Como sempre acontece — respondeu ela.

— Isso nunca tinha ocorrido em nossa família.

— É o que você pensa, Felipe. Isso acontece a toda hora, e os homens nem ficam sabendo. São segredos de mulheres.

— Com quem você...? — vacilou, não sabendo como dizer sem ofender.

— Não vou dizer nem morta — repetiu ela.

— Vai ter de dizer, irmã, porque a única saída é você se casar com quem fez isso.

— É impossível. Não mora aqui.

— Como assim, não mora aqui? Esteja onde estiver, vamos encontrá-lo, Ofelia, e, se não se casar com você...

— O que está pensando em fazer? Matá-lo?

— Pelo amor de Deus! É cada coisa que você diz! Vou falar com ele com firmeza, mas, se isso não der resultado, papai vai intervir...

— Não! Papai, não!

— É preciso fazer alguma coisa, Ofelia. É impossível esconder isso, logo todos vão perceber, e o escândalo vai ser espantoso. Vou ajudar no que puder, prometo.

Por fim combinaram contar à mãe, para que ela preparasse o ânimo do marido, e depois veriam o que fazer. Laura del Solar recebeu a notícia com a certeza de que finalmente Deus acertava as contas pelo muito que ela lhe devia. O drama de Ofelia era uma parte do preço que ela precisava pagar ao céu, e a outra parte, a mais cara, era que o coração de Leonardo batia a trancos e silêncios. Tal como os médicos haviam prognosticado quando ele nasceu, seus órgãos eram frágeis, e sua vida seria curta. O Bêbe estava se apagando irremissivelmente, e a mãe, aferrada à oração e aos pactos com os santos, negava-se a aceitar os sinais evidentes. Laura sentiu que afundava no lodo espesso, arrastando consigo sua família. A dor de cabeça começou de imediato, uma pancada na nuca que lhe nublou a vista, cegando-a. Como ia dizer aquilo a Isidro? Nenhuma estratégia amorteceria o golpe ou a reação dele. Só cabia esperar um pouco, para ver se a bondade divina resolvia o problema de Ofelia de forma natural — muitas gestações se frustravam no ventre —, mas Felipe a convenceu de que, quanto mais esperassem, mais difícil se tornaria a situação. Ele mesmo assumiu a tarefa de se fechar na biblioteca com o pai para uma conversa, enquanto Laura e a filha, enfurnadas no fundo da casa, rezavam com fervor de mártires.

Passou-se mais de uma hora até Juana chegar para buscá-las com o recado de se apresentarem imediatamente na biblioteca. Isidro del Solar recebeu-as na soleira e, sem mais, partiu a cara de Ofelia com dois bofetões, antes que Laura conseguisse se pôr na frente e Felipe segurasse o braço dele.

— Quem é o desgraçado que arruinou minha filha? Diga quem é! — berrou.

— Nem morta — respondeu Ofelia, limpando o sangue do nariz com a manga.

— Vai dizer nem que eu precise chicoteá-la!

— Pois faça isso. Não vou dizer nunca a ninguém.

— Papai, por favor... — interrompeu Felipe.

— Cale a boca! Por acaso eu não dei ordens para essa pirralha de merda ficar trancada? Onde estava a senhora, dona Laura, que permitiu isso? Imagino que na missa, enquanto o demônio passeava pela casa. Estão percebendo a desonra, o escândalo? Como vamos encarar as pessoas!

E continuou gritando estrondosamente por um bom tempo, até que Felipe conseguiu interrompê-lo pela segunda vez.

— Calma, papai, vamos procurar uma solução. Vou fazer umas pesquisas.

— Pesquisas? A que você se refere? — perguntou Isidro subitamente aliviado, por não ter ele precisado sugerir o óbvio.

— Ele está se referindo a eu fazer um aborto — disse Ofelia, sem se alterar.

— E lhe ocorre outra solução? — alfinetou Isidro.

Então Laura del Solar interveio pela primeira vez, para dizer com voz trêmula, porém muito clara, que isso nem pensar, porque era pecado mortal.

— Pecado ou não, essa encrenca não se resolve no céu, mas aqui na terra. Vamos fazer o que for necessário. Deus vai entender.

— Não vamos tomar nenhuma medida sem falar antes com o padre Urbina — disse Laura.

Vicente Urbina atendeu ao chamado da família del Solar naquela mesma noite. Sua presença bastou para tranquilizá-los; irradiava a inteligência e a firmeza de quem sabe lidar com almas perturbadas e tem comunicação direta com Deus. Aceitou o cálice de Porto que lhe serviram e anunciou que falaria com cada um separadamente, a começar por Ofelia, que naquela altura estava de cara inchada e tinha um olho fechado. Ficou com ela quase duas horas, mas também não conseguiu fazê-la confessar o nome do amante nem lhe arrancar nenhuma lágrima. "Não é Matías, não joguem a culpa em cima dele", repetiu Ofelia vinte vezes, como uma cantilena. Urbina estava acostumado a hipnotizar de medo os seus paroquianos, e a frieza de gelo daquela moça esteve a ponto de fazê-lo perder as estribeiras. Já passava da meia-noite quando ele acabou de falar com os pais e com o irmão da pecadora. Também interrogou Juana, que nada conseguiu esclarecer, porque nem desconfiava de quem podia ser o misterioso amante. "Deve ser o Espírito Santo, então, padre", concluiu socarrona.

A sugestão de aborto foi descartada de plano por Urbina. Era um crime perante a lei e um pecado abominável perante Deus, o único dispensador de vida e de morte. Havia alternativas, que eles estudariam nos próximos dias. O mais importante era manter o caso dentro das quatro paredes da casa. Ninguém devia ficar sabendo, nem as irmãs de Ofelia, nem o outro irmão que por sorte andava medindo tufões no Caribe. "Mexerico tem asas", como bem dizia Isidro; o fundamental era cuidar da reputação de Ofelia e da honra da família. Urbina brindou cada um deles com seus conselhos: a Isidro, que evitasse a violência, porque ela conduz ao erro, e naquele momento era preciso ter extrema prudência; a Laura, que continuasse rezando e contribuísse para as obras de caridade da igreja; e a Ofelia, que se arrependesse e se confessasse, porque a carne é fraca, mas a misericórdia de Deus é infinita. Felipe ele chamou à parte para dizer que lhe competia ser o esteio de sua família naquela crise e que fosse falar com ele em seu escritório para traçarem um plano.

O plano do padre Urbina era de uma simplicidade básica. Ofelia passaria os próximos meses longe de Santiago, onde nenhum conhecido a visse, e depois, quando não fosse possível disfarçar a barriga, iria para um retiro num convento de freiras, onde ficaria muito bem cuidada até dar à luz e receberia a ajuda espiritual que tanta falta lhe fazia. "E depois?", perguntou Felipe. "O menino ou a menina será dado em adoção a uma boa família. Eu me encarrego pessoalmente disso. Seu papel é tranquilizar seus pais e sua irmã e cuidar dos detalhes. Logicamente haverá alguns gastos." Felipe assegurou-lhe que se encarregaria disso e de recompensar as freirinhas do convento. Pediu-lhe que, ao se aproximar a data do nascimento, conseguisse permissão para que a tia Teresa, freira de outra congregação, estivesse junto à sobrinha.

Os meses seguintes na fazenda da família foram uma maratona de orações, promessas aos santos, penitências e atos de caridade por parte de dona Laura, enquanto Juana Nancucheo corria com a rotina doméstica, cuidava do Bêbe (que retrocedera à época das fraldas e precisava ser alimentado com colherinhas de papinha de verdura moída) e vigiava a menina em desgraça, como dera para chamar Ofelia. Isidro del Solar, instalado na casa de Santiago, fingia ter esquecido o drama que se desenrolava longe, entre as mulheres da família, certo de que Felipe havia tomado providências para calar os falatórios. Estava mais preocupado com a situação política, que podia afetar seus negócios. A direita tinha sido derrotada nas eleições, e o novo presidente do Partido Radical pretendia continuar as reformas de seu predecessor. A posição do Chile na Segunda Guerra Mundial era de vital importância para Isidro, porque disso dependia sua exportação de lã de ovelha para a Escócia e a Alemanha, por intermédio da Suécia. A direita defendia a neutralidade — por que se comprometer, com o risco de cometer algum equívoco? —, mas o governo e o público em geral apoiavam os aliados. Se esse apoio viesse a se concretizar, suas vendas na Alemanha iriam para a merda, repetia.

Ofelia conseguiu mandar uma carta a Víctor Dalmau com o motorista, antes que este fosse despedido espetacularmente e ela fosse levada prisioneira para o campo. Juana, que detestava o motorista, acusou-o sem outras provas além de alguns cochichos que ela presenciara entre ele e Ofelia. "Eu bem que disse, patrão, mas o senhor não deu bola. Foi esse caipira que causou tudo. Por culpa dele é que a menina Ofelia está prenhe." Todo o sangue de Isidro del Solar foi parar na cabeça, e ele achou que seu cérebro ia explodir. Que os moços da casa abusassem das empregadas domésticas de vez em quando era natural, mas sua filha fazer a mesma coisa com um subalterno que tinha cabelo de índio e cara picotada de varíola era inimaginável. Teve uma visão fugaz da filha nua nos braços do motorista, aquele joão-ninguém malnascido, filho da puta, num quarto acima da garagem, e quase desmaiou. Sentiu enorme alívio quando Juana esclareceu que o homem era só rufião. Chamou-o à biblioteca e interrogou-o aos gritos, para que ele confessasse o nome do culpado, ameaçou mandá-lo para a cadeia, onde a polícia arrancaria a verdade à força de coronhadas e pontapés, e, quando isso não deu resultado, tentou comprá-lo, mas o homem nada pôde dizer, porque nunca tinha visto Víctor. Só pôde indicar as horas em que deixava Ofelia na escola de arte e a pegava de volta. Isidro percebeu que a filha nunca havia assistido às aulas; da escola, seguia a pé ou de táxi para os braços do amante. A maldita garota era menos tonta do que ele supunha, ou então a luxúria a tornara astuta.

A carta de Ofelia continha a explicação que ela deveria ter dado pessoalmente a Víctor, mas, nos únicos momentos em que conseguira ligar para ele, não o encontrou nem em casa nem no *Winnipeg*. Na fazenda, estaria incomunicável; o telefone mais próximo ficava a quinze quilômetros de distância. Disse-lhe a verdade: aquela paixão tinha sido uma espécie de bebedeira que lhe turvou a razão, e ela agora entendia o que ele sempre tinha afirmado, ou seja, que os obstáculos que os separavam eram intransponíveis. Admitiu em tom comercial que na realidade o que sentira tinha sido uma paixão desbragada, mais que amor, e que se deixou arrebatar pela novidade, mas não podia sacrificar sua reputação e sua vida por ele. Anunciou que sairia de viagem com a mãe por algum tempo e depois, com as ideias mais claras, pensaria na possibilidade de voltar com Matías. Concluiu a carta com um adeus terminante e com a advertência de que ele não deveria tentar se comunicar com ela nunca mais.

Víctor recebeu a carta de Ofelia com a resignação de quem já a esperava e tinha se preparado para ela. Nunca acreditara que aquele amor prosperaria porque, como lhe mostrara Roser desde o começo, era uma planta sem raízes, destinada inexoravelmente a fenecer; nada cresce na penumbra dos segredos, o amor precisa de luz e espaço para expandir-se, afirmava ela. Víctor leu a carta duas vezes e a entregou a Roser. "Você tinha razão, como sempre", disse. Ela só precisou dar uma olhada sumária para ler nas entrelinhas e entender que a frieza mortal de Ofelia mal conseguia disfarçar uma tremenda ira e acreditou adivinhar a causa, que não era apenas a falta de futuro com Víctor ou a reação de uma riquinha volúvel. Imaginou que a garota tivesse sido sequestrada pela família para esconder a vergonha de uma gravidez, mas se absteve de comunicar sua suspeita a Víctor, porque lhe pareceu uma crueldade. Que necessidade havia de atormentá-lo com mais dúvidas? Sentia um misto de simpatia e pena por Ofelia, tão vulnerável e ingênua; era uma Julieta sacudida pelo vendaval de uma paixão infantil, mas em vez do jovem Romeu, ela tinha se envolvido com um homem endurecido.

Deixou a carta em cima da mesa da cozinha, tomou a mão de Víctor e levou-o ao sofá, único assento cômodo da modesta morada. "Deite, vou lhe fazer cafuné." Víctor estendeu-se no sofá com a cabeça no colo de Roser e rendeu-se à brandura daqueles dedos de pianista em seus cabelos e à certeza de que, enquanto ela existisse, ele não estaria sozinho neste mundo de desgraças. Se com ela as piores recordações eram suportáveis, também suportável seria o vazio deixado por Ofelia no centro de seu peito. Gostaria de confessar a Roser a dor que o sufocava, mas faltavam-lhe palavras para contar o que tinha vivido com Ofelia, o modo como em algum momento ela lhe propusera a fuga e como havia jurado que eles seriam amantes para sempre. Não podia dizer tudo isso, mas Roser o conhecia bem demais e sem dúvida já sabia. Estavam nisso quando Marcel acordou da sesta, chamando-os aos gritos.

Não faltou a Roser intuição sobre os sentimentos de Ofelia. Nos dias transcorridos depois de tomar conhecimento de seu estado, a paixão de Ofelia foi se transformando numa raiva surda que a queimava por dentro. Ela passava horas analisando sua conduta e, examinando sua consciência como exigia o padre Urbina, mas, em vez de se arrepender do suposto pecado, arrependia-se de sua evidente burrice. Não lhe ocorrera perguntar a Víctor o que fariam para evitar uma gravidez, porque ela dera por certo que ele tinha tudo sob controle, e, como se encontravam com pouca frequência, nada aconteceria. Pensamento mágico. Víctor, por ser mais velho e mais experiente, tinha culpa por aquele acidente imperdoável, e a ela, a vítima, cabia pagar pelos dois. Era uma injustiça monumental. Ela mal conseguia lembrar por que havia se agarrado àquele amor sem esperança por um homem com quem tinha tão pouco em comum. Depois de ir para a cama com ele, sempre em algum lugar sórdido, sempre com pressa e sem comodidade, ficava tão insatisfeita quanto nas bolinações às escondidas com Matías. Imaginou que teria sido diferente se tivessem tido mais confiança e tempo para se conhecerem, mas não conseguiu ter nada disso com Víctor. Apaixonou-se da ideia de amor, da história romântica e do passado heroico daquele guerreiro, como costumava chamá-lo. Tinha vivido uma ópera cujo desfecho só podia ser trágico. Sabia que Víctor estava apaixonado por ela, pelo menos tão apaixonado quanto pode estar um coração cheio de cicatrizes, mas da parte dela tinha sido apenas um impulso, uma fantasia, mais um de seus caprichos. Sentia-se tão nervosa, sem saída e doente, que os detalhes da aventura com Víctor, inclusive os mais felizes, estavam deformados pelo terror de ter destruído sua vida. Para ele, houvera prazer sem risco e, para ela, risco sem prazer. E agora, no fim, ela sofria as consequências, e ele podia tocar a vida como se nada tivesse acontecido. Sentia ódio por ele. Escondeu-lhe que estava grávida porque receou que, ao sabê-lo, Víctor reivindicasse seu papel de pai e não a deixasse em paz. Qualquer decisão sobre aquela gravidez cabia a ela, ninguém tinha o direito de opinar, muito menos aquele homem que já lhe causara danos suficientes. Nada disso a carta continha, mas Roser adivinhou.

No terceiro mês, Ofelia parou de vomitar; foi invadida por uma torrente de energia como nunca sentira antes. Ao enviar a carta a Víctor, encerrara aquele capítulo e em poucas semanas deixou de se atormentar com lembranças e especulações sobre o que podia ter sido. Sentia-se livre do amante, forte, saudável, com um apetite de adolescente; dava longas caminhadas a passos firmes pelo campo, seguida pelos cachorros; enfiava-se na cozinha a assar uma interminável produção de biscoitos e pãezinhos para distribuir entre as crianças da fazenda; entretinha-se a pintar mamarrachos com Leonardo, enormes manchas coloridas que lhe pareciam mais interessantes que as paisagens e as naturezas-mortas de antes; desatou a passar lençóis, para perplexidade da lavadeira, e ficava horas entre pesados ferros a carvão, suada e contente. "Deixem estar, logo vai acabar", prognosticou Juana. O bom humor de Ofelia parecia chocante a dona Laura, que esperava vê-la mergulhada em lágrimas, a tricotar roupinhas de neném, mas Juana lhe lembrou que ela também tivera alguns meses de euforia durante suas gravidezes, antes que o peso da barriga se tornasse insuportável.

Felipe ia à fazenda uma vez por semana para cuidar das contas, dos gastos e das instruções a Juana, transformada em dona de casa porque a patroa estava ocupada em complicadas negociações com os santos. Trazia notícias da capital, com que ninguém se importava, frascos de tinta e revistas para Ofelia, ursinhos de pelúcia e chocalhos para o Bêbe, que já não falava e tinha voltado a engatinhar. Vicente Urbina apareceu algumas vezes com seu odor de santidade, como dizia Juana Nancucheo — odor que nada mais era do que fedor de batina sem lavar e loção de barbear —, para avaliar a situação, guiar Ofelia para o caminho espiritual e exortá-la a uma confissão completa. Ela ouvia suas sábias palavras com o ar ausente de uma surda, sem demonstrar a menor emoção ante a perspectiva de ser mãe, como se o que tivesse na barriga fosse um tumor. Isso facilitaria muito a adoção, pensava Urbina.

A estada no campo prolongou-se do fim do verão até o inverno e teve a virtude de ir acalmando as súplicas frenéticas de dona Laura ao céu. Ela não se atrevia a pedir o milagre de um aborto espontâneo, que teria resolvido o drama familiar, porque isso era tão grave quanto desejar a morte do marido, mas o insinuava sutilmente em suas orações. A paz da natureza, com seu ritmo imutável e tranquilo, os dias longos e as noites silenciosas, o leite espumoso e morno do estábulo, as grandes bandejas de frutas e o pão cheiroso recém-saído do forno de barro combinavam com seu temperamento tímido muito mais do que a agitação de Santiago. Se dependesse dela, ficaria ali para sempre. Ofelia também relaxou naquele ambiente bucólico, e o ódio contra Víctor Dalmau transformou-se em vago ressentimento; ele não era o único culpado, a ela também cabia responsabilidade. Começou a pensar em Matías Eyzaguirre com certa saudade.

A casa era de arquitetura colonial e construção antiga, paredes grossas de adobe, telhas de barro, vigas de madeira e piso de cerâmica, mas resistiu bem ao terremoto de 1939, diferentemente de outras da região, que ficaram reduzidas a escombros; nela só algumas paredes racharam e caiu metade das telhas. Na desordem posterior ao terremoto, aumentaram os assaltos por aqueles lados; havia desocupados procurando ganhar a vida e muito desemprego, que era atribuído à depressão econômica mundial dos anos 30 e à crise do salitre. Quando o salitre natural foi substituído pelo sintético, milhares de trabalhadores ficaram sem emprego, e o impacto ainda era sentido uma década depois. Nos campos, os ladrões entravam à noite, depois de envenenar os cachorros, e roubavam frutas, galinhas e às vezes um porco ou um burro para vender. Os capatazes corriam atrás deles dando tiros de espingarda, mas Ofelia não ficou sabendo de nada disso. Os dias de verão tornavam-se muito longos. Ela passava o calor descansando nos frescos corredores ou desenhando cenas do campo, porque o Bêbe já não era capaz de acompanhá-la manchando grandes telas com pinceladas. Desenhava em pequenos cartões a carroça puxada por bois e carregada de feno, as vacas sonolentas durante a ordenha, o terreiro das galinhas, as lavadeiras, a vindima. O vinho del Solar não podia competir em qualidade com outros mais afamados, a produção era limitada e vendida por inteiro para restaurantes onde Isidro tinha contatos. Seu vinho estava longe de ser rentável, mas para ele era fundamental contar entre os vinhateiros, clube exclusivo de famílias conhecidas.

O sexto mês de gravidez de Ofelia coincidiu com o começo do outono. O sol se punha cedo, e as noites frias e escuras tornavam-se eternas; eram aquecidas com cobertores e braseiros, iluminadas com velas, porque ainda se passariam vários anos antes que a energia elétrica fosse instalada naqueles cafundós. Ofelia foi pouquíssimo afetada pelo frio, porque a euforia dos meses anteriores tinha dado lugar a um pesadume de leão-marinho que não era só do corpo — ela engordara quinze quilos e tinha as pernas inchadas como presuntos —, mas também da alma. Deixou de desenhar nos cartões, de passear pelos pastos, de ler, tricotar ou bordar, porque adormecia em cinco minutos. Resignou-se a continuar engordando e entregou-se de tal forma que Juana Nancucheo precisava obrigá-la a tomar banho e lavar o cabelo. A mãe avisava que ela mesma tivera seis filhos e, se houvesse tomado cuidado, teria talvez preservado algo de seu atrativo juvenil. "Tanto faz, mamãe! Estou arruinada mesmo, como dizem todos, ninguém vai se importar com a minha aparência. Vou ser uma solteirona gorda." Colocou-se mansamente nas mãos do padre Urbina e da família, sem participar das decisões sobre a criança que ia nascer. Assim como concordou em se esconder no campo e viver secretamente, assumindo a vergonha que o sacerdote e as circunstâncias acabaram por lhe inculcar, convenceu-se de que a adoção era inevitável. Não havia outra saída para ela. "Se eu fosse mais nova, poderíamos dizer que seu filho é meu e criá-lo em família, mas tenho 52 anos, ninguém iria acreditar", dissera-lhe a mãe. Naquela época a preguiça impedia Ofelia de pensar; a única coisa que queria fazer era dormir e comer, mas por volta do sétimo mês deixou de imaginar que tinha um tumor por dentro e sentiu claramente a presença do ser que estava gestando. Antes a vida se manifestava como o adejar de um pássaro assustado, mas agora, ao se apalpar a barriga, ela conseguia traçar o contorno do corpinho, identificar um pé ou a cabeça. Então voltou a tomar o lápis para traçar nos cadernos meninos e meninas parecidos com ela mesma, sem um único traço de Víctor Dalmau.

A cada quinze dias, enviada pelo padre Urbina, chegava à fazenda uma parteira para ver Ofelia. Chamava-se Orinda Naranjo e, segundo o sacerdote, sabia mais do que qualquer médico sobre enfermidades de mulheres, como denominava tudo que se relacionasse com a procriação. Inspirava confiança à primeira vista, com sua cruz de prata pendurada no pescoço, vestida de enfermeira e munida de uma maletinha com os instrumentos de seu ofício. Mediu o ventre de Ofelia, tirava-lhe a pressão e lhe dava conselhos no tom choroso de quem fala com uma moribunda. Ofelia tinha profunda desconfiança dela, mas fazia esforço para ser amável, visto que aquela mulher seria fundamental na hora do parto. Como nunca tinha feito as contas de sua menstruação nem dos encontros com o amante, não sabia quando tinha ficado grávida, mas Orinda Naranjo calculou a data aproximada do nascimento pelo tamanho da barriga. Prognosticou que, como Ofelia era primípara e tinha engordado mais que o normal, seria um parto difícil, mas que ficasse tranquila, porque ela tinha muita experiência, trouxera ao mundo mais crianças do que conseguia lembrar. Recomendou levar Ofelia ao convento em Santiago, que contava com uma enfermaria munida do necessário e, em caso de emergência, ficava perto de uma clínica particular. Foi o que fizeram. Felipe chegou com o automóvel da família para transferir a irmã e viu-se diante de uma pessoa irreconhecível, obesa, com manchas no rosto, arrastando uns pés enormes metidos em chinelas e agasalhada com um poncho que cheirava a cordeiro. "Ser mulher é uma desgraça, Felipe", disse-lhe ela à guisa de explicação. Sua bagagem consistia em dois vestidos de gestante em forma de sino, um colete grosso de homem, sua caixa de tintas e uma primorosa mala com a roupa que a mãe e Juana tinham preparado para a criança. O pouco que ela havia tricotado ficou disforme.

Fazia uma semana que estava no convento, Ofelia del Solar acordou subitamente de um sonho perturbador, empapada de suor, com a impressão de ter dormido durante meses num longo crepúsculo. Tinham-lhe destinado uma cela mobiliada com um catre de ferro, um colchãozinho de crina de cavalo, dois ásperos cobertores de lã crua, uma cadeira, um baú para guardar a roupa e uma mesa de madeira sem polimento. Não precisava de mais nada e agradeceu aquela simplicidade espartana que combinava com seu estado de espírito. Na cela havia uma janela com vista para o jardim das freiras, que tinha uma fonte mourisca no centro, árvores antigas, plantas exóticas e bandejas de madeira com ervas medicinais; era cruzado por estreitas trilhas de pedra entre arcos de ferro forjado que na primavera se cobriam de rosas trepadeiras. Ofelia foi despertada pela luz invernal daquele amanhecer tardio e pelo arrulho de uma pomba na janela. Demorou alguns minutos para se dar conta de onde se encontrava e do que lhe tinha acontecido, porque estava presa numa montanha de carne tão pesada que mal conseguia respirar. Aqueles minutos de imobilidade permitiram-lhe lembrar detalhes do sonho em que ela era a moça de antes, leve e ágil, e dançava descalça numa praia de areia preta com o sol no rosto e os cabelos revoltos pela brisa marítima. Logo o mar começava a agitar-se e uma onda cuspia na areia uma menina coberta de escamas como um feto de sereia. Ela continuou na cama quando ouviu o sino chamar para a missa e quando, uma hora depois, passou uma noviça tocando um triângulo para anunciar o desjejum. Pela primeira vez em muito tempo não tinha apetite e preferiu cochilar o resto da manhã.

Na tarde daquele mesmo dia, na hora do rosário, o padre Vicente Urbina chegou para visitá-la. Foi recebido por uma revoada de hábitos negros e toucas brancas, um alvoroço de mulheres solícitas a lhe beijarem a mão e pedirem a bênção. Era um homem ainda jovem e altivo; parecia fantasiado com aquela batina. "Como está minha protegida?", perguntou bonachão, assim que se instalou com uma xícara de chocolate espesso. Foram buscar Ofelia, que chegou balançando como uma fragata em cima das pernas monumentais. Urbina estendeu-lhe a mão consagrada para o beijo de praxe, mas ela a apertou num cumprimento firme.

— Como está se sentindo, minha filha?

— Como quer que eu me sinta com uma melancia na barriga? — respondeu ela secamente.

— Compreendo, minha filha, mas você precisa aceitar esses incômodos, são normais em sua condição; ofereça-os a Deus todo-poderoso. Como dizem as Sagradas Escrituras: o homem há de trabalhar com o suor de sua fronte, e a mulher dará à luz com dores.

— Que eu saiba, padre, o senhor não sua trabalhando.

— Bom, bom, vejo que você está perturbada.

— Quando minha tia Teresa vem? O senhor disse que ia conseguir permissão para ela vir me acompanhar.

— Veremos, filha, veremos. Orinda Naranjo me disse que podemos esperar a chegada da criança para dentro de poucas semanas. Invoque Nossa Senhora da Esperança, para que ela a ajude, e prepare-se para estar limpa de pecados. Lembre-se de que nesse transe de dar à luz muitas mulheres entregam a alma a Deus.

— Confessei-me e comunguei diariamente desde que cheguei aqui.

— Fez uma confissão total?

— O senhor está querendo saber se eu disse ao confessor o nome do pai desta criatura... Não me pareceu necessário, porque o que importa é o pecado, e não com quem se peca.

— E o que é que você entende de categorias de pecados, Ofelia?

— Nada.

— Uma confissão incompleta é como se você não tivesse confessado.

— O senhor está morrendo de curiosidade, não, padre? — sorriu Ofelia.

— Não seja insolente! Minha obrigação sacerdotal é guiá-la pelo caminho do bem. Suponho que saiba disso.

— Sim, padre, e agradeço muito. Não sei o que teria feito em minha situação sem sua ajuda — disse ela em tom tão humilde que raiava à ironia.

— Enfim, minha filha, você teve sorte, no fim das contas. Trago-lhe boas notícias. Fiz indagações exaustivas, procurando o melhor casal possível para a adoção do seu bebê, e posso adiantar que acredito tê-lo encontrado. É gente muito boa, trabalhadora, em situação econômica folgada e, claro, católica. Não posso dizer mais, porém fique tranquila, velarei por você e por seu filho.

— É filha.

— Como sabe? — sobressaltou-se o padre.

— Porque sonhei.

— Os sonhos nada mais são que sonhos.

— Há sonhos proféticos. Mas, seja o que for, menino ou menina, eu sou a mãe e penso criá-la. Esqueça a adoção, padre Urbina.

— O que está dizendo, pelo amor de Deus!

A decisão de Ofelia mostrou-se irredutível. Os argumentos e as ameaças do sacerdote deixaram-na impassível e mais tarde, quando chegaram a mãe e o irmão Felipe para tentar convencê-la, reforçados pela madre superiora, ela os ouviu em silêncio, ligeiramente divertida, como se eles estivessem falando em língua de fariseus, mas a avalanche de repreensões descomedidas e advertências aterrorizantes acabou por fazer efeito, ou talvez tenha sido um daqueles vírus de inverno que a cada ano matavam dezenas de velhos e crianças. Porque ela caiu de cama com febre alta, delirando com sereias, prostrada pela dor nas costas, exaurida pela tosse, que a impedia de comer ou dormir. O médico que Felipe levou receitou tintura de ópio diluída em vinho tinto e vários fármacos em frascos azuis sem identificação, mas numerados. As freiras a trataram com infusões de ervas do jardim e cataplasmas quentes de linhaça para a congestão. Seis dias depois, ela estava com o peito queimado pelos cataplasmas, porém melhor. Levantou-se, ajudada pelas duas noviças que tinham cuidado dela dia e noite, e com passinhos curtos conseguiu chegar até a pequena sala de recreio do convento, onde as freiras se reuniam nos momentos de folga, aposento alegre, banhado de luz natural, com piso de madeira reluzente e vasos de plantas, presidido por uma estátua de Nossa Senhora do Carmo, padroeira do Chile, com o Menino Jesus no colo, ambos com coroas imperiais de latão dourado. Ali passou a manhã numa poltrona, debaixo de um cobertor, com o olhar perdido no céu nublado da janela e elevada ao paraíso pela combinação milagrosa de ópio e álcool. Três horas depois, quando as noviças a ajudaram a ficar de pé, viram a mancha no assento e o fio de sangue que lhe escorria pelas pernas.

De acordo com as instruções do padre Urbina, não se chamou nenhum médico, mas sim Orinda Naranjo. A mulher apareceu com seu ar profissional e sua monotonia lamuriosa e determinou que o parto podia ocorrer a qualquer momento, embora, segundo seus cálculos, faltassem duas semanas de gestação. Instruiu as freiras para que mantivessem a paciente deitada, as pernas no alto, e panos molhados com água fria na barriga. "Rezem, porque mal se ouvem as batidas do coração, a criança está muito fraca", acrescentou. Por sua própria iniciativa, as religiosas trataram a hemorragia com chá de canela e leite morno com sementes de mostarda.

Ao receber o informe da parteira, o padre Urbina ordenou a Laura del Solar que se instalasse no convento para acompanhar a filha. Isso faria bem às duas, disse, e as ajudaria a reconciliar-se. Ela argumentou que não estavam de mal, e ele explicou que Ofelia estava de mal com todos, até com Deus. Laura ficou numa cela idêntica à da filha e pela primeira vez pôde experimentar a paz profunda da vida religiosa que tanto tinha desejado. Adaptou-se de imediato às correntes geladas do edifício e ao rígido horário dos ritos. Saía da cama antes do amanhecer para esperar a aurora na capela, louvando o Senhor, comungava na missa das sete, almoçava sopa, pão e queijo com a congregação, em silêncio, enquanto alguém, em voz alta, fazia a leitura do dia. À tarde dispunha de horas particulares de meditação e oração e, ao anoitecer, participava do ofício de vésperas. O jantar também era feito em silêncio, com tanta frugalidade quanto o almoço, mas completado por um pouco de peixe. Laura se sentia feliz naquele refúgio feminino e até os espasmos da fome e a falta de doces chegaram a lhe parecer agradáveis, só de pensar que ia perder peso. Amava o jardim encantado, os corredores altos e largos, onde os passos ressoavam como castanholas, o aroma das velas e do incenso na capela, o rangido das portas pesadas, o som dos sinos, dos cantos, do roçar dos hábitos, do murmúrio das rezas. A madre superiora dispensou-a do trabalho na horta, da oficina de bordado, da cozinha ou da lavanderia, para que ela se dedicasse ao cuidado físico e espiritual de Ofelia, que, por incumbência do padre Urbina, devia ser convencida por ela da necessidade da adoção, que daria legitimidade àquela criatura nascida da luxúria e daria a ela a oportunidade de refazer a vida. Ofelia bebia o elixir mágico em mais uma taça de vinho e cochilava como uma boneca inerte num colchão de crina, atendida pelas noviças e acalentada pelo ronronar da voz da mãe, sem entender o que ela dizia. O padre Urbina teve a amabilidade de visitá-las e, depois de comprovar uma vez mais a teimosia daquela jovem desencaminhada, levou Laura del Solar para passear no jardim, com um guarda-chuva, debaixo de um chuvisco fino como orvalho. Nenhum dos dois jamais comentaria o que conversaram.

Do parto — que, segundo contaram, foi demorado e trabalhoso — e dos dias seguintes Ofelia não guardou nenhum vestígio na memória, como se não os tivesse vivido, graças ao éter, à morfina e às beberagens misteriosas de

Orinda Naranjo, que a mergulharam numa bendita inconsciência que durou o resto da semana. Foi acordando aos poucos, tão perdida que tinha esquecido seu próprio nome. Como a mãe rezava sem parar, banhada em lágrimas, coube ao padre Vicente Urbina dar-lhe a má notícia. Ele apareceu aos pés da cama dela assim que reduziram as drogas que lhe eram administradas, e ela se recobrou o suficiente para perguntar o que tinha acontecido e onde estava sua filha. "Você deu à luz um menininho, Ofelia — informou o sacerdote no tom mais compassivo possível —, mas Deus, em sua sabedoria, levou-o consigo poucos minutos depois de ele nascer." Explicou que o menininho viera asfixiado pelo cordão umbilical no pescoço, mas que felizmente tinham conseguido batizá-lo, e ele não fora parar no limbo, e sim no céu, com os anjos. Deus evitara o sofrimento e a humilhação daquele menino inocente na terra e, em sua infinita misericórdia, oferecia a ela a redenção. "Reze muito, minha filha. Você precisa dominar essa sua altivez e aceitar a vontade divina. Peça a Deus que a perdoe e a ajude a carregar sozinha esse segredo com dignidade e silêncio pelo resto da vida." Urbina quis consolá-la com citações das Sagradas Escrituras e com razões de sua própria inspiração, mas Ofelia começou a uivar como uma loba e a debater-se entre as fortes mãos das noviças, que tentavam sujeitá-la, até que a obrigaram a tomar outro copo de vinho com ópio, e assim, de copo em copo, ela sobreviveu meio adormecida durante duas semanas completas, ao cabo das quais até as freiras acharam que bastava de rezas e poções, era preciso trazê-la de volta ao mundo dos vivos. Quando ela conseguiu ficar de pé, constatou-se que havia desinchado bastante e voltara a ter forma de mulher; já não parecia um zepelim.

Felipe foi buscar a irmã e a mãe no convento. Ofelia exigiu ver o túmulo do filho, e foram de volta ao campo, ao minúsculo cemitério do povoado próximo, e ela pôde depositar flores no local marcado com uma cruz de madeira branca com a data da morte, mas sem nome, onde repousava o menino que não conseguiu viver. "Como vamos deixá-lo sozinho aqui? Fica muito longe para vir visitá-lo", soluçou Ofelia.

De volta à rua Mar del Plata, Laura absteve-se de contar ao marido o que havia acontecido nos últimos meses, porque imaginou que Felipe o mantinha a par de tudo e porque Isidro preferia saber o mínimo possível, fiel a seu hábito de conservar-se à margem dos desvarios emocionais das mulheres da família. Recebeu a filha com um beijo na testa, tal como fazia em qualquer manhã normal; morreria 28 anos depois sem nunca ter perguntado pelo neto. Laura procurou consolo na igreja e nos doces. O Bêbe entrara na última etapa de sua curta vida e monopolizava toda a atenção de sua mãe, de Juana e do restante da família, de modo que deixaram Ofelia tranquila em sua tristeza.

Os del Solar nunca tiveram a ansiada certeza de terem evitado o escândalo da gravidez de Ofelia, porque tradicionalmente os comentários desse tipo voavam como pássaros fugazes na periferia da família. Em Ofelia não servia nenhum de seus vestidos de mocinha e, no afã de comprar e mandar fazer outros, ela se distraiu um pouco de sua mágoa. O pranto lhe chegava à noite, quando a lembrança do filho era tão intensa que ela sentia claramente o seu esperneio travesso no ventre e um gotejar de leite nos mamilos. Retomou as aulas de pintura, dessa vez a sério, e voltou à sociedade sem se deixar intimidar pelos olhares curiosos e pelos cochichos às suas costas. Os rumores chegaram a Matías Eyzaguirre, no Paraguai, e ele os descartou como mais um exemplo do típico puritanismo e da malevolência de seu país. Quando soube que Ofelia estava doente e tinha sido levada para o campo, escreveu-lhe algumas vezes e, como ela não respondeu, mandou um telegrama a Felipe, perguntando da saúde de sua irmã. "Segue seu curso normal", respondeu Felipe. Isso teria parecido suspeito a qualquer outro, menos a Matías, que não era bobo como achava Ofelia, mas era um daqueles raros homens bons. No fim do ano, aquele pretendente tenaz obteve permissão para deixar seu posto durante um mês e viajar de férias para o Chile, livrando-se do calor úmido e dos redemoinhos de Assunção. Chegou a Santiago numa quinta-feira de dezembro e na sexta-feira já estava diante da casa afrancesada na rua Mar del Plata. Juana Nancucheo recebeu-o assustada, como se fosse a polícia que tivesse aparecido, porque achou que ele ia lá para recriminar a menina Ofelia pelo que ela tinha feito, mas a intenção de Matías era muito diferente: levava o anel de diamantes da bisavó no bolso. Juana o conduziu através da casa, que estava na penumbra porque no verão as venezianas ficavam fechadas e por causa do luto antecipado por Leonardo. Nada de flores frescas, como sempre havia, nem do aroma de pêssegos e melões trazidos da fazenda, que em tempos normais impregnava o ambiente, nada de música no rádio nem a ruidosa recepção dos cachorros; só a opressiva presença do mobiliário francês e dos quadros antigos em suas molduras douradas.

No terraço das camélias encontrou Ofelia debaixo de um toldo a desenhar com bico de pena e tinta nanquim, protegida da soalheira por um chapéu de palha. Deteve-se um instante a contemplá-la, tão apaixonado como antes, sem notar os quilos que ainda lhe sobravam. Ofelia ficou de pé e recuou um passo, desconcertada porque não esperava voltar a vê-lo. Avaliou-o pela primeira vez em sua totalidade, como o homem que era, e não como o primo suplicante e complacente de quem ela zombou por mais de uma década. Tinha pensado muito nele durante aqueles meses, somando o fato de tê-lo perdido ao preço que estava pagando por seus erros. Os aspectos do caráter de Matías, que antes a aborreciam, agora eram raras virtudes. Ele lhe pareceu mudado, mais maduro e sólido, mais bonito.

Juana levou-lhes chá frio e iguarias de doce de leite e ficou atrás dos rododendros tentando ouvi-los. Por sua posição na família, precisava ficar bem informada, repetia para Felipe, quando ele a repreendia por ficar bisbilhotando atrás das portas. "Que necessidade tinha a Ofelita de acabar de partir o coração do jovem Matías? Tão bonzinho que ele é, não merece passar esse sofrimento. Olhe só, menino Felipe, antes de ele conseguir perguntar qualquer coisa, ela contou tudo o que tinha acontecido. Nos mínimos detalhes, imagine."

Matías escutou calado, limpando o suor do rosto com o lenço, oprimido pela confissão de Ofelia, pelo calor e pelo aroma adocicado de rosas e jasmins que chegava do jardim. Quando ela terminou, ele demorou um bom tempo para organizar as emoções e concluir que na verdade nada havia mudado, Ofelia continuava sendo a mulher mais linda do mundo, a única que ele havia amado sempre e haveria de amar até o fim de seus dias. Tentou dizer tudo isso com a eloquência de suas cartas, mas as palavras floridas falharam.

— Por favor, Ofelia, case-se comigo.

— Mas você não ouviu o que eu acabei de dizer? Não vai me perguntar quem era o pai da criança?

— Não importa. A única coisa que importa é saber se você ainda gosta dele.

— Aquilo não foi amor, Matías, foi febre.

— Então não tem nada a ver conosco. Sei que você precisa de tempo para se recuperar, mesmo supondo que ninguém se recupera da morte de um filho, mas quando estiver pronta eu estarei esperando.

Tirou a caixinha de veludo preto do bolso e a colocou delicadamente sobre a bandeja do chá.

— Você diria o mesmo se eu estivesse com um filho ilegítimo no colo? — desafiou ela.

— Claro que sim.

— Imagino que nada do que lhe contei foi surpresa para você, Matías, deve ter ouvido comentários. Minha má reputação vai seguir meu rastro aonde quer que eu vá. Isso destruiria sua carreira diplomática e sua vida.

— Isso é problema meu.

De trás dos rododendros Juana Nancucheo não conseguiu ver Ofelia pegando a caixinha de veludo e examinando-a atentamente sobre a palma da mão, como se fosse um escaravelho egípcio, só ouviu o silêncio. Não se atreveu a pôr a cabeça entre a folhagem, mas, quando achou que a pausa durava demais, saiu do esconderijo e apresentou-se disposta a levar a bandeja. Então viu o anel no dedo anular de Ofelia.

Eles pretendiam se casar sem espalhafato, mas para Isidro del Solar isso equivalia a admitir a culpa. Além do mais, as núpcias da filha seriam uma oportunidade estupenda de atender a mil compromissos sociais e de passagem dar um bofetão nos filhos da puta que andavam espalhando boatos sobre Ofelia. Não os ouvira, porém mais de uma vez teve a impressão de que riam às suas costas no Clube da União. Os preparativos foram mínimos, porque os noivos já tinham tudo pronto no ano anterior, inclusive lençóis e toalhas bordados com suas iniciais. Publicaram de novo o anúncio correspondente nas páginas sociais do *El Mercurio*, e a modista fez depressa o vestido da noiva, parecido com o anterior, porém bem mais largo. O padre Vicente Urbina concedeu-lhes a honra de casá-los; sua presença bastava para restaurar a reputação de Ofelia. Ao preparar o casal para o sacramento do matrimônio com as advertências e os conselhos de praxe, omitiu delicadamente o assunto do passado da noiva, mas ela teve o gosto de anunciar que Matías sabia do ocorrido, e ela não teria de carregar sozinha aquele segredo pelo resto da vida. Carregariam juntos.

Antes de ir para o Paraguai, Ofelia quis voltar ao cemitério rural onde estava seu filho, e Matías a acompanhou. Endireitaram a cruz branca, puseram flores e rezaram. "Um dia, quando tivermos nosso próprio túmulo no Cemitério Católico, vamos transladar seu filhinho para ficar conosco, como deve ser", disse Matías.

Passaram uma semana de lua de mel em Buenos Aires antes de seguirem por terra para Assunção. Aqueles poucos dias bastaram para Ofelia intuir que, ao se casar com Matías, tinha tomado a melhor decisão de sua vida. "Vou amá-lo como ele merece, serei fiel e o farei feliz", prometeu para seus botões. Por fim aquele homem obstinado e paciente como um boi conseguiu cruzar a soleira de sua casa, preparada com tanta minúcia e tantos gastos, carregando sua mulher nos braços. Ela pesava mais do que o esperado, mas ele era forte.

TERCEIRA PARTE

Retornos e raízes

IX

1948-1970

Todos los seres
tendrán derecho
a la tierra y la vida,
y así será el pan de mañana...*

PABLO NERUDA,
"Oda al pan", *Odas elementales*

No verão de 1948 iniciou-se para os Dalmau uma tradição que se prolongaria por uma década: Roser e Marcel iam passar o mês de fevereiro num chalé alugado na praia, enquanto Víctor ficava trabalhando e se reunia a eles nos fins de semana, como a maioria dos maridos chilenos de seu meio, que se vangloriavam de nunca tirar férias porque eram indispensáveis no trabalho. Segundo Roser, essa era mais uma expressão do machismo crioulo: como iam renunciar à liberdade de solteiros de verão que podiam gozar? Ficaria mal Víctor se ausentar do hospital durante um mês, mas seu motivo principal era que a praia lhe trazia tristes recordações do campo de refugiados de Argelès-sur-Mer. Ele prometera não voltar a pisar na areia. Justamente naquele mês de fevereiro Víctor teve a oportunidade de devolver a Pablo Neruda o favor de tê-lo selecionado para emigrar ao Chile. O poeta

---

* Todos os seres / terão direito / à terra e à vida, / e assim será o pão de amanhã. [N. T.]

era senador da República e se desentendera com o presidente, que estava em luta com o Partido Comunista, embora este o tivesse apoiado na sua subida ao poder. Neruda não poupava insultos para aquele homem "*produto da comedeira política*", considerava-o um traidor, "*pequeno vampiro vil e encarniçado*". Acusado de injúria e difamação pelo governo, foi destituído do cargo de senador e perseguido pela polícia.

Alguns dirigentes do Partido Comunista, que logo seria declarado fora da lei, apareceram no hospital para falar com Víctor.

— Como o senhor sabe, há uma ordem de prisão contra nosso camarada Neruda — disseram.

— Li no jornal. É inacreditável.

— Ele precisa ser escondido enquanto estiver na clandestinidade. Imaginamos que essa situação logo se resolverá, mas, se não for assim, vai ser preciso tirá-lo do país de alguma maneira.

— Como posso ajudar? — perguntou Víctor.

— Alojando-o por algum tempo, não vai ser muito. Temos de trocar o local de permanência dele com frequência, para despistar a polícia.

— Claro, será uma honra.

— Nem é preciso dizer que ninguém deve saber disso.

— Minha mulher e meu filho estão de férias. Estou sozinho em casa. Ali ele vai ficar seguro.

— Temos de advertir que o senhor pode se meter numa encrenca séria como acoitador.

— Não faz mal — respondeu Víctor, e passou a dar-lhes seu endereço.

Foi assim que Pablo Neruda e esposa, a pintora argentina Delia del Carril, viveram duas semanas escondidos na casa dos Dalmau. Víctor cedeu-lhes sua cama e lhes levava comida preparada pela cozinheira de sua taverna em recipientes pequenos, para não chamar a atenção dos vizinhos. Ao poeta não passava despercebida a coincidência de seu jantar vir do *Winnipeg*. Também era preciso fornecer-lhe jornais, livros e uísque, a única coisa que o acalmava, e animá-lo com conversação, já que as visitas estavam limitadas. Era *bon vivant* e sociável, sentia necessidade dos amigos e até dos adversários ideológicos, para praticar a esgrima verbal da polêmica. Nas eternas noitadas naquele espaço reduzido, repassou com Víctor, em grandes pinceladas, a lista dos refugiados que ele embarcara em Bordeaux, naquele longínquo dia de agosto de 1939, e de outros homens e mulheres do êxodo espanhol que tinham chegado ao Chile nos anos seguintes. Víctor mostrou-lhe que, ao se negar a acatar a ordem de escolher apenas trabalhadores qualificados e selecionar também artistas e intelectuais, Neruda enriquecera o país com grande abundância de talento, conhecimento e cultura. Em menos de uma década já se destacavam nomes de cientistas, músicos, pintores, escritores, jornalistas e até um historiador, que sonhava com a monumental tarefa de reescrever a história do Chile desde as origens.

A reclusão estava enlouquecendo Neruda, que dava voltas e mais voltas como fera enjaulada, passeando incansavelmente entre quatro paredes; não podia nem aparecer na janela. Sua mulher, que tinha renunciado a tudo, inclusive à sua arte, para acompanhá-lo, mal conseguia mantê-lo portas adentro. Naquele período o poeta deixou a barba crescer e matava o tempo escrevendo furiosamente seu *Canto general*. Em troca da hospitalidade, recitava com sua inconfundível entonação lúgubre versos antigos e outros inconclusos, que contagiaram Víctor com o vício da poesia, que haveria de durar para sempre.

Uma noite, sem aviso prévio, chegaram dois desconhecidos com sobretudo e chapéu escuro, embora àquela hora ainda fervesse o calor do verão. Pareciam detetives, mas identificaram-se como camaradas do partido e, sem mais explicações, levaram o casal para outro lugar, mal lhes dando tempo de enfiar a roupa e os poemas inacabados em duas malas. Negaram-se a dizer a Víctor aonde poderia ir para vê-lo, mas avisaram que talvez precisasse hospedá-los de novo, porque era difícil encontrar refúgios. Havia um contingente de mais de quinhentos policiais farejando o rastro do fugitivo. Víctor informou-lhes que na semana seguinte sua família voltaria da praia, e a casa não seria segura. No fundo, foi um alívio recuperar a tranquilidade do lar. Seu hóspede ocupara até o último recesso com sua enorme presença.

Voltaria a vê-lo treze anos depois, quando lhe coube organizar com outros dois amigos a fuga do poeta a cavalo por desfiladeiros andinos do Sul, em direção à Argentina. Durante esse tempo Neruda, irreconhecível com sua barba cerrada, escondera-se nas casas de amigos e camaradas do partido, enquanto a polícia o encalçava. Aquela viagem à fronteira também deixaria em Víctor uma marca indelével, tal como a poesia. Cavalgaram no magnífico cenário de selva fria, árvores milenares, montanhas e água; água por toda parte, deslizando em arroios furtivos, entre troncos anciãos, caindo do céu em cascatas, arrastando tudo de passagem em rios turbulentos, que os viajantes precisavam atravessar com o coração na mão. Muitos anos mais tarde Neruda lembrou essa travessia em suas memórias: *"Cada um avançava assombrado naquele ermo sem margens, naquele silêncio verde e branco. [...] Tudo era natureza deslumbrante e secreta e ao mesmo tempo crescente ameaça de frio, neve, perseguição".*

Víctor despediu-se dele na fronteira, onde ele era esperado por gaúchos com cavalos de muda para seguir viagem. "Os governos passam e os poetas ficam, dom Pablo. O senhor voltará em glória e majestade, lembre-se do que lhe digo", disse, abraçando-o.

Neruda sairia de Buenos Aires com o passaporte de Miguel Ángel Asturias, grande romancista guatemalteco com quem tinha certa parecença física, ambos eram *"longos de nariz, opulentos de cara e corpo"*. Em Paris foi recebido como irmão por Pablo Picasso e homenageado no Congresso da Paz, enquanto o governo chileno declarava à imprensa que aquele homem era um impostor, um dublê de Pablo Neruda, que o verdadeiro estava no Chile, e a polícia o localizara.

No mesmo dia em que Marcel Dalmau Bruguera fez dez anos, chegou a carta de sua avó Carme; rodara meio mundo antes de encontrar o destinatário. Os pais lhe tinham falado dela, mas ele nunca havia visto nenhuma fotografia sua, e os relatos da mítica família da Espanha eram tão alheios à sua realidade que ele os classificara na mesma categoria dos inverossímeis romances de terror e fantasia que colecionava. Naquela idade, negava-se a falar em catalão; só o fazia com o velho Jordi Moliné na taverna *Winnipeg*. Com o restante da humanidade falava em espanhol com exagerado sotaque chileno e uma linguagem vulgar que lhe valia sonoros sopapos da mãe, mas, afora essa peculiaridade, era um menino ideal: virava-se sozinho com os estudos, o transporte, a roupa e, frequentemente, a comida; encarregava-se até das consultas ao dentista e das idas ao barbeiro para cortar cabelo. Parecia um adulto de calças curtas.

Ao voltar um dia da escola, recolheu a correspondência da caixa do correio, separou sua revista semanal de extraterrestres e maravilhas da natureza e deixou o resto em cima da mesinha de entrada. Estava acostumado a encontrar a casa vazia. Como os horários dos pais eram imprevisíveis, estes lhe haviam dado a chave da porta aos cinco anos, e ele viajava sozinho de bonde e ônibus desde os seis. Era ossudo e alto, tinha traços definidos, olhos negros de expressão absorta e cabelo espetado, dominado à força com brilhantina. Além do penteado de cantor de tango, imitava Víctor Dalmau nos gestos comedidos e na tendência a falar com brevidade e evitar detalhes. Sabia que ele não era seu pai, e sim seu tio, mas essa informação era tão pouco relevante quanto a lenda daquela avó que desceu de uma moto à meia-noite e perdeu-se rodeada por uma multidão desesperada. Primeiro chegou Roser com um bolo de aniversário e pouco depois Víctor, que passara trinta horas de plantão no hospital, mas não se esquecera de trazer um presente com que ele sonhava fazia três anos. "É um microscópio profissional, dos grandes, para durar até você se casar", brincou, abraçando-o. Era mais efusivo no carinho do que a mãe e muito mais manso: dobrá-la era impossível. Em compensação, Marcel conhecia uma dúzia de truques para fazer o que queria com ele.

Depois de jantarem e partirem o bolo, o menino levou a correspondência para a cozinha. "Ora, é de Felipe del Solar, não o vejo há meses", comentou Víctor ao ver o remetente. Era um envelope grande com o timbre do escritório de advocacia del Solar. Dentro havia um bilhete dizendo que era hora de se encontrarem para um almoço qualquer dia daqueles, e que ele desculpasse o atraso em entregar a carta anexa, que fora parar em sua antiga residência e dera várias voltas até lhe chegar às mãos porque agora ele morava num apartamento defronte ao Clube de Golfe. Na hora o grito de Víctor assustou a mulher e o filho, que nunca o tinham ouvido levantar a voz. "É a mãe. Está viva!", e sua voz se embargou.

Marcel se interessou pouco pela notícia, teria preferido que em vez da avó se materializasse um de seus extraterrestres, mas mudou de opinião quando lhe anunciaram a viagem. A partir daquele momento só se pensou nos preparativos para se encontrarem com Carme: cartas que iam e vinham sem esperar resposta, telegramas que se cruzavam no ar, cancelamento da agenda de aulas e concertos de Roser e licença do trabalho de Víctor no hospital. Com Marcel ninguém se preocupou, a avó ressuscitada bem valia a perda do ano escolar, se necessário. Viajaram por uma companhia aérea peruana, fazendo escala em cinco cidades antes de chegarem a Nova York e dali foram para a França de navio, de Paris a Toulouse de trem e finalmente ao principado de Andorra de ônibus, por uma rodovia que deslizava como doninha entre montanhas. Nenhum dos três voara antes, e a experiência serviu para revelar a única fraqueza de Roser que se conheceu na vida: medo de altura. Em circunstâncias cotidianas, como debruçar-se no balcão de um último andar, ela disfarçava sua acrofobia com o mesmo estoicismo com que suportava dores de qualquer tipo e o esforço de viver. Cerrar os dentes e seguir adiante sem espalhafato, esse era seu lema, mas no avião não lhe valeram os nervos e o equilíbrio. O marido e o filho tiveram de levá-la pela mão, consolá-la, distraí-la, ampará-la quando vomitava durante as incontáveis horas no ar e ajudá-la a descer quase carregada em cada escala, porque mal conseguia andar. Ao chegarem a Lima, segunda escala da odisseia depois de Antofagasta, Víctor viu que ela estava passando tão mal que decidiu mandá-la de volta para casa por via terrestre e continuar sozinho com Marcel, mas ela o encarou com sua firmeza habitual. "Vou voando até os quintos dos infernos. Não se fala mais nisso". E seguiu até Nova York tremendo de medo e vomitando em sacos de papel. Estava treinando porque sabia que precisaria viajar de avião no futuro, caso se concretizasse o projeto da orquestra de música antiga que estava arquitetando.

Carme os aguardava na estação rodoviária de Andorra la Vella, sentada num banco, dura como estaca, fumando como sempre, vestida de luto pelos mortos, pelos perdidos e pela Espanha, com um absurdo chapéu e uma bolsa no colo da qual despontava a cabeça de um cachorrinho branco. Foi fácil reconhecerem-se, porque nenhum dos três tinha mudado muito naqueles dez anos de separação. Roser era a mesma de antes, mas havia adotado o estilo que lhe convinha, e Carme se sentiu um pouco intimidada diante daquela mulher bem vestida, maquiada e segura de si. Da última vez a vira numa noite terrível, grávida, esgotada e tiritando de frio no *sidecar* de uma motocicleta. O único emocionado até as lágrimas era Víctor; as duas mulheres se cumprimentaram com um beijo no rosto, como se tivessem se visto no dia anterior e como se a guerra e o exílio tivessem sido episódios insignificantes na existência de resto plácida das duas. "Você deve ser o Marcel. Eu sou a sua *àvia*. Está com fome?", foi a saudação da avó ao neto, e, sem esperar resposta, tirou um pão doce de sua bolsa prodigiosa, na qual o cachorro convivia com pães. Marcel, fascinado, estudou a geografia complexa das rugas da *àvia*, seus dentes amarelos de nicotina, seus cabelos cinzentos e duros despontando do chapéu como capim seco e seus dedos retorcidos de artrite, pensando que, se ela tivesse antenas na cabeça, seria um de seus marcianos.

Um táxi com vinte anos de idade, engasgando, levou-os pela cidade espremida entre montanhas que, segundo Carme, era a capital da espionagem e do contrabando, praticamente as únicas ocupações rentáveis naquela época. Ela se dedicava à segunda, porque para a espionagem era preciso ter boas conexões com as potências europeias e com os americanos. Haviam-se passado mais de quatro anos desde o fim da Segunda Guerra Mundial, em 1945, e as cidades devastadas recuperavam-se da fome e da ruína, mas ainda havia massas de refugiados e gente desalojada, buscando seu lugar no mundo. Explicou que Andorra era um ninho de espiões durante a guerra e continuava sendo agora, com a guerra fria. Antes era uma via de escape para quem fugia dos alemães, sobretudo judeus e prisioneiros fugidos, que às vezes eram traídos pelos guias e acabavam assassinados ou entregues aos inimigos para que lhes tirassem o dinheiro e as joias que carregavam. "Vários pastores enriqueceram de repente, e a cada ano, com o degelo, aparecem cadáveres de punhos amarrados com arame", disse o motorista do táxi, que participava da conversa. Depois da guerra, passavam por Andorra oficiais alemães e simpatizantes dos nazistas que fugiam para possíveis destinos na América do Sul. Esperavam passar pela Espanha e encontrar ajuda de Franco. "Quanto ao contrabando, é quase nada: fumo, álcool e outras coisinhas do gênero, nada perigoso", acrescentou Carme.

Instalados na casa rústica que Carme dividia com o casal de camponeses que lhe salvara a vida, sentaram-se à mesa, em que havia um suculento refogado de coelho com grãos-de-bico e duas jarras de vinho tinto, e passaram a contar um ao outro as peripécias da última década. Na Retirada, quando decidiu que não tinha forças para continuar, e a ideia do exílio era intolerável, a avó abandonou Roser e Aitor Ibarra para deitar-se e morrer de frio durante a noite, longe deles. Muito a contragosto amanheceu no dia seguinte entorpecida e com muita fome, porém mais viva do que desejaria. Continuou ali mesmo, imóvel, enquanto ao redor a massa de fugitivos avançava arrastando-se, cada vez menos numerosa, até que ao entardecer viu-se sozinha, enrolada como um caracol sobre a terra gelada. Não se lembrava, disse, do que sentia, mas descobriu que morrer é difícil e chamar a morte é covardia. O marido estava morto e talvez mortos também estivessem seus dois filhos, mas existiam Roser e o filho de Guillem que ela levava no ventre. Então decidiu seguir, mas aí não conseguiu ficar de pé. Logo depois se aproximou um cachorro perdido que andava farejando atrás da coluna de refugiados, e ela deixou que ele se aninhasse junto dela para lhe dar calor. Aquele animal foi sua salvação. Uma ou duas horas depois, um casal de camponeses, que havia vendido seus produtos aos fugitivos retardatários e se dispunha a voltar para casa, ouviu os gemidos do cachorro e achou que fossem de criança. Foi assim que descobriram Carme e a ajudaram. Ela ficou com eles, trabalhando a terra com esforço e magros resultados, até que o filho mais velho da família os levou para Andorra. Ali passaram a guerra contrabandeando entre a Espanha e a França o que houvesse, inclusive gente, caso se apresentasse a oportunidade.

— Esse é o mesmo cachorro? — perguntou Marcel, que o segurava no colo.

— O mesmo. Deve ter uns onze anos e vai viver muito mais. Chama-se Gosset.

— Isso não é nome. Significa cachorrinho em catalão.

— Esse nome basta, não precisa de outro — replicou a avó entre duas tragadas de cigarro.

Passou-se um ano inteiro antes que Carme estivesse disposta a emigrar para se juntar à única família que lhe restava. Como não sabia nada do Chile — aquela minhoca comprida ao sul do mapa —, começou a investigar em livros e a perguntar por aqui e por ali se alguém conhecia algum chileno para interrogá-lo, mas nenhum passou por Andorra naquele período. Carme era retida pela amizade com os camponeses que a haviam acolhido, com os quais conviveu muitos anos, e pelo susto de percorrer meio planeta sem experiência e com um cachorro velho. Temia que o Chile não lhe agradasse. "Meu tio Jordi diz que é igual à Catalunha", tranquilizou-a Marcel numa das cartas.

Tomada a decisão, despediu-se dos amigos, respirou fundo e tirou as preocupações da cabeça, disposta a aproveitar a aventura. Viajou por terra e por mar durante sete semanas com o bichinho numa sacola, sem pressa, tirando tempo para fazer turismo e apreciar outras paisagens e línguas, experimentar comidas exóticas e comparar costumes alheios com os próprios. Ia afastando-se dia a dia do passado conhecido para ingressar em outra dimensão. Em seus anos de professora, estudara e ensinara o mundo e agora constatava que ele não se parecia com as descrições dos textos nem com as fotografias; era muito mais complexo e colorido e menos temível. Comentava suas impressões com o animal e as escrevia num caderno escolar junto a suas recordações, como medida de precaução, caso mais tarde a memória falhasse. Embelezava os fatos porque estava consciente de que a vida é como a gente a conta, portanto por que anotaria o trivial? A última etapa da peregrinação foi a mesma navegação pelo Pacífico que sua família fizera em 1939. O filho lhe mandara dinheiro para uma passagem de primeira classe, com o argumento de que ela o merecia, depois de tanto suportar perrengues, mas ela preferiu viajar na classe turística, onde se sentiria mais à vontade. Com a guerra e com seus anos de contrabandista tornara-se muito discreta, mas propôs-se conversar com os estranhos porque havia descoberto que as pessoas gostam de falar e que bastam algumas poucas perguntas para fazer amigos e ficar sabendo de muita coisa. Cada pessoa tem uma história e quer contá-la.

Gosset, que padecia de alguns achaques da idade, foi rejuvenescendo por etapas na viagem e, ao se aproximar da costa do Chile, parecia outro cachorro, mais alerta e com menos cheiro de gambá. No porto de Valparaíso, Víctor, Roser e Marcel receberam a avó e o cão. Estavam acompanhados por um cavalheiro barrigudo e falador que se apresentou como "Jordi Moliné, a seus pés, senhora". Acrescentou em catalão que estava pronto para mostrar-lhe o melhor daquele formoso país. "Sabe que somos quase da mesma idade? Também sou viúvo", acrescentou com certa galanteria. No trem para Santiago, Carme ficou sabendo do papel de tio-avô que o homem desempenhava plenamente e de como seu neto era freguês habitual da taverna, aonde ia quase diariamente fazer as tarefas escolares para não ficar sozinho em casa. Víctor já não trabalhava no *Winnipeg* à noite, era cardiologista no hospital San Juan de Dios, e Roser também não ia com frequência à taverna, mas supervisionava de longe as contas de que um contador aposentado cuidava em troca de companhia, comida e bebida.

Carme finalmente encontrava os seus graças a Elizaseth Eidenbenz, que se instalara em Viena inteiramente dedicada à missão que sempre adotou: ajudar mulheres e crianças. A cidade tinha sido bombardeada com sanha e, quando ela chegou, pouco depois de terminada a guerra, a população faminta escarafunchava o lixo em busca de alimento, e centenas de crianças perdidas viviam como ratazanas entre os escombros daquela que outrora tinha sido a mais bela cidade imperial. Em 1940, quando estava no sul da França, Elisabeth realizara seu projeto de criar a maternidade-modelo no palacete abandonado de Elna, onde acolhia mulheres grávidas para que dessem à luz a salvo. Embora a princípio fossem apenas espanholas refugiadas dos campos de concentração, depois também chegaram judias, ciganas e outras mulheres que fugiam dos nazistas. Amparada pela Cruz Vermelha, a maternidade de Elna deveria permanecer neutra e abster-se de ajudar fugitivos políticos, mas Elisabeth fazia pouco caso do regulamento, apesar da vigilância, e por esse motivo a Gestapo a fechou em 1944. Tinha conseguido salvar mais de seiscentas crianças.

Em Andorra, Carme tinha conhecido por acaso uma daquelas mães afortunadas, que lhe contou de que modo tivera seu filho graças a Elisabeth. Então Carme relacionou aquela enfermeira com o nome da pessoa que teria sido o contato de sua família na França, caso conseguissem atravessar a fronteira. Escreveu para a Cruz Vermelha de um escritório a outro, de um país a outro, por meio de uma correspondência tenaz que venceu os obstáculos da burocracia e cruzou a Europa em várias direções, e conseguiu descobrir o paradeiro de Elisabeth em Viena. Esta lhe disse por carta que pelo menos um de seus filhos, Víctor, estava vivo e se casara com Roser, que tivera um menino chamado Marcel, e os três estavam no Chile. Não sabia como procurá-los, mas Roser escrevera à família que a acolheu quando saiu de Argelès-sur-Mer. Carme demorou um pouco para localizar os quacres, que estavam morando em Londres. Eles tiveram de vasculhar o sótão para encontrar o envelope de Roser com o único endereço que tinham, a casa de Felipe del Solar em Santiago. Foi assim que, com um atraso de vários anos, Elisabeth Eidenbenz reuniu os Dalmau.

Roser foi a Caracas em meados da década de 60, convidada mais uma vez pelo amigo Valentín Sánchez, ex-embaixador da Venezuela, já afastado da diplomacia e inteiramente dedicado à sua paixão pela música. Nos 25 anos transcorridos desde a chegada do *Winnipeg*, ela se tornara mais chilena do que qualquer outra pessoa nascida no território, assim como a maioria dos espanhóis refugiados. Estes não só eram cidadãos, como vários deles realizaram o sonho de Pablo Neruda de sacudir a modorra da sociedade. Ninguém mais se lembrava de alguma vez lhes ter feito oposição e ninguém podia negar a contribuição magnífica das pessoas que Neruda trouxera para o Chile. Roser e Valentín Sánchez, depois de vários anos de planejamento, de cerrada correspondência e de muitas viagens, conseguiram criar a primeira orquestra de música antiga do continente, financiada pelo petróleo, inesgotável tesouro que manava em caudais da terra venezuelana. Enquanto ele percorria a Europa adquirindo os preciosos instrumentos e desenterrando partituras desconhecidas, ela ia formando os intérpretes por estrita seleção, em sua nova condição de vice-reitora da Escola de Música de Santiago. Sobravam postulantes, que chegavam de diversos países com a esperança de fazer parte daquela utópica orquestra. O Chile carecia dos meios para semelhante empreitada; havia outras prioridades em matéria cultural, e nas poucas ocasiões em que Roser conseguiu despertar interesse pelo projeto, ocorrera um terremoto ou uma troca de governo, e aquilo caíra por terra. Mas na Venezuela qualquer sonho era possível com as devidas influências e conexões, que sobravam a Valentín Sánchez, porque ele tinha sido um dos poucos políticos capazes de flutuar sem contratempos entre ditaduras, golpes militares, ensaios de democracia e o governo conciliador do momento, presidido por um de seus amigos pessoais. Seu país enfrentava uma guerrilha inspirada na revolução cubana, como outras que existiam no continente, menos no Chile, onde mal começava a surgir um movimento revolucionário mais teórico que combatente. Nada disso afetava a prosperidade do país nem o amor dos venezuelanos pela música, por mais antiga que esta fosse. Valentín ia ao Chile com frequência; mantinha um apartamento em Santiago para ocupar quando lhe desse na veneta. Roser o visitava em Caracas e juntos tinham andado pela Europa para tratar da orquestra. Ela tinha aprendido a viajar de avião com a ajuda de tranquilizantes, narcóticos e gim.

Aquela amizade não preocupava Víctor Dalmau, porque o amigo de sua mulher era homossexual declarado, mas ele intuía a existência de um amante hipotético. Toda vez que voltava da Venezuela, ela estava rejuvenescida, trazia roupa nova, uma fragrância de odalisca ou uma joia discreta, como um coração de ouro pendente ao pescoço numa correntinha fina, algo que Roser não compraria para si mesma porque era espartana nos gastos pessoais. O mais revelador para Víctor era sua renovada paixão, como se, ao se reencontrarem, ela quisesse praticar alguma acrobacia aprendida com outro ou expiar uma culpa. Os ciúmes seriam ridículos na relação frouxa que tinham, tão frouxa que, se Víctor a definisse, diria que eles eram camaradas. Constatou o acerto das palavras de sua mãe: ciúme pica mais que pulga. Roser gostava do papel de esposa. Nos tempos em que eram pobres, quando ele ainda andava apaixonado por Ofelia del Solar, ela comprou duas alianças em prestações mensais, sem perguntar a ele, e exigiu que as usassem até que pudessem divorciar-se. De acordo com o pacto de ater-se à verdade, estabelecido desde o começo, Roser deveria falar-lhe do amante, mas ela afirmava que às vezes uma omissão piedosa é mais apreciada que uma verdade inútil, e Víctor deduziu que, se ela aplicava esse princípio a detalhes banais, com maior razão o faria em caso de infidelidade. Tinham se casado por conveniência, mas fazia 25 anos que estavam juntos e o que sentiam um pelo outro era algo mais que a tranquila aceitação daqueles casamentos arranjados da Índia. Marcel completara 18 anos fazia tempo, e aquele aniversário que marcava o fim do compromisso acordado entre eles, de permanecerem juntos até essa data, só serviu para ratificar o carinho que havia entre eles e o propósito de continuarem casados por mais algum tempo, com a esperança de que, de postergação em postergação, nunca chegassem a se separar.

Com os anos, iam ficando mais parecidos nos gostos e nas manias, embora não no caráter. Tinham poucos motivos de discussão e nenhum de briga, concordavam no fundamental e sentiam-se tão à vontade e contentes na presença um do outro que era como se estivessem sozinhos. Conheciam-se tão a fundo que fazer amor era uma dança fácil que deixava os dois satisfeitos. Não se tratava de repetir a mesma rotina, porque ela se entediaria, e Víctor sabia disso. Roser nua na cama era muito diferente da mulher elegante e sóbria no palco ou da severa professora da Escola de Música. Tinham passado juntos por altos e baixos até chegarem à plácida existência daqueles anos de maturidade sem problemas econômicos ou emocionais. Viviam sozinhos, porque Carme tinha se mudado para a casa de Jordi Moliné quando Gosset morreu, já muito velho, cego e surdo, mas perfeitamente lúcido, e Marcel estava morando com dois amigos num apartamento. Tinha estudado engenharia de minas e trabalhava para o governo na indústria de cobre. Não herdara nem um pingo do talento musical da mãe ou do avô Marcel Lluíz Dalmau, nem o temperamento aguerrido do pai, nem inclinação para a medicina, como Víctor, ou pelo ensino, como a avó Carme, que aos oitenta anos ainda era professora numa escola. "Que esquisito que você é, Marcel, por que diabos se interessa por pedras?", perguntou-lhe Carme, quando soube do curso que escolhera. "Porque não opinam nem retrucam", respondeu o neto.

A relação fracassada com Ofelia del Solar deixara em Víctor Dalmau uma raiva recôndita e muda que durou alguns anos e ele aceitou como justa expiação por ter se comportado como um desalmado ao permitir que aquela jovem virgem se apaixonasse, sabendo que não era livre e tinha a responsabilidade de uma esposa e um filho. Isso já fazia muitos anos. Desde então, a nostalgia ardente que aquele amor lhe deixara foi desaparecendo na zona cinzenta da memória em que o vivido vai se apagando. Acreditava ter aprendido uma lição, embora seu significado profundo continuasse confuso para ele. Aquela foi sua única distração amorosa durante muitos anos, porque vivia imerso nas exigências de seu trabalho. Um ou outro encontro apressado com alguma enfermeira complacente não contava; ocorria raramente, em geral num daqueles turnos de dois dias de plantão no hospital. Aqueles abraços furtivos nunca chegaram a ser uma complicação, careciam de passado e de futuro e eram esquecidos em poucas horas. Seu carinho sólido por Roser era a âncora de sua existência.

Em 1942, depois do recebimento da carta definitiva de Ofelia, quando Víctor ainda alimentava a fantasia de voltar a conquistá-la, sabendo que isso equivalia a jogar salmoura no coração ferido, Roser calculou que ele precisava de um tratamento drástico para sair daquela ensimesmação e introduziu-se uma noite na cama dele sem ser convidada, tal como fizera anos antes com seu irmão Guillem. Aquela tinha sido a melhor iniciativa de sua vida, porque a consequência foi Marcel. Naquela noite ela pensava em surpreender Víctor, mas percebeu que ele a estava esperando. Ele não se sobressaltou quando a viu no limiar do quarto, meio nua e com os cabelos soltos; simplesmente mudou de lugar na cama para dar-lhe espaço e a acolheu nos braços com naturalidade de marido. Farrearam boa parte da noite, conhecendo-se biblicamente com pouca destreza, mas bom humor, ambos conscientes de que desejavam aquele momento desde os encontros no bote salva-vidas do *Winnipeg*, quando conversavam castamente, aos cochichos, enquanto lá fora outros casais aguardavam seu turno para o amor. Não se lembraram de Ofelia nem de Guillem, cujo fantasma onipresente os acompanhara na travessia, mas no Chile se distraiu com as novidades e aos poucos se retirou para um compartimento discreto do coração de ambos, onde não incomodava. A partir daquela primeira noite dormiriam na mesma cama.

O orgulho impedia Víctor de espionar Roser ou de lhe expressar sua suspeita. Não relacionou suas dúvidas com a persistente dor de estômago que o atormentava, atribuiu-a a uma úlcera, mas nada fez para confirmar o diagnóstico e limitou-se a tomar leite de magnésia em alarmante quantidade. Seu sentimento por Roser era tão diferente da paixão desarvorada por Ofelia que se passaria mais de um ano de mortificação antes que ele pudesse lhe dar nome. Para distrair-se dos ciúmes, refugiava-se nos males de seus pacientes do hospital e no estudo. Precisava estar em dia com os avanços da medicina, tão prodigiosos que já se falava na possibilidade de transplantar com êxito o coração humano. Dois anos antes um coração de chimpanzé fora posto num moribundo do Mississipi e, embora o paciente tivesse vivido apenas noventa minutos, esse experimento elevou as possibilidades da ciência médica ao nível de milagre. Víctor Dalmau, como milhares de outros médicos, desejava repetir a proeza com um doador humano. Desde que tivera o coração de Lázaro entre os dedos, uma vida inteira atrás, esse órgão magnífico era sua obsessão.

Fora do trabalho e dos estudos, nos quais concentrava sua energia, Víctor entrara em um de seus períodos melancólicos. "Você anda abobado, filho", disse-lhe Carme num dos almoços dominicais da família na casa de Jordi Moliné. Ali se falava catalão, mas Carme mudava para o espanhol quando Marcel estava presente, porque aos 27 anos o neto ainda se negava a falar o idioma da família. "A *àvia* tem razão, papai. Você parece que está tonto. O que está acontecendo?", acrescentou Marcel. "Saudades de sua mãe", respondeu Víctor num impulso. Foi uma revelação para ele. Roser estava na Venezuela em outra série de concertos, que a Víctor pareciam cada vez mais frequentes. Ficou pensando no que tinha dito, porque, até o instante em que verbalizou a necessidade que tinha dela, não se dera conta perfeitamente de quanto a amava. Eles, que falavam de tudo sem rebuços, nunca tinham expressado o amor em palavras, por um inexplicável pudor. Que necessidade havia de andar apregoando sentimentos? Bastava demonstrá-los. Se estavam juntos, era porque se amavam; para que ficar esquentando a cabeça com essa verdade singela?

Alguns dias depois, quando ainda estava ruminando a ideia de surpreender Roser com uma declaração formal de amor e um anel de brilhantes que devia ter-lhe dado anos antes, ela voltou a Santiago sem avisar, e os planos de Víctor foram adiados indefinidamente. Chegava radiante, como em viagens anteriores, com aquele ar de inteira satisfação que tantas suspeitas despertava no marido e uma vistosa minissaia xadrez vermelho e preto, como toalha de mesa, totalmente inapropriada para sua personalidade discreta. "Você não acha curta demais para a sua idade?", perguntou-lhe Víctor, em vez de dizer as lindezas que havia preparado com tanto cuidado. "Tenho 48, mas me sinto como se tivesse 20", respondeu-lhe ela de bom humor.

Era a primeira vez que ela cedia ao último grito da moda. Até então tinha sido fiel a seu estilo, que mudava pouquíssimo. A atitude desafiadora dela convenceu Víctor de que era melhor deixar as coisas como estavam e evitar o risco de um esclarecimento que podia ser muito doloroso ou definitivo.

Víctor Dalmau ficou sabendo vários anos depois, quando já não importava nada, que o amante de Roser tinha sido seu antigo amigo Aitor Ibarra. Essa relação feliz, embora esporádica, porque só se encontravam quando ela ia à Venezuela e no restante do tempo não se comunicavam de maneira nenhuma, durou sete anos completos. Começou com o primeiro concerto da orquestra de música antiga, que foi o acontecimento cultural da temporada em Caracas. Aitor viu na imprensa o nome de Roser Bruguera, achou que seria coincidência demais se fosse a mesma mulher grávida com quem tinha cruzado os Pireneus durante a Retirada, mas em todo caso comprou seu ingresso. A orquestra apresentou-se no auditório da Universidade Central, com seus painéis flutuantes de Calder e a melhor acústica do mundo. No grande palco, regendo os músicos com seus preciosos instrumentos, alguns dos quais o público jamais tinha visto, Roser parecia muito pequena. Com binóculos, Aitor examinou-a por trás, e a única coisa que identificou foi o coque na nuca, o mesmo da juventude. Reconheceu-a assim que ela se virou para receber os aplausos, mas ela demorou mais para reconhecê-lo quando ele apareceu no camarim, porque restava pouca coisa do jovem magro, pobre e brincalhão a quem ela devia a vida. Estava transformado num empresário próspero, de gestos pausados, com vários quilos de sobra, pouco cabelo na cabeça e basto bigode, mas mantinha a chispa no olhar. Estava casado com uma mulher esplêndida que fora rainha da beleza. Tinha quatro filhos e vários netos e fizera fortuna. Chegou à Venezuela com quinze dólares no bolso, acolhido por uns parentes, e passou a fazer o que sabia, consertar veículos. Montou uma oficina mecânica e em pouco tempo tinha filiais em várias cidades; daí ao negócio de automóveis antigos para colecionadores foi só um passo. Era o país perfeito para alguém tão empreendedor e visionário como Aitor. "Aqui as oportunidades caem das árvores, como as mangas", contou a Roser.

Foram sete anos de paixão intensa no sentimento e leve na expressão. Costumavam passar um dia inteiro trancados num quarto de hotel fazendo amor como adolescentes, morrendo de rir, com uma garrafa de vinho branco do Reno e pão com queijo, maravilhados com a afinidade intelectual e com o desejo infindável que comungavam, único na vida deles, porque nunca antes o haviam sentido nem depois o sentiriam daquela maneira. Deram um jeito de manter aquele amor num lugar selado e secreto de sua vida, sem tocar no casamento feliz de nenhum dos dois. Aitor amava e respeitava sua bela esposa tanto quanto Roser a Víctor. No começo, quando por um fio não perdem o juízo diante da surpresa de se apaixonarem, decidiram que o único futuro possível para aquela atração tremenda era dentro dos limites da clandestinidade; não iam permitir que sua vida virasse do avesso nem que suas respectivas famílias fossem prejudicadas. Foi o que fizeram durante aqueles benditos sete anos e teriam continuado juntos muitos anos mais se um derrame cerebral não tivesse condenado Aitor Ibarra à imobilidade, sob os cuidados da esposa. Mas de nada disso Víctor ficou sabendo, enquanto Roser não lhe contou.

Víctor Dalmau voltou a ver Pablo Neruda com frequência, de longe, em atos públicos, e às vezes na casa do senador Salvador Allende, com quem costumava jogar xadrez. Também foi convidado pelo poeta para reuniões em sua casa, na Ilha Negra, morada integrada à natureza, com jeito de navio encalhado, louca arquitetura encarapitada num promontório de frente para o mar. Era o lugar de inspiração e escrita. *"O mar do Chile, o mar tremendo, com barcaças à espera, com torres de espuma branca e negra, com pescadores costeiros educados na paciência, o mar natural, torrencial, infinito."* Ali vivia com Matilde, sua terceira esposa, e com a profusão disparatada dos objetos de suas coleções, desde garrafas empoeiradas do mercado das pulgas até carranca de proa de barcos naufragados. Ali recebia dignitários do mundo inteiro, que iam cumprimentá-lo e fazer-lhe convites, políticos locais, intelectuais e jornalistas, mas sobretudo amigos, entre eles vários dos refugiados do *Winnipeg*. Era uma celebridade, traduzido para quantos idiomas houvesse; nem seus piores inimigos já podiam negar o poder mágico de seus versos. O que o poeta, amante da boa vida, mais desejava era escrever sem parar, cozinhar para os amigos e ser deixado em paz, mas nem naquele rochedo da Ilha Negra isso era possível; toda espécie de gente ia bater em sua porta e lembrar-lhe que ele era a voz dos povos sofredores, como ele mesmo se definia. Assim, um dia seus camaradas chegaram para exigir que ele os representasse na campanha presidencial. Salvador Allende, o candidato mais idôneo da esquerda, candidatara-se sem êxito à presidência três vezes antes, e dizia-se que era marcado pelo fracasso. De modo que o poeta largou seus cadernos e sua caneta de tinta verde e saiu a percorrer o país em automóveis, ônibus e trens, reunindo-se com o povo e recitando sua poesia, acompanhado em coro por operários, camponeses, pescadores, ferroviários, mineradores, estudantes e artesãos, que vibravam com sua voz. Aquilo serviu para dar novos brios à sua poesia combativa e para ele compreender que não era feito para a política. Assim que pôde, renunciou, para apoiar a candidatura de Salvador Allende, que, contra vento e maré, acabou encabeçando a Unidade Popular, coalizão de partidos de esquerda. Neruda o assistiu na campanha.

Então coube a Allende andar de norte a sul em trens, empolgando as pessoas que se juntavam em cada estação para ouvir seus discursos apaixonados, em vilarejos calcinados de areia e sal, em outros escuros de chuva eterna. Víctor Dalmau acompanhou-o várias vezes, oficialmente como médico, mas na verdade como parceiro de xadrez, única distração do candidato, já que no trem não havia filmes de caubói, seu outro remédio para aliviar a tensão. Era tão energizado, determinado e insone que ninguém conseguia acompanhar seu ritmo, e o pessoal de sua comitiva precisava revezar-se. Víctor assumiu o turno das horas tardias da noite, quando o candidato, extenuado, precisava tirar da mente o ruído das multidões e de sua própria voz por meio de uma partida de xadrez, que às vezes se arrastava até o amanhecer ou ficava pendente para a noite seguinte. Allende dormia pouquíssimo, mas aproveitava dez minutos aqui e outros dez ali para cabecear um tempinho, sentado em qualquer lugar, e ressuscitava fresco, como se tivesse acabado de tomar uma ducha. Caminhava empertigado, com o peito à frente, disposto à luta, falava com voz de ator e eloquência de iluminado, era controlado nos gestos, rápido de pensamento e irredutível nas convicções fundamentais. Em sua longa carreira política, chegou a conhecer o Chile como a palma da mão e nunca perdeu a fé na possibilidade de fazer uma revolução pacífica, uma via chilena para o socialismo. Alguns de seus partidários, inspirados pela revolução cubana, afirmavam que era impossível, por bem, fazer uma verdadeira revolução e escapar ao imperialismo americano, que isso só seria conseguido com a luta armada, mas para ele a revolução cabia com folga na sólida democracia chilena, cuja constituição ele respeitava. Continuou acreditando até o fim que tudo era questão de denunciar, explicar, propor e chamar à ação, para que os trabalhadores se erguessem e tomassem seu destino nas próprias mãos. Também conhecia de sobra o poder de seus adversários. Como personalidade pública, comportava-se com uma dignidade um pouco empolada, que seus inimigos tachavam de arrogância, mas em particular parecia simples e brincalhão. Era fiel à palavra empenhada; não podia imaginar uma traição, e isso no fim o levou à perdição.

Victor Dalmau fora surpreendido pela Guerra Civil Espanhola muito jovem; no lado republicano ele lutou, trabalhou e por isso foi para o exílio, aceitando a ideologia de seu grupo sem questionar. No Chile, cumpriu o requisito de abster-se de atuar na política, imposto aos refugiados do *Winnipeg*, e não militava em nenhum partido, mas a amizade com Salvador Allende foi definindo suas ideias com a mesma clareza com que a guerra civil definira seus sentimentos. Víctor o admirava no plano político e, com algumas reservas, também no pessoal. A imagem de líder socialista de Allende era contraditada por seus hábitos burgueses, sua roupa de qualidade, seu refinamento para rodear-se de objetos únicos, que possuía graças aos presentes espontâneos de outros governos e de todos os artistas importantes que havia na América Latina: quadros, esculturas, manuscritos, cerâmica pré-colombiana, tudo que haveria de desaparecer na rapina do último dia de sua vida. Era vulnerável à bajulação e às mulheres bonitas; conseguia detectá-las com um só olhar entre a multidão e atraí-las com sua personalidade e com a vantagem de sua posição de poder. Víctor ficava incomodado com essas fraquezas, que comentou apenas uma vez a sós com Roser. "Que implicante que você é, Víctor, Allende não é Gandhi!", replicou ela. Ambos votaram nele e nenhum dos dois acreditou sinceramente que ele seria eleito. O próprio Allende duvidava disso, mas em setembro obteve mais votos que os outros candidatos. Na falta de maioria absoluta, o Congresso precisava decidir entre os dois candidatos com maior votação. Os olhos do mundo se fixaram no Chile, aquela mancha alongada no mapa, que desafiava as convenções.

Os partidários da utópica revolução socialista na democracia não esperaram a decisão do Congresso: lançaram-se em massa às ruas para compartilhar aquele triunfo tão longamente esperado. Famílias inteiras, dos avós aos netos, em trajes domingueiros, saíram cantando, eufóricos, maravilhados, mas sem um único desmando, como se tivessem combinado alguma misteriosa forma de disciplina. Víctor, Roser e Marcel misturaram-se à multidão agitando bandeiras e cantando que o povo unido jamais será vencido. Carme não os acompanhou, porque aos 85 anos já não lhe restava vida suficiente para entusiasmar-se por algo tão mutável como a política, disse, mas a verdade é que saía muito pouco, dedicada por inteiro a cuidar de Jordi Moliné, que envelhecera entre achaques e não tinha vontade de sair de casa. Este se mantivera jovem de espírito até perder o bar. O *Winnipeg*, que nos anos de existência chegara a ser um marco na cidade, desapareceu quando demoliram o quarteirão para construir umas torres altas que, segundo Moliné, cairiam no próximo terremoto. Carme, em compensação, continuava sadia e enérgica como sempre. Perdera tamanho, era um passarinho sem plumagem, um montinho de ossos e pele com poucos cabelos na cabeça e um cigarro permanente nos lábios. Era incansável, eficiente, seca nos modos e secretamente sentimental; fazia o trabalho de casa e cuidava de Jordi como de um menino indefeso. Ambos planejaram ver o espetáculo do triunfo eleitoral pela televisão com uma garrafa de vinho tinto e presunto defumado. Viram as colunas de gente com cartazes e tochas, constataram o alvoroço e a esperança. "Isso a gente já viu na Espanha, Jordi. Você não estava lá em 36, mas eu lhe digo que é a mesma coisa. Tomara que não termine tão mal como lá", foi o único comentário de Carme.

Passava da meia-noite, e a multidão já começava a dispersar-se nas ruas quando os Dalmau toparam com Felipe del Solar, inconfundível em sua jaqueta de lã de camelo e boné de camurça cor de mostarda. Abraçaram-se como os bons amigos que eram, Víctor empapado de suor e rouco de gritar, Felipe impecável, cheirando a lavanda, com a elegante indiferença que cultivara durante mais de vinte anos. Vestia-se em Londres, aonde ia algumas vezes por ano; a fleuma britânica caía-lhe muito bem. Estava em companhia de Juana Nancucheo, que os Dalmau reconheceram de imediato, porque era a mesma da época distante em que ia de bonde visitar Marcel.

— Não me diga que votou em Allende! — exclamou Roser, abraçando também Felipe e Juana.

— Como pode lhe passar pela cabeça, mulher? Votei na democracia cristã; embora não acredite nas virtudes da democracia nem do cristianismo, não podia dar ao meu pai o gosto de votar no candidato dele. Sou monarquista.

— Monarquista? Homem, pelo amor de Deus! Você não era o único progressista entre os trogloditas do seu clã? — exclamou Víctor, divertido.

— Pecado de juventude. Um rei ou uma rainha é o que nos falta no Chile, como na Inglaterra, onde tudo é mais civilizado que aqui — brincou Felipe, puxando do cachimbo apagado que sempre carregava por uma questão de estilo.

— O que está fazendo na rua, então?

— Andamos tomando o pulso da plebe. A Juana votou pela primeira vez. Faz vinte anos que as mulheres têm direito ao voto, e só agora ela o exerce para votar na direita. Não consegui meter-lhe na cabeça que ela pertence à classe trabalhadora.

— Eu voto como o seu papai, menino Felipe. Essa história da ralé metida, como diz dom Isidro, nós já vimos antes.

— Quando? — perguntou Roser.

— Ela se refere ao governo de Pedro Aguirre Cerda — interveio Felipe.

— Graças àquele presidente é que estamos aqui, Juana, foi ele que trouxe os refugiados do *Winnipeg*, lembra? — perguntou Víctor.

— Devo ter quase oitenta anos, mas o que não me falta é memória, jovem.

Felipe contou que sua família estava entrincheirada na rua Mar del Plata, esperando que as hordas marxistas invadissem o bairro alto. Tinham-se imbuído da campanha de terror que eles mesmos haviam criado. Isidro del Solar estava tão seguro da vitória dos conservadores que planejara uma festa para celebrar com os amigos e correligionários. Os cozinheiros e os garçons ainda estavam na casa, esperando que por intervenção divina o rumo dos acontecimentos mudasse e eles pudessem servir o champanhe e as ostras. Juana foi a única que quis ir ver o que estava acontecendo na rua, não por simpatia política, mas por curiosidade.

— Meu pai anunciou que ia transferir a família para Buenos Aires até que o bom senso voltasse a este país de merda, mas minha mãe não sai daqui, não quer deixar o Bêbe sozinho no cemitério — acrescentou Felipe.

— E o que é feito de Ofelia? — perguntou Roser, adivinhando que Víctor não se atreveria a mencioná-la.

— Ficou fora desse delírio da eleição. Matías foi nomeado encarregado de negócios no Equador, é diplomata de carreira, de modo que o novo governo não vai colocá-lo no olho da rua. Ofelia aproveitou para estudar no ateliê do pintor Guayasamín. Expressionismo feroz de grandes pinceladas. A família é da opinião de que os quadros dele são uns monstrengos, mas eu tenho vários.

— E os filhos dela?

— Estão estudando nos Estados Unidos. Também vão passar esse cataclismo político longe do Chile.

— Você fica?

— Por enquanto sim. Quero ver em que consiste esse experimento socialista.

— Espero de todo o coração que dê certo — disse Roser.

— Você acha que a direita e os americanos vão permitir? Escreva o que eu vou dizer: este país vai para a ruína — respondeu Felipe.

As manifestações de júbilo ocorreram sem incidentes no dia seguinte, e, quando os assustados correram aos bancos para retirar o dinheiro, comprar passagens e fugir, antes que os soviéticos invadissem o país, viram que as ruas estavam sendo limpas como em qualquer sábado normal e nenhum esfarrapado andava de porrete na mão ameaçando as pessoas de bem. Não havia tanta pressa, afinal de contas. Calcularam que uma coisa é ganhar nos votos, outra é chegar à presidência. Faltavam dois meses para a decisão do Congresso e para virar a situação a seu favor. A tensão era palpável no ar, e o plano para barrar Allende já tinha sido posto em marcha antes que ele assumisse o cargo. Nas semanas seguintes, um complô apoiado pelos americanos culminou no assassinato do comandante em chefe do exército, militar respeitoso da constituição, que convinha tirar de circulação. O crime teve efeito contrário ao planejado e, em vez de sublevar os militares, produziu indignação coletiva e fortaleceu a tradição legalista na maioria dos chilenos, pouco acostumados àqueles métodos de facínoras, próprios de alguma república das bananas, nunca do Chile, onde as diferenças não se resolviam a tiros, como disseram os jornais. O Congresso ratificou Salvador Allende, que se tornou o primeiro mandatário marxista eleito democraticamente. A ideia de uma revolução pacífica já não parecia tão destrambelhada.

Durante aquelas semanas conflituosas que separaram a eleição da transmissão do mandato, Víctor não teve oportunidade de jogar xadrez com Allende, porque para o futuro presidente foi um período de conciliábulos políticos, acordos e desacordos a portas fechadas, cabos de guerra entre partidos do governo pelas cotas do poder e fustigação contínua da oposição. Allende denunciava por todos os meios a intervenção do governo americano. Nixon e Kissinger haviam jurado impedir que a experiência chilena triunfasse, pois podia espalhar-se como rastilho de pólvora pelo restante da América Latina e da Europa, e, quando não puderam impedir por meio de suborno e ameaças, começaram a cortejar os militares. Allende não subestimava os inimigos externos e internos, mas confiava de modo irracional que o povo defenderia seu governo. Dizia-se que ele tinha jogo de "munheca" para manejar qualquer situação e virá-la a seu favor, mas durante os dramáticos três anos seguintes ele precisaria de mais magia e boa sorte do que de jogo de munheca. As partidas de xadrez se reiniciaram no ano seguinte, quando o presidente conseguiu estabelecer certa rotina em sua complicada existência.

X

1970-1973

> *En medio de la noche me pregunto:*
> *qué pasará con Chile?*
> *Qué será de mi pobre patria oscura?**
>
> PABLO NERUDA,
> "Insomnio", *Memorial de Isla Negra*

Para Víctor e Roser a existência voltou ao curso de antes, cada um em seu ramo, ele no hospital e ela em suas aulas, concertos e viagens, enquanto o país era sacudido por um vendaval de mudanças. Dois anos antes das eleições, um cirurgião com mãos de ouro implantara um coração humano numa mulher de 24 anos num hospital de Valparaíso. A proeza já tinha sido realizada uma vez na África do Sul, mas ainda era um desafio às leis da natureza. Víctor Dalmau acompanhou cada detalhe do caso e marcou no calendário, um a um, os 133 dias que a paciente sobreviveu. Voltou a sonhar com Lázaro, aquele soldadinho que ele resgatara da morte na plataforma da estação do Norte, pouco antes do término da Guerra Civil. O pesadelo recorrente de Lázaro com seu coração inerte numa bandeja transformou-se num sonho luminoso, em que o garoto andava com uma janela aberta no

---
* No meio da noite me pergunto: / o que acontecerá com o Chile? / O que será de minha pátria escura? [N. T.]

peito, onde seu coração batia perfeitamente saudável, emoldurado por raios dourados, como uma imagem do Sagrado Coração de Jesus.

Um dia Felipe del Solar foi consultar Víctor no hospital, porque sentia umas fisgadas no peito. Nunca tinha posto os pés num hospital público, fazia consultas em clínicas particulares, mas a reputação do amigo o induziu a aventurar-se fora do bairro alto, na zona cinzenta onde morava a gente de outra classe. "Quando você vai ter um consultório em lugar apropriado? E não me venha com a conversa mole de que a saúde é um direito de todos, e não privilégio de uns poucos. Já ouvi isso", foi sua saudação. Não estava acostumado a pegar senha e esperar sua vez numa cadeira de metal. Depois de examiná-lo, Víctor anunciou-lhe sorrindo que seu coração estava bom e que as pontadas no peito eram consciência pesada ou ansiedade. Enquanto se vestia, Felipe comentou que meio Chile sofria de consciência pesada ou ansiedade por causa da situação política, mas ele supunha que a tão alardeada revolução socialista ia ficar no papel, que o governo se paralisaria entre as rixas dos partidos que o apoiavam e os conluios do poder.

— Se fracassar, Felipe, não será só por isso que você está mencionando, mas principalmente pelas maquinações dos adversários e pela intervenção de Washington — replicou Víctor.

— Aposto que não haverá mudanças fundamentais.

— Está enganado. As mudanças já podem ser notadas. Faz quarenta anos que Allende está imaginando esse projeto político e o pôs para andar a todo vapor.

— Uma coisa é planejar, outra é governar. Você vai ver como haverá caos político e social neste país e como a economia vai para a bancarrota. Essa gente não tem experiência nem preparo, passa o tempo em discussões intermináveis e não consegue entrar em acordo por nada — disse Felipe.

— A oposição, em contrapartida, tem um único objetivo, certo? Derrubar o governo a qualquer custo. Pode ser que consiga, porque conta com enormes recursos e pouquíssimos escrúpulos — replicou Víctor, irritado.

Allende tinha anunciado em sua campanha as medidas que ia tomar: nacionalizar a indústria do cobre, transferir empresas e bancos para as mãos do Estado, expropriar terras. O impacto sacudiu o país. As reformas deram bons resultados nos primeiros meses, mas, com a emissão descontrolada de moeda, a inflação disparou até o ponto de ninguém saber quanto custava o pão de hoje em relação ao de ontem. Tal como Felipe del Solar prognosticara, os partidos do governo brigavam entre si, as empresas tomadas pelos trabalhadores funcionavam mal, a produção despencava, e a sabotagem inteligente da oposição provocou desabastecimento. Na família Dalmau, Carme era quem mais se queixava.

— Fazer compras é uma desgraça, Víctor, nunca sei o que vou encontrar. Cozinha não é comigo. Quem cozinha em casa é Jordi, mas você sabe que ele se transformou num velhinho amedrontado e chorão que não põe a cara para fora da porta. Quem entra na fila para comprar um franguinho magrelo pelo preço de tabela sou eu. Preciso deixá-lo sozinho durante muitas horas, e ele fica assustado quando não estou. Vir para este fim de mundo e entrar de novo na fila para comprar cigarro!

— A senhora fuma demais, mãe, não perca tempo com isso.

— Não perco tempo, pago aos profissionais.

— Que profissionais?

— Já vi que você faz compras no mercado negro, filho. São garotos ociosos ou velhos aposentados que, por um preço módico, guardam lugar na fila.

— Allende explicou as razões do desabastecimento. Acho que a senhora viu na televisão.

— E no rádio ouvi mais de cem vezes. Que pela primeira vez o povo tem meios para comprar, mas os empresários o impedem, porque preferem se ferrar, desde que semeiem o descontentamento. Blá-blá-blá... Lembra da Espanha?

— Sim, mãe, lembro muito bem. Tenho contatos, vou ver se consigo algumas coisas.

— Como o quê?

— Papel higiênico, por exemplo. Tenho um paciente que às vezes me traz alguns rolos de presente.

— Ora! Valem o peso em ouro, Víctor.

— Foi o que me disseram.

— Escute, filho, você tem contatos para leite condensado e azeite? O cu eu posso limpar com jornal. E veja se me consegue cigarros.

Não só alimentos desapareceram: também peças de reposição de máquinas, pneus, cimento, fraldas, leite em pó para mamadeiras e outros artigos essenciais. Em compensação, havia em excesso molho de soja, alcaparras e esmalte de unhas. Quando começou o racionamento de gasolina, o país se encheu de ciclistas inexperientes ziguezagueando entre os pedestres, mas o povo continuou eufórico. Finalmente se sentia representado pelo governo, todos iguais, companheiro para lá, companheiro para cá, companheiro presidente. A escassez, o racionamento e a sensação de constante precariedade não eram novidades para quem sempre tinha vivido com o justo ou sempre tinha sido pobre. Por todos os lados ouviam-se as canções revolucionárias de Víctor Jara, que Marcel sabia de cor, embora fosse o menos apaixonado por política na família Dalmau. As paredes se encheram de pinturas murais e cartazes, representavam-se obras de teatro nas praças e publicavam-se livros pelo preço de um sorvete, para que cada lar contasse com sua biblioteca.

Os militares estavam quietos nos quartéis e, se alguns conspiravam, nada vinha à tona. A Igreja Católica mantinha-se oficialmente à margem do enfrentamento político. Havia sacerdotes dignos da Inquisição, que do púlpito incitavam à sanha e ao rancor, mas também padres e freiras que simpatizavam com o governo, não por ideologia, mas porque serviam aos mais necessitados. A imprensa de direita clamava em manchetes: CHILENOS, JUNTEM ÓDIO. E a burguesia, assustada e furiosa, atirava milho nos militares, provocando-os para a sublevação: "Galinhas, maricões, empunhem armas".

— Aqui pode acontecer o que aconteceu na Espanha — repetia Carme, como uma cantilena.

— Allende diz que nunca haverá guerra fratricida, porque o governo e o povo impediriam — tentava tranquilizá-la Víctor.

— Esse seu companheiro peca pela credulidade. O Chile está dividido em bandos irreconciliáveis, filho. Os amigos brigam, há famílias divididas ao meio, já não se consegue falar com ninguém que não pense como a gente. Eu já não me junto com várias amigas antigas para não brigarmos.

— Não exagere, mãe.

Mas ele também sentia a violência no ar. Uma noite, Marcel voltava de bicicleta de um show de Víctor Jara e parou para observar um grupo de jovens que, montados em escadas, pintavam um mural com pombas e fuzis. De repente apareceram do nada dois automóveis, deles desceram vários homens armados de ferros e paus e em poucos minutos deixaram os artistas estirados no chão. Antes que Marcel conseguisse reagir, voltaram aos carros, que esperavam com os motores ligados, e desapareceram rapidamente. Uma patrulha policial chegou em poucos minutos, avisada por algum vizinho, e uma ambulância recolheu os que estavam em piores condições. Os policiais levaram Marcel à delegacia para prestar depoimento como testemunha do fato. Víctor foi buscá-lo ali às três da madrugada, porque ele estava tão abalado que não quis voltar para casa de bicicleta.

Surgiu um movimento de esquerda que propugnava a luta armada, cansado de esperar que a revolução triunfasse por bem, e simultaneamente surgiu outro, fascista, que também não acreditava em acordos civilizados. "Se de lutar se trata, então lutemos", diziam ambos. Para escapar por algumas horas do carinho meloso de Jordi, Carme ia às manifestações de massa que enchiam as ruas em apoio ao governo e também às outras, igualmente numerosas, da oposição. Saía com sapatilhas de ginástica, um limão e um lenço embebido em vinagre, por causa das bombas de gás lacrimogêneo, e costumava voltar encharcada até os ossos pelos jatos de água com que a polícia procurava impor ordem. "Tudo está revolto", dizia. "Aqui basta uma chispa para explodir."

A fazenda de Isidro del Solar não foi desapropriada, mas os camponeses a tomaram por iniciativa própria. Ele a deu por perdida temporariamente, visto que a decência e a moral seriam restauradas mais cedo ou mais tarde, como dizia, indignado, e concentrou-se em salvar seu negócio de exportação de lã, antes que a turba lhe comesse os animais. Contratou uns guias do Sul, que conheciam trilhas e atalhos da cordilheira, e mandou suas ovelhas para a Patagônia argentina, assim como outros pecuaristas mandavam vacas. Também transferiu a família para Buenos Aires, como havia anunciado. Foram-se em massa, inclusive as filhas casadas, os genros e os netos com suas babás, mas Juana Nancucheo ficou na rua Mar del Plata, cuidando da casa. Laura foi levada à força, estonteada com tranquilizantes e doces, depois de lhe prometerem que em sua ausência Felipe manteria flores frescas no túmulo de Leonardo. Foi o único que ficou e continuou trabalhando em seu escritório de advocacia; os outros dois advogados foram abrir uma filial em Montevidéu.

Naquele tempo Felipe ia com frequência visitar os Dalmau na casa do antigo bairro Nuñoa, onde não morava ninguém de sua classe. Aparecia com duas garrafas de vinho e ânimo para conversar. Já não se sentia bem entre os amigos de sempre e tampouco se dava muito com os poucos conhecidos de esquerda, que desconfiavam de suas maneiras lânguidas, copiadas dos ingleses, e da vagueza de sua posição política. O Clube dos Furiosos tinha se dispersado fazia tempo. Ele se dedicou a adquirir a preço de pechincha antiguidades e obras de arte das famílias que saíam do país e logo faltou espaço em sua casa para se movimentar. Começou a procurar outra maior, aproveitando que as propriedades estavam praticamente de graça. Ria de si mesmo, lembrando que na juventude criticava os excessos da mansão dos pais. Roser perguntou o que ele ia fazer com suas bugigangas, caso decidisse ir para o exterior, como costumava anunciar, e ele respondeu que as guardaria em algum depósito até voltar, porque o Chile não era a Rússia nem Cuba, e a famosa revolução à chilena ia durar muito pouco. Parecia tão seguro que Víctor desconfiava de que o amigo estivesse por dentro de alguma conspiração importante. Por via das dúvidas, nunca mencionou suas partidas de xadrez com o presidente. Quando Felipe tomava uísque, além do vinho do jantar, sua língua se soltava, e ele deitava falação contra a vida e o mundo. Do idealismo e da generosidade da juventude restava pouco, ele se tornara cínico. Admitia que o socialismo é o sistema mais justo, mas na prática conduz a um Estado policial ou a uma ditadura, como ocorria em Cuba, onde quem discordava do regime fugia para Miami ou acabava preso. Sua natureza aristocrática abominava a bagunça da igualdade, os clichês revolucionários, as palavras de ordem dogmáticas, a vulgaridade dos modos, as barbas hirsutas, a feiura do estilo artesanal — móveis de madeira queimada e tapetes de juta, alpargatas, ponchos, colares de sementes, saias de crochê —, enfim, um desastre generalizado. "Não entendo por que é preciso vestir-se de mendigo", alegava. E sem falar daquilo que chamavam de cultura popular, que nada tinha de cultura, era um horror de realismo soviético à chilena, pinturas murais com mineradores de punho erguido e retratos de

Che Guevara, cantores sermonando com sua musiquinha monótona. "Até a *trutruca* dos mapuches e a *quena* dos quéchuas estão na moda!" Mas, entre suas amizades habituais de direita, ele impingia um discurso também devastador contra os magnatas recalcitrantes e conspiradores, trancados no passado, cegos e surdos às demandas do povo, dispostos a defender seus privilégios à custa da democracia e do país, traidores. Ninguém o suportava, e ele foi se isolando. Pesava-lhe a solidão de solteirão e multiplicaram-se seus achaques.

Víctor, que tanto celebrara as melhorias na saúde pública, desde o copo de leite diário por criança, para paliar a desnutrição, até a construção de hospitais, viu-se diante da falta de antibióticos, anestesias, agulhas, seringas, medicamentos básicos e gente para atender os doentes, porque vários médicos tinham ido embora do Chile para escapar da temida tirania soviética, anunciada pela propaganda da oposição, e porque o Conselho de Medicina declarara greve, e a maioria dos colegas a acatou. Ele continuou trabalhando com carga horária dupla. Dormia em pé, cansado até a alma, com a sensação de ter vivido algo semelhante na Guerra Civil. Outros conselhos profissionais e associações de patrões e empresários também pararam. Quando os caminhoneiros se negaram a trabalhar, aquele país comprido ficou sem transporte: os peixes apodreciam no Norte, e as verduras e frutas, no Sul, enquanto em Santiago faltava o essencial. Allende denunciava alto e bom som a intervenção americana, que financiava os caminhoneiros, e a conspiração da direita. Até os estudantes se somavam à desordem, entrincheirando-se nas salas da universidade. Quando bloquearam a entrada da faculdade com sacos de areia, Roser passou a marcar encontros com os alunos no Parque Florestal e a dar aulas teóricas ao ar livre, com guarda-chuva, se necessário; fazia chamada e dava notas como sempre, lamentando não poder arrastar um piano de cauda até ali. As pessoas se acostumaram à presença de policiais com farda de combate, aos letreiros e faixas de protesto, aos cartazes incendiários, às ameaças e advertências catastróficas da imprensa, à gritaria de ambos os lados, todos contra todos. No entanto, quanto à nacionalização total da mineração, houve consenso.

— Já era hora — comentou Marcel Dalmau com a avó. — O cobre é a riqueza do Chile, é o que sustenta a economia.

— Se o cobre é chileno, não entendo por que é preciso nacionalizá-lo.

— Sempre esteve nas mãos das companhias americanas, àvia. O governo o tirou delas e considerou paga a indenização, uma vez que elas devem ao país bilhões de dólares por ganhos excessivos e sonegação de impostos.

— Disso os americanos não vão gostar. Escute o que estou dizendo, Marcel, vai dar bode — comentou Carme.

— Quando os americanos saírem da mineração, vão ser necessários mais engenheiros e geólogos chilenos. Vou entrar na moda, àvia.

— Fico feliz. Vai ganhar mais?

— Não sei. Por quê?

— Porque assim você se casa, Marcel. Nesta família somos quatro gatos-pingados, e, se você não se esforçar, não vou conhecer meus bisnetos. Você tem 31 anos, está na hora de assentar a cabeça.

— Ela está assentada.

— Não sei de mulheres em sua vida, isso não é normal. É porque você nunca se apaixonou? Ou será que você é um daqueles... Bom, já sabe do que estou falando.

— Mas que indiscreta que você é, àvia.

— Isso é por causa do vício da bicicleta. Esmaga os testículos e causa impotência e esterilidade.

— Ah, tá.

— Isso eu li numa revista na cabelereira. E não é que você não seja bem-apessoado, Marcel. Se tirasse essa barba e cortasse essa cabeleira, ia ficar parecido com o Dominguín.

— Quem?

— O toureiro, ué. E bobo você também não é. Acorde! Parece um monge trapista.

Carme não esperava que uma das consequências da nacionalização seria seu neto ser mandado como bolsista para os Estados Unidos pela Corporação do Cobre. Pôs na cabeça que, se ele fosse, ela não voltaria a vê-lo. Marcel foi para o Colorado, a uma cidade aos pés das Montanhas Rochosas, fundada na febre do ouro, estudar geologia. Levou a bicicleta desmontada, porque era feita sob medida para ele, e os discos de Víctor Jara. Partiu antes que a desordem se transformasse na violência que destroçaria o país. "Eu lhe escrevo", foi a última coisa que ela lhe disse no aeroporto.

Marcel tinha estudado inglês com o mesmo afinco taciturno com que se negava a falar catalão. Em poucas semanas conseguiu adaptar-se no Colorado. Chegou no início de um outono dourado e poucas semanas depois estava cavando neve. Fez amizade com alguns fanáticos por bicicleta que treinavam para cruzar os Estados Unidos do Pacífico ao Atlântico e com um grupo que escalava montanhas. Víctor nunca conseguiu ir vê-lo porque, entre distúrbios, manifestações, paralisações, greves e excesso de trabalho, não encontrou tempo para viajar, mas Roser o visitou algumas vezes e pôde informar ao restante da família que seu filho possivelmente havia dito mais palavras em inglês no Colorado do que as que pronunciou em espanhol durante toda a vida. Tinha tirado a barba e usava uma trança curta na nuca. Carme tinha razão, ele se parecia com Dominguín. Longe da vigilância da família e livre dos conflitos e das arbitrariedades do Chile, no remanso intelectual da universidade, dedicado a decifrar a natureza secreta das pedras, pela primeira vez ele se sentiu bem na própria pele. Ali não era filho de refugiados, ninguém tinha ouvido falar da Guerra Civil Espanhola, e poucos podiam situar o Chile no mapa, muito menos a Catalunha. Naquela realidade diferente e em outra língua, fez amigos e, ao fim de alguns meses, estava morando num minúsculo apartamento com seu primeiro amor, uma jovem da Jamaica que estudava literatura e escrevia para os jornais. Em sua segunda visita, Roser a conheceu e voltou ao Chile comentando que, além de bonita, a moça tinha a alegria e a loquacidade que faltavam a Marcel. "Fique tranquila, dona Carme, finalmente seu neto está se desinibindo. A moça jamaicana está ensinando Marcel a dançar os ritmos caribenhos de seu país. Se a senhora o visse se contorcendo como um africano ao ritmo da bateria e das maracas, não ia acreditar."

Tal como temia, Carme não voltou a abraçar o neto e não chegou a conhecer a menina da Jamaica nem outras namoradas dele, tampouco os bisnetos que teriam prolongado a estirpe dos Dalmau, porque amanheceu morta no exato dia em que fazia 87 anos, quando já haviam sido instalados o toldo e as mesas para a festa no quintal. Na noite anterior tinha ido dormir com tosse de fumante, como sempre, mas com boa saúde, antevendo a celebração de seu aniversário. Jordi Moliné acordou com a luz do dia a escoar pelas frestas da veneziana e ficou preguiçando na cama à espera de que o cheiro de pão torrado lhe anunciasse a hora de se levantar de chinelos para ir tomar café. Demorou vários minutos para perceber que Carme estava a seu lado, imóvel e fria como mármore. Tomou-lhe a mão e ficou quieto, chorando sem espalhafato e pensando na terrível traição que era ela ter ido embora antes e tê-lo deixado sozinho.

Roser descobriu Carme por volta da uma da tarde, quando apareceu com o bolo e o carro cheio de balões, para pôr as mesas antes de chegarem o cozinheiro e seus ajudantes. Estranhou o silêncio e a penumbra, as janelas fechadas e o ar imóvel. Da sala, chamou a sogra e Jordi, antes de ir procurá-los na cozinha e aventurar-se no dormitório. Depois, quando conseguiu reagir, pegou o telefone e chamou primeiro o número de Víctor no hospital e depois o de Marcel num hotel de Buenos Aires, onde por acaso estava com um grupo de estudantes, para lhes anunciar que a *àvia* tinha morrido, e Jordi, desaparecido.

Carme disse mais de uma vez que, se morresse no Chile, queria ser enterrada na Espanha, onde jaziam o marido e o filho Guillem, e, se morresse na Espanha, queria ser enterrada no Chile, para ficar perto do resto da família. Por quê? Só para encher o saco, acrescentava rindo. Mas não era só uma brincadeira, era a angústia do amor dividido, da separação, de viver e morrer longe dos seus. Marcel conseguiu voar no dia seguinte para Santiago. Velaram a avó na casa onde ela vivera dezenove anos com Jordi Moliné. Não houve cerimônia religiosa, porque a última vez em que ela pisara numa igreja tinha sido quando era novinha, antes de se apaixonar por Marcel Lluíz Dalmau, mas apareceram sem ser chamados dois padres da sociedade missionária Maryknoll, que moravam na vizinhança e com quem Carme fazia rolos, trocando presunto defumado e queijo manchego, que Jordi conseguia por vias ilegais, por cigarros que os padres recebiam de Nova York. Os religiosos improvisaram um serviço fúnebre de que Carme teria gostado, com violão e canto, durante o qual o único inconsolável era o neto Marcel, que tinha com a *àvia* uma relação de cumplicidade. Tomou dois copos de pisco e se sentou para chorar pelo que não conseguira lhe dizer, pela ternura perdida que ele tivera vergonha de demonstrar, por ter se negado a falar com ela em catalão, por ter caçoado da péssima comida dela, por não ter respondido a cada uma de suas cartas. Ele era quem estivera mais perto do coração daquela avó impertinente e mandona que lhe escrevia uma carta por dia desde que ele tinha ido para o Colorado até um dia antes de morrer. A única coisa que haveria de acompanhar Marcel para sempre, aonde quer que lhe coubesse viver, seria a caixa de sapatos amarrada com barbante, que continha as 359 cartas da *àvia*. Víctor sentou-se junto a Marcel, mudo e triste, pensando que sua pequena família tinha perdido o pilar que a sustentava. Bem tarde naquela noite, disse isso a Roser, na intimidade do quarto. "O pilar que nos sustentou sempre foi você, Víctor", mostrou-lhe ela. No velório estiveram os vizinhos, antigos colegas e alunos da escola onde Carme trabalhara durante anos, amigos dela dos tempos em que acompanhava Jordi na taverna *Winnipeg* e amigos de Víctor e Roser. Às oito da noite chegaram os carabineiros e, bloqueando a quadra inteira com motocicletas, abriram passagem para três Fiats azuis. Num deles ia o presidente, dar os pêsames ao parceiro de xadrez. Víctor comprou um lote no cemitério para enterrar a mãe, com espaço para o restante da família, para Jordi e talvez para os restos de seu pai, caso no futuro conseguisse trazê-los da Espanha. Percebeu então que a partir daquele momento pertencia definitivamente ao Chile. "Pátria é onde estão nossos mortos", costumava dizer Carme.

Enquanto isso, a polícia procurava Jordi Moliné. O velho não tinha família, e seus amigos eram os mesmos de Carme. Ninguém o vira. Acreditando que tinha se perdido, porque estava um pouco demente, e que não devia ter ido muito longe, os Dalmau pregaram avisos com fotografia dele nas vitrines das lojas do bairro e deixaram a porta de casa destrancada, para que ele pudesse entrar caso voltasse. Roser achava que ele tinha saído de pijama e chinelos, pois lhe pareceu que toda a roupa e os sapatos dele estavam no armário, mas não tinha certeza. Teve a confirmação no verão, quando o leito do rio Mapocho baixou e finalmente encontraram o que sobrava do velhinho, enredado em vegetação. De sua roupa só acharam farrapos do pijama. Passou-se um mês completo antes que ele fosse identificado com certeza e entregue aos Dalmau para ser enterrado junto a Carme.

Apesar dos problemas de todo tipo, da inflação galopante e das notícias catastróficas propagadas pela imprensa, o governo tinha apoio popular, como ficou demonstrado nas eleições parlamentares, nas quais sua base aumentou de maneira inesperada. Então ficou evidente que não bastavam a crise econômica e a escalada do ódio para acabar com Allende.

— A direita está se armando, doutor — advertiu o paciente que levava papel higiênico a Víctor. — Sei, porque na minha fábrica agora há porões fechados a sete chaves, com trancas metálicas e cadeados. Ninguém tem acesso.

— Isso não prova nada.

— Uns companheiros estão se revezando para montar guarda dia e noite, por causa da sabotagem, sabe? Eles viram uns caixotes sendo descarregados de caminhões. Como é uma carga diferente da habitual, decidiram investigar. Eles têm certeza de que estão cheios de armas. Aqui vai haver um banho de sangue, doutor, porque o pessoal do movimento revolucionário também está armado.

Naquela noite Víctor comentou esse fato com Allende. Estavam terminando uma partida que haviam deixado inacabada várias noites antes. A casa comprada pelo governo para abrigar os presidentes era de estilo espanhol, com janelas em arco, telhas de barro, um mosaico com o brasão nacional na entrada e duas palmeiras altas, que eram vistas da rua. Os guardas conheciam Víctor, e ninguém estranhava quando ele chegava em hora avançada da noite. Jogavam xadrez na sala, onde sempre havia um tabuleiro pronto entre livros e obras de arte. Allende ouviu Víctor sem surpresa, já sabia daquilo, mas legalmente não se podia invadir aquela fábrica nem outras empresas onde sem dúvida ocorria o mesmo. "Não se preocupe, Víctor, enquanto os militares permanecerem leais ao governo, não há o que temer. Confio no comandante em chefe, é homem honrado." Acrescentou que igualmente perigosos eram os vociferantes extremistas de esquerda, que exigiam uma revolução como a cubana; aquela gente de cabeça quente prejudicava o governo tanto quanto a direita.

No fim do ano uma multidão prestou homenagem a Pablo Neruda no Estádio Nacional, o mesmo local onde nove meses depois haveria prisioneiros e torturadores. Foi o último ato público do poeta, que recebera o Prêmio Nobel algumas semanas antes das mãos do velho monarca sueco. Ele deixou seu cargo de embaixador na França e recolheu-se à casa estrambótica da Ilha Negra que tanto amava. Estava doente, mas continuava escrevendo em sua pequena escrivaninha, com o mar raivoso a rebentar em espuma diante de sua janela. Ali foi visitado por Víctor várias vezes nos meses seguintes, como amigo e, em algumas oportunidades, como médico. Víctor o encontrava de poncho indígena e boina, afável e glutão, pronto para dividir com o hóspede uma corvina ao forno, regada com vinho chileno, e conversar sobre a vida. Já não era o homem brincalhão e piadista que se fantasiava para divertir os amigos e escrevia odes ao dia feliz. Choviam-lhe convites, prêmios e mensagens de admiração do mundo inteiro, mas seu coração estava pesado. Temia pelo Chile e estava escrevendo suas memórias, das quais a Guerra Civil e o *Winnipeg* ocupavam várias páginas. Emocionava-se ao lembrar-se de tantos amigos espanhóis assassinados ou desaparecidos. "Não quero morrer antes de Franco", dizia. Víctor assegurou-lhe que ele viveria muitos anos, seu mal era lento, estava controlado, mas também ele desconfiava que o Caudilho era imortal. Estava havia 33 anos agarrado ao poder com punho de ferro. Para Víctor, a lembrança da Espanha era cada vez mais difusa. Todo ano, à meia-noite do dia 31 de dezembro, ele erguia um brinde ao Ano Novo e ao próximo retorno a seu país, mas só o fazia por tradição, sem verdadeira ilusão nem desejo. Desconfiava que a Espanha onde tinha nascido, a Espanha que ele conhecia e pela qual tinha lutado, já não existia. Naqueles anos, dominada por fardas e batinas, teria se transformado num lugar ao qual ele já não pertencia.

Ele, tal como Neruda, temia pelo Chile. Os rumores de um possível golpe, que circulavam fazia dois anos, tinham subido de volume. O presidente continuava confiando nas Forças Armadas, embora soubesse que estavam divididas. No começo da primavera, a violência da oposição escalara a extremos nunca vistos, e o descontentamento entre os militares se tornara desafiador. O comandante em chefe, derrotado pela insubordinação de seus oficiais, renunciou ao cargo. Explicou ao presidente que seu dever de soldado era afastar-se para evitar a quebra da disciplina militar. Seu gesto foi inútil. Dias depois, às cinco da madrugada, deflagrou-se o temido golpe militar; em poucas horas a realidade se subverteu, e nada mais voltou a ser como antes.

Víctor saiu cedo para o hospital e deparou com as ruas bloqueadas por tanques, fileiras de caminhões verdes transportando tropas, helicópteros zumbindo a baixa altura, como pássaros de mau agouro, soldadesca com armas de guerra, caras pintadas como comanches, afastando a coronhadas os poucos civis que circulavam àquela hora. Entendeu imediatamente o que estava acontecendo. Voltou para casa e ligou para Roser, em Caracas, e para Marcel, no Colorado. Ambos anunciaram que tomariam o primeiro avião disponível para voltar ao Chile, e ele os convenceu a esperar a tormenta passar. Tentou em vão comunicar-se com o presidente e com alguns dirigentes políticos que conhecia. Não havia notícias. Os canais de televisão estavam nas mãos dos rebeldes, assim como as rádios, com exceção de uma, que confirmou o que ele supunha. A operação para silenciar o país, organizada na embaixada dos Estados Unidos, foi precisa e eficaz. A censura começou de imediato. Víctor decidiu que seu lugar era o hospital. Jogou uma muda de roupa e uma escova de dentes numa sacola e saiu em seu velho Citroën pelas ruas laterais, com um rádio de pilha que, entre chiados destemperados, transmitia a voz do presidente, denunciando a traição dos militares e o golpe fascista e pedindo às pessoas que se mantivessem calmas em seus locais de trabalho, que não aceitassem provocações nem se deixassem desencorajar, reiterando que ele permaneceria em seu posto, defendendo o governo legítimo. "Colocado num trânsito histórico, pagarei com a vida a lealdade do povo." Com os olhos cheios de lágrimas, Víctor não conseguia continuar e parou num momento em que sobre ele passavam rugindo aviões de caça. Quase imediatamente ouviu as primeiras bombas e viu ao longe uma fumarada espessa; deu-se conta, incrédulo, de que estavam bombardeando o palácio presidencial.

Os quatro generais da Junta Militar que regia os destinos da pátria, com uniforme de combate, emoldurados pela bandeira e pelo brasão nacional, entre acordes de hinos militares, apareciam várias vezes por dia na televisão, com seus decretos e proclamações. Toda a informação estava controlada. Disseram que Salvador Allende havia se suicidado no palácio em chamas, e Víctor desconfiou que ele tinha sido assassinado como tantos outros. Só então compreendeu a gravidade definitiva do ocorrido. Não havia retorno. Os ministros foram encarcerados; o Congresso, declarado em recesso por tempo indeterminado; os partidos políticos, proibidos; a liberdade de imprensa e os direitos civis, suspensos até segunda ordem. Nos quartéis foram presos os que hesitaram em unir-se ao golpe, muitos dos quais foram fuzilados; mas nada disso se soube até bem depois, porque as Forças Armadas tinham de dar a impressão de ser monolíticas e indestrutíveis. O ex-comandante em chefe fugiu para a Argentina, a fim de não ser assassinado pelos próprios camaradas de armas, mas um ano depois puseram uma bomba em seu automóvel, e ele morreu despedaçado com a esposa. O general Augusto Pinochet encabeçou uma Junta Militar e logo se converteria na personificação da ditadura. A repressão foi instantânea, fulminante e profunda. Anunciaram que não ficaria pedra sobre pedra, que os marxistas seriam arrancados de seus covis onde quer que se escondessem, que a pátria seria purgada do câncer comunista a qualquer preço. Enquanto no bairro alto a burguesia finalmente celebrava com o champanhe que ficara guardado quase três anos, nas populações operárias reinava o terror. Víctor não voltou para casa durante nove dias; primeiro, porque houve um toque de recolher de 72 horas e ninguém pôde sair à rua; depois, porque o hospital não dava conta, chegavam feridos à bala, e o necrotério se encheu de corpos sem identificação. Ele comia o que conseguia na cafeteria, dormia quando dava, sentado numa cadeira, lavava-se por partes com uma esponja e só conseguiu trocar de roupa uma vez. Demorou várias horas para conseguir uma comunicação internacional. Ligou para Roser do hospital, ordenando-lhe que não voltasse por motivo nenhum, até que ele avisasse, e pediu que transmitisse o recado a Marcel. A universidade tinha sido fechada, e qualquer tentativa de resistência dos estudantes havia sido debelada a balas. Contaram-lhe que das paredes da escola de jornalismo e de outras faculdades escorria sangue. Não soube dar notícias a Roser sobre a Escola de Música nem sobre seus alunos. A greve dos médicos terminou imediatamente, e seus colegas se reintegraram aos postos com ânimo alegre; já começara o expurgo do pessoal e até dos pacientes, que os agentes de segurança arrancavam das camas. Puseram um coronel no comando do hospital, e soldados armados de metralhadora vigiavam a entrada, a saída, os corredores e as salas, até mesmo as de cirurgia. Vários médicos de esquerda foram presos, e outros fugiram ou se exilaram e não chegaram a seus postos, mas Víctor continuou trabalhando com uma sensação irracional de impunidade.

Quando finalmente foi para casa tomar banho e trocar de roupa, viu-se numa cidade desconhecida, limpa e pintada de branco. Naqueles poucos dias haviam desaparecido os murais revolucionários, os cartazes com chamamento ao ódio, o lixo, os homens barbudos e as mulheres de calças compridas; viu nas vitrines das lojas os produtos que antes só eram conseguidos no mercado negro, mas havia poucos compradores, porque os preços tinham subido. Soldados e carabineiros armados vigiavam, havia tanques nas esquinas e passavam velozes peruas fechadas, uivando como chacais. Reinavam a ordem impoluta dos quartéis e a paz artificial do medo. Ao entrar em casa, Víctor cumprimentou a vizinha de muitos anos, que naquele momento assomou à janela. Ela não respondeu e fechou a veneziana com violência. Isso devia ter servido de advertência, mas ele se limitou a dar de ombros, achando que a pobre mulher estava tão confusa quanto ele com os últimos acontecimentos. A casa tinha ficado tal como ele a deixara na pressa de sair no dia do golpe: cama desfeita, roupa espalhada, pratos sujos, comida com mofo verde na cozinha. Faltou-lhe ânimo para arrumar as coisas. Caiu de costas na cama e dormiu quatorze horas.

Por aqueles dias Pablo Neruda morreu. O golpe militar foi a culminação de seus piores temores; ele não resistiu, e sua saúde se agravou subitamente. Enquanto era levado de ambulância para uma clínica de Santiago, a tropa invadia seu lar na Ilha Negra, remexia seus papéis e pisoteava suas coleções de garrafas, conchas e caracóis, em busca de armas e guerrilheiros. Víctor foi visitá-lo na clínica, onde os guardas o revistaram, tiraram suas impressões digitais, fotografaram-no e por fim o soldado que tomava conta da porta do quarto bloqueou sua entrada. Pelo que sabia da doença de Neruda e por tê-lo visto com boa aparência um mês antes, estranhou sua morte. Não foi o único que suspeitou das circunstâncias. Logo começou a circular o rumor de que ele tinha sido envenenado. Três dias antes de ser internado na clínica, o poeta escrevera as últimas páginas de suas memórias com a profunda decepção de ver seu país dividido e submetido, e de saber que seu amigo Salvador Allende tinha sido enterrado secretamente num lugar qualquer sem outro séquito além da viúva. "*...aquela gloriosa figura morta ia crivada e despedaçada pelas balas das metralhadoras dos soldados do Chile que de novo haviam traído o Chile*", escreveu. Tinha razão, os militares haviam se sublevado antes contra um governo legítimo, mas a fraca memória coletiva limpara da história as traições antigas. O funeral do poeta foi o primeiro ato de repúdio aos golpistas e só não foi proibido porque os olhos do mundo estavam voltados para ele. Víctor estava operando um paciente grave e não pôde deixar o hospital. Soube dos detalhes vários dias depois pelo homem do papel higiênico.

— Não havia muita gente, doutor. Lembra da multidão no Estádio Nacional, quando prestaram homenagem ao poeta? Bom, eu diria que no cemitério éramos umas duzentas pessoas no máximo.

— A notícia acaba de sair na imprensa, quando já é tarde; poucos ficaram sabendo da morte e do enterro.

— As pessoas estão com medo.

— Muitos amigos e admiradores de Neruda devem estar escondidos ou presos. Conte como foi — pediu Víctor.

— Eu ia na frente, bem assustado, porque havia soldados com metralhadoras em todo o caminho do cemitério. O caixão estava coberto de flores. Andávamos calados, até que alguém gritou: "Companheiro Pablo Neruda!" E todos respondemos: "Presente, agora e sempre!"

— O que os soldados fizeram?

— Nada. Então um sujeito valente gritou: "Companheiro presidente!" E todos respondemos: "Presente, agora e sempre!" Foi emocionante, doutor. Também gritamos que o povo unido jamais será vencido, e os soldados não fizeram nada. Mas havia um sujeito tirando fotos dos que iam no cortejo. Vai saber para que eles querem essas fotos.

Víctor suspeitava de tudo. A realidade tinha ficado escorregadia, vivia-se entre omissões, mentiras e eufemismos, numa exaltação grotesca da benemérita pátria, dos valentes soldados e da moral tradicional. Apagou-se a palavra "companheiro", ninguém se atrevia a pronunciá-la. Entre sussurros circulavam notícias de campos de concentração, de execuções sumárias, de milhares de detidos, desaparecidos, fugitivos e desterrados, de centros de tortura onde usavam cães para violentar mulheres. Perguntava-se onde estavam antes os torturadores e os delatores que não eram vistos. Surgiram espontaneamente em poucas horas, preparados e organizados como se tivessem treinado durante anos. O Chile profundo dos fascistas sempre estivera ali, debaixo da superfície, pronto para emergir. Era o triunfo da direita soberba, a derrota do povo que acreditara naquela revolução. Víctor ficou sabendo que Isidro del Solar tinha voltado com a família poucos dias depois do golpe, como tantos outros, pronto para recuperar seus privilégios e as rédeas da economia, mas não do poder político, que ficaria nas mãos dos generais enquanto punham ordem no caos em que o marxismo afundara a pátria, como disseram. Ninguém imaginou quanto ia durar a ditadura, só os generais.

Foi a vizinha que denunciou Víctor Dalmau, a mesma mulher que dois anos antes lhe pedira que se valesse da amizade com o presidente para empregar o filho no corpo de carabineiros, a mesma em cujo coração ele implantara duas válvulas, a mesma que trocava açúcar e arroz com Roser, a mesma que assistira compungida ao velório de Carme. Víctor foi preso no hospital. Três homens à paisana, que não se identificaram, foram buscá-lo na sala de cirurgia, mas tiveram a decência de esperar que ele terminasse a operação. "Acompanhe-nos, doutor, é uma diligência de rotina", ordenaram em tom firme. Na rua, empurraram-no para dentro de um carro preto, algemaram-no e lhe vendaram os olhos. O primeiro soco caiu no estômago.

Víctor Dalmau não soube onde estava até que, dois dias depois, os que o interrogavam se deram por satisfeitos e o tiraram arrastado das entranhas do prédio, arrancaram-lhe a venda dos olhos, soltaram as algemas e ele conseguiu respirar ar puro. Demorou vários minutos para adaptar a vista à luz ofuscante do meio-dia e recuperar o equilíbrio para se manter em pé. Encontrava-se no Estádio Nacional. Um recruta muito jovem entregou-lhe um cobertor, tomou-o pelo braço sem hostilidade e levou-o a passo lento em direção à galeria que lhe tinha sido designada. Custava-lhe caminhar, o corpo inteiro doía por causa das pancadas e das descargas elétricas, tinha uma sede de náufrago e não conseguia localizar-se no tempo nem lembrar exatamente o que tinha acontecido. Podia ter ficado nas mãos dos torturadores por uma semana ou por algumas poucas horas. O que lhe perguntavam? Allende, xadrez, plano z. O que era aquele plano z? Não tinha ideia. Havia outros naquelas celas, barulho de ventiladores enormes, gritos aterrorizantes, tiros. "Fuzilaram, fuzilaram", murmurou Víctor.

Viu, sentados nas galerias onde ele estivera em partidas de futebol e em diversos eventos culturais, como o de Pablo Neruda, milhares de prisioneiros vigiados por soldados. Quando o recruta que o acompanhara até lá se retirou, outro prisioneiro se aproximou dele, conduziu-o a um assento e ofereceu-lhe água de uma garrafa térmica. "Calma, companheiro, sem dúvida já passou o pior." Deixou-o beber até esvaziar a garrafa e depois o ajudou a deitar-se, pondo o cobertor enrolado debaixo de sua cabeça. "Descanse, viu, porque isso vai longe", acrescentou. Era um operário metalúrgico que fora detido dois dias depois do golpe e fazia semanas que estava no estádio. Ao entardecer, quando o calor amainou e Víctor conseguiu sentar-se, o homem o pôs a par das rotinas.

— Nada de chamar a atenção. Fique quieto e calado, viu, porque com qualquer pretexto eles podem te matar a coronhadas. São uns animais.

— Tanto ódio, tanta crueldade... Não entendo... — murmurou Víctor. Tinha a boca seca, as palavras se embolavam em sua garganta.

— Todos nós podemos virar selvagens se nos derem um fuzil e uma ordem — interveio outro prisioneiro, que se aproximara.

— Eu não, companheiro — rebateu o metalúrgico. — Vi como esses milicos destroçaram as mãos de Víctor Jara. "Canta agora, seu besta", gritavam. Moeram ele a paulada e picaram ele de balaço.

— O mais importante é alguém de fora saber onde você está — disse o outro. — Assim pode seguir a sua pista, caso você desapareça. Muitos desaparecem e não se sabe mais deles. Está cansado?

— Estou — assentiu Víctor.

— Me dê o endereço e o telefone da sua mulher. Minha filha pode avisá-la. Ela passa o dia do lado de fora do estádio, com outros familiares dos presos, esperando notícias.

Víctor não deu, pois temia que ele fosse um delator posto ali para arrancar informações.

Uma das enfermeiras do hospital San Juan de Dios, que presenciou a prisão de Víctor, deu um jeito de localizar Roser, na Venezuela, pelo telefone e contar o ocorrido. Assim que soube, Roser chamou Marcel para lhe dar a má notícia e ordenar-lhe que ficasse onde estava, porque no exterior podia ser mais útil do que no Chile, mas ela ia voltar imediatamente. Comprou uma passagem de avião e, antes de embarcar, foi falar com Valentín Sánchez. "Assim que souber o que fizeram com seu marido, vamos resgatá-lo", prometeu o amigo. Deu a Roser uma carta para entregar ao embaixador da Venezuela no Chile, colega dele dos tempos em que ainda era diplomata e em cuja residência de Santiago estavam centenas de asilados à espera de um salvo-conduto para o exílio; era uma das poucas embaixadas que amparavam os fugitivos. A Caracas começavam a chegar centenas de chilenos, que logo somariam milhares e milhares.

Roser aterrissou no Chile em fins de outubro e até novembro não soube que seu marido tinha sido levado para o Estádio Nacional, mas, quando o embaixador da Venezuela foi perguntar por ele, asseguram-lhe que ele jamais estivera lá. Naquela altura, estavam evacuando os prisioneiros e distribuindo-os em campos de concentração por todo o país. Roser passou meses a procurá-lo, recorrendo a amizades e contatos internacionais, batendo nas portas de diferentes autoridades, consultando as listas de desaparecidos nas igrejas. O nome dele não figurava em lugar nenhum. Tinha evaporado.

Víctor Dalmau tinha sido levado com outros prisioneiros políticos num comboio de caminhões, um dia e uma noite de viagem, para uma estação salitreira no Norte, abandonada fazia décadas e recentemente transformada em prisão. Eram os primeiros duzentos homens a ocupar aquelas instalações improvisadas que antigamente abrigavam os operários do salitre; estavam rodeadas de arame farpado eletrificado, com altas torres de vigia, militares armados de metralhadoras, um tanque que rondava o perímetro e de vez em quando aviões da Força Aérea. O comandante era um oficial de carabineiros, obeso, que falava gritando e suava a farda apertada demais. Era um homem prepotente e de coração mesquinho, que se propôs não dar trégua aos prisioneiros pelos crimes que eles haviam cometido e pelos que pensavam em cometer, como anunciou pelo alto-falante. Assim que desceram dos caminhões, eles foram obrigados a despir-se e a ficar debaixo do sol do deserto durante horas, sem alimentação nem água, enquanto ele passava de um por um para insultá-los e chutá-los. Desde o começo impôs o castigo arbitrário para vergar o moral das vítimas, e os subalternos o imitavam. Víctor Dalmau achou que estaria mais preparado que os outros presos para resistir, por causa de sua experiência de vários meses em Argelès-sur-Mer, mas aquilo tinha acontecido muitos anos antes, e ele então era jovem. Faltava-lhe pouco para fazer sessenta anos, mas até o momento em que foi preso não tivera tempo de pensar na idade. Ali no Norte, nos dias ardentes e nas noites geladas do pampa salitreiro, pensou em morrer de cansaço. A fuga era impossível, ele estava rodeado pela imensidão do deserto, milhares de quilômetros de terra seca, areia, pedra e vento. Sentiu-se velho.

XI

1974-1983

Ahora voy a contarte:
mi tierra será tuya,
yo voy a conquistarla,
no sólo para dártela,
sino que para todos,
*para todo mi pueblo.**

PABLO NERUDA,
"La carta en el camino",
Los versos del capitán

Nos onze meses que passou no campo de concentração, Víctor Dalmau não morreu de cansaço como esperava, mas fortaleceu-se no corpo e na mente. Sempre tinha sido magro, mas ali se reduziu a fibra e músculo, com a pele queimada pelo sol desapiedado, pelo sal e pela areia, com feições talhadas à faca; era uma escultura de Giacometti em ferro puro. Não foi derrotado pelos absurdos exercícios militares, pelas flexões, pelas corridas debaixo do sol inclemente, pelas horas imóveis no gelo da noite, pelas pancadas e castigos de escarmento nem pelo trabalho forçado em tarefas inúteis,

---

* Agora vou te contar: / minha terra será tua, / vou conquistá-la, / não só para dá-la a ti, / mas a todos, / a todo o meu povo. [N. T.]

humilhado, faminto. Entregou-se a seu papel de prisioneiro, renunciou à ilusão de controlar alguma coisa em sua existência. Estava nas mãos de seus captores, que tinham poder absoluto e impunidade, ele era dono apenas de suas emoções. Repetia a metáfora da bétula, que se dobra sob a tempestade, mas não quebra. Já tinha vivido aquilo em outras circunstâncias. Protegeu-se do sadismo e da estupidez de seus captores encerrando-se nas recordações, com a certeza de que Roser estava à sua procura e um dia o encontraria; e em silêncio. Falava tão pouco que os outros prisioneiros o apelidaram de "O Mudo". Pensava em Marcel, que passara os primeiros trinta anos da vida calado porque não tinha vontade de falar. Ele também não queria falar porque não tinha nada para dizer. Seus companheiros de desgraça animavam-se mutuamente cochichando fora do alcance dos ouvidos dos guardas, enquanto ele pensava com imensa saudade em Roser, em tudo o que tinham vivido juntos, em como a amava; e, para manter a mente ativa, repassava obsessivamente os lances mais célebres da história do xadrez, que ele conhecia de cor, e de alguns que jogara com o presidente. Em algum momento sonhou em talhar peças de xadrez nas pedras porosas do lugar e jogar com outros homens, mas nada daquilo era possível sob a vigilância despótica dos guardas. Aqueles fardados provinham da classe trabalhadora, suas famílias eram pobres e talvez a maioria tivesse simpatizado com a revolução socialista, mas eles obedeciam a ordens com sanha, como se as ações passadas dos presos fossem ofensas pessoais.

A cada semana levavam homens para outros campos de concentração ou os executavam e explodiam os corpos com dinamite no deserto, mas o número dos que chegavam era muito maior que o dos que saíam. Víctor calculou que havia mais de 1500 homens provenientes de diversas partes do país, de diferentes idades e ocupações, e que em comum só tinham a condição de perseguidos. Eram os inimigos da pátria. Alguns, como ele, não tinham pertencido a partido nenhum nem haviam exercido cargos políticos, estavam ali por causa de alguma denúncia vingativa ou por erro burocrático.

A primavera começara, e os prisioneiros temiam a chegada do verão, que transformava o campo de concentração num inferno durante as horas quentes do dia; foi quando a situação de Víctor Dalmau sofreu uma guinada inesperada. O comandante teve um ataque enquanto estava embalado na arenga da manhã, diante dos prisioneiros que aguentavam de calção e descalços em formação no pátio. Caiu de joelhos, conseguiu dar um suspiro e ficou espichado no chão antes que os soldados mais próximos pudessem segurá-lo. Nenhum dos presos se moveu, ninguém emitiu nenhum som. Para Víctor, a cena transcorria em câmera lenta, em silêncio, em outra dimensão, como parte de um pesadelo. Viu que dois soldados tentavam levantá-lo, enquanto outros corriam para chamar o enfermeiro, e sem pensar nas consequências avançou como um sonâmbulo entre as filas de homens. Estavam todos concentrados no caído e, quando repararam nele e lhe ordenaram que parasse e se deitasse de bruços no chão, ele já tinha chegado à frente da formação. "Ele é médico!", gritou um dos prisioneiros. Víctor seguiu adiante a passos largos e em poucos segundos chegou junto ao comandante inconsciente e ajoelhou-se a seu lado sem que ninguém o impedisse. Os soldados tinham retrocedido um passo para dar-lhe espaço. Ele constatou que o homem não respirava. Fez sinal a um dos guardas mais próximos e indicou-lhe que devia afrouxar a roupa, enquanto ele fazia respiração boca a boca e comprimia o peito do outro fortemente com ambas as mãos. Sabia que na enfermaria havia um desfibrilador manual, porque às vezes ele era usado para reanimar vítimas de tortura. Poucos minutos depois o enfermeiro chegou correndo, seguido por um ajudante, trazendo oxigênio e o desfibrilador, e ajudou Víctor na manobra de reanimar o coração do comandante. "Um helicóptero! Ele precisa ser levado imediatamente a um hospital!", exigiu Víctor assim que constatou que o coração estava batendo. Levaram o homem à enfermaria, onde Víctor o manteve vivo até a chegada do helicóptero, que sempre estava pronto em alguma extremidade do acampamento. Encontravam-se a 35 minutos do hospital mais próximo. Ordenaram que Víctor acompanhasse o paciente e deram-lhe uma camisa, calças e botas do uniforme.

Era um hospital do interior, pequeno, mas bem equipado, que em tempos normais teria contado com os recursos para uma emergência como aquela. Mas só havia ali dois médicos. Ambos conheciam a reputação do doutor Víctor Dalmau e o receberam com respeito. Por uma daquelas ironias de tais tempos, o cirurgião-chefe e o cardiologista tinham sido presos, segundo lhe disseram. Víctor não teve tempo de se perguntar para onde os teriam levado, visto que aparentemente nenhum deles estava entre os prisioneiros de seu acampamento. A sala de cirurgia tinha sido seu lugar de trabalho durante décadas e, como ele costumava dizer aos alunos, o músculo cardíaco não apresenta nenhum mistério; os mistérios a ele atribuídos são subjetivos. Num tempo mínimo, deu as instruções necessárias, lavou-se, preparou o comandante e, assistido por um dos médicos, passou à interversão que fizera centenas de vezes. Constatou que a memória de suas mãos estava intacta, elas se moviam sozinhas.

Víctor passou a noite de guarda junto ao paciente, mais eufórico do que cansado. No hospital nenhum homem armado o vigiou, ele foi tratado com deferência e admiração, serviram-lhe bife com purê de batatas, um copo de vinho tinto e sorvete de sobremesa. Por algumas horas ele voltou a ser o doutor Dalmau, em vez de um número. Estava esquecido de como era a vida antes de ser preso. No meio da manhã, quando o paciente continuava em estado grave, mas estável, chegou um cardiologista do exército, que voara de Santiago. Deram ordens de enviar o prisioneiro de volta ao campo de concentração, mas Víctor teve tempo de pedir ao médico que o ajudara na operação que entrasse em contato com Roser. Era um risco, porque aquele homem devia ser de direita, mas nas horas em que trabalharam juntos ficou evidente que o respeito era mútuo. Ele estava seguro de que Roser teria voltado ao Chile para procurá-lo, porque ele mesmo teria feito isso por ela.

O novo comandante do campo de concentração mostrou-se tão propenso à crueldade quanto o anterior, mas Víctor precisou suportá-lo apenas cinco dias. Naquela manhã, quando fizeram a chamada e separaram os presos que seriam levados, gritaram seu nome. Aquela era a pior parte do dia para os prisioneiros: a possibilidade de serem transferidos para um centro de tortura, para um campo pior ou para a morte. Ao fim de uma espera de três horas em pé, o grupo foi conduzido a um caminhão. O guarda que controlava os nomes da lista deteve Víctor antes que ele subisse no veículo com os demais. "Você fica aqui embaixo, seu besta." Ele esperou mais uma hora antes de ser levado ao escritório onde o comandante em pessoa lhe anunciou que ele tinha sorte e entregou-lhe um papel. Estava em liberdade condicional. "Se fosse por mim, eu abria o portão para você ir andando, comunista filho da puta, mas o fato é que eu preciso te levar de volta ao hospital", disse.

Roser e um funcionário da embaixada da Venezuela o esperavam no hospital. Ele abraçou a mulher com o desespero daqueles longos meses de incerteza, em que pensou nela com o amor que nunca lhe confessara claramente. "Ai, Roser, como eu te amo, como senti saudade de você", sussurrou com o nariz mergulhado nos cabelos dela. Os dois choravam.

Liberdade condicional implicava apresentar-se diariamente num posto de carabineiros para assinar um livro. O procedimento podia demorar bastante, a depender do ânimo do policial de plantão. Víctor assinou duas vezes antes de tomar a decisão de pedir asilo na embaixada da Venezuela. Precisou daqueles dois dias para compreender que o fato de ter ficado preso o condenava ao ostracismo; ele não podia voltar a trabalhar no hospital, os amigos o evitavam e havia o risco de ser detido de novo a qualquer momento. A cautela e o medo com que ele vivia contrastavam com o otimismo desafiador e revanchista dos partidários da ditadura. Ninguém mencionava o que realmente acontecia às sombras. Ninguém protestava. Os trabalhadores, esmagados, tinham perdido seus direitos, podiam ser despedidos a qualquer momento e agradeciam qualquer remuneração, porque na porta havia uma fila de desempregados à espera de uma oportunidade. Era o paraíso dos empresários. A versão oficial era de um país ordeiro, limpo, apaziguado, a caminho da prosperidade. Víctor pensava nos torturados, nos mortos, nos rostos dos homens que conhecera na prisão e nos desaparecidos. As pessoas tinham mudado. Custava-lhe reconhecer o país que o acolhera com o abraço de uma multidão 35 anos antes, país que ele amava como seu.

No segundo dia, Víctor admitiu para Roser que não aguentaria a ditadura. "Não pude suportá-la na Espanha, também não posso aqui. Tenho idade demais para viver com medo, Roser, mas um segundo exílio é tão intolerável quanto ficar no Chile e enfrentar as consequências." Ela alegou que seria uma medida temporária, que o regime militar terminaria logo, porque o Chile tinha uma sólida tradição democrática, conforme diziam.

Então eles voltariam; mas seu argumento ruía diante da evidência de que Franco estava no poder havia mais de trinta anos, e Pinochet podia imitá-lo. Víctor passou a noite em claro, pensando na ideia de ir embora, deitado no escuro, com Roser aninhada a seu lado, ouvindo os ruídos da rua. Às três da madrugada, percebeu um carro diante da casa. Aquilo só podia significar que voltavam para buscá-lo; durante o toque de recolher só circulavam os veículos militares e dos agentes de segurança. Nem pensar em fugir ou se esconder. Ficou imóvel e empapado de suor frio, com um tambor frenético ressoando no peito. Roser foi espiar entre as cortinas e viu um segundo automóvel preto parando junto ao primeiro. "Vista-se depressa, Víctor", ordenou-lhe, mas então viu vários homens descer dos veículos sem pressa, nada de correrias, gritarias nem armas. Eles ficaram algum tempo fumando e conversando relaxadamente, até que por fim foram embora. Víctor e Roser, abraçados, trêmulos, esperaram junto à janela até que começou a clarear, soaram as cinco da manhã e terminou o toque de recolher.

Roser providenciou para que o embaixador da Venezuela recolhesse Víctor num automóvel com placa diplomática. Naquela altura, a maioria dos asilados nas embaixadas tinha saído para os países que os aceitaram, e a segurança era menos rigorosa. Víctor entrou na embaixada no porta-malas do carro. Um mês depois, recebeu um salvo-conduto, e dois funcionários venezuelanos o acompanharam até a porta do avião, onde era esperado por Roser. Ia limpo, barbeado e tranquilo. No mesmo avião viajava outro exilado; tiraram-lhe as algemas quando já estava sentado. Ia imundo, desgrenhado e tremendo. Durante o voo Víctor, que o observara, aproximou-se dele. Custou-lhe entabular conversa e convencê-lo de que não era um agente da segurança. Reparou que o homem estava sem dois dentes da frente e tinha vários dedos quebrados.

— Em que posso ajudá-lo, companheiro? Sou médico — disse.

— Vão voltar com o avião, vão me levar de novo para... — e começou a chorar.

— Calma, já temos quase uma hora de voo, não vamos voltar para Santiago, garanto. Este é um voo sem escalas para Caracas, ali você vai estar seguro, vai ser ajudado. Vou conseguir um trago para você, está precisando.

— Melhor alguma coisa para comer — suplicou o outro.

Roser havia passado longas temporadas na Venezuela com a orquestra de música antiga, dava concertos, tinha amigos e movia-se facilmente numa sociedade cujas regras de convivência eram diferentes das do Chile Valentín Sánchez a apresentara a quem valia a pena conhecer e lhe abrira as portas do mundo da cultura. Fazia vários anos que seu amor com Aitor Ibarra terminara, mas eles continuavam sendo amigos, e ela o visitava de vez em quando. O derrame o deixara quase inválido e com dificuldade para articular as palavras, mas não afetara sua mente nem diminuíra seu faro para imaginar bons negócios, que o filho mais velho supervisionava. Tinha residência no alto das Cumbres de Curumo com vista panorâmica de Caracas, onde cultivava orquídeas e colecionava pássaros exóticos e automóveis montados à mão. Era uma área fechada, parque frondoso com várias casas, protegido por um muro alto de prisão e um guarda armado, onde também moravam dois dos filhos casados e vários netos. Segundo Aitor, sua mulher nunca desconfiou do longo relacionamento que ele teve com Roser, se bem que esta duvidava disso, porque sem dúvida eles tinham deixado muitas pistas naqueles anos. Ela concluiu que a rainha da beleza tinha aceitado tacitamente que o marido era mulherengo, como tantos homens para quem aquilo era prova de virilidade, mas deixou passar; era a esposa legítima, a mãe de seus filhos, a única que contava. Depois que ele ficou prostrado pela paralisia, ela o teve só para si e chegou a gostar dele mais do que antes, pois descobriu suas enormes virtudes, que, na agitação e na pressa da existência antiga, não pudera apreciar. Envelheciam juntos em perfeita harmonia, rodeados pela família. "Está vendo, Roser, como há males que vêm para o bem, como diz o ditado. Nesta cadeira de rodas sou melhor marido, pai e avô do que seria se estivesse andando. E, embora você não acredite, sou feliz", comentou Aitor numa das visitas. Para não perturbar a paz do amigo, ela não quis contar como era importante para ela a lembrança daquelas tardes de beijos e vinho branco.

Ambos tinham prometido que nunca confessariam aos respectivos cônjuges aquele amor passado — para que feri-los? —, mas Roser não cumpriu sua parte. Nos dias transcorridos entre a libertação de Víctor do campo de concentração e seu asilo na embaixada, os dois se apaixonaram como se tivessem acabado de se conhecer. Foi uma descoberta luminosa. Tinham sentido tanta falta um do outro que, ao se encontrarem, não se viram como eram, mas como tinham sido quando fingiam fazer amor no bote salva-vidas do *Winnipeg*, jovens e tristes, consolando-se com murmúrios e carícias castas. Ela se apaixonou por um estranho alto e duro, de feições talhadas em madeira escura, com olhos ternos e cheiro de roupa recém-passada, capaz de surpreendê-la e fazê-la rir com bobagens, de dar-lhe prazer como se tivesse memorizado o mapa de seu corpo, de acalentá-la a noite inteira, de tal modo que ela dormia e acordava com a cabeça em seu ombro, de dizer o que ela nunca esperou ouvir, como se o sofrimento tivesse demolido suas defesas e feito dele um sentimental. Víctor apaixonou-se pela mulher de que antes tinha gostado com uma ternura incestuosa de irmão. Durante 35 anos ela tinha sido sua esposa, mas naqueles dias de reencontro ele a viu livre da carga do passado, de seu papel de viúva de Guillem, de mãe de Marcel, transformada numa aparição jovem e fresca. Roser, aos cinquenta e tantos anos, revelou-se sensual, cheia de entusiasmo, com uma reserva inesgotável de energia e sem medo. Detestava a ditadura tanto quanto ele, mas não a temia. Víctor chegou à conclusão de que na realidade ela nunca tinha dado mostras de temer coisa alguma, a não ser avião, nem mesmo nos tempos finais da Guerra Civil. Com a mesma têmpera com que enfrentara o exílio então, enfrentava-o agora, sem nenhuma queixa, sem olhar para trás, com os olhos postos no futuro. De que material indestrutível era feita Roser? Como foi que ele teve a imensa sorte de tê-la por tantos anos? E como pôde ser tão idiota que não a amou desde o princípio como ela merecia, como a amava agora? Nunca imaginou que em sua idade pudesse se apaixonar como um adolescente e sentir o desejo como uma labareda. Olhava para ela extasiado porque por baixo de seu aspecto de mulher madura estava intacta a menina que Roser devia ter sido quando cuidava de cabras num monte da Catalunha, inocente e formidável. Queria protegê-la, cuidar dela, embora soubesse que ela era mais forte que ele na hora da desgraça. Tudo isso e muito mais ele disse naqueles brevíssimos dias do encontro e continuaria a repeti-lo nos dias seguintes até sua morte. Naquelas noites de confissões e recordações, em que compartilharam grandezas, misérias e segredos, ela lhe falou de Aitor Ibarra, que nunca antes mencionara. Ao ouvir, Víctor sentiu uma pontada no peito que lhe cortou a respiração. O fato de aquela aventura ter terminado um bom tempo antes, como garantiu Roser, foi só meio consolo. Ele sempre tinha desconfiado de que em suas viagens ela se encontrava com um amante ou talvez com vários, mas a confirmação de um amor longo e sério despertou nele uns ciúmes retroativos que teriam destruído a felicidade do momento, se ela o tivesse permitido. Com seu implacável senso comum, Roser mostrou que ela não tirara nada dele para dar a Aitor, que não o tinha amado menos por aquilo, pois aquele relacionamento estivera sempre numa câmara separada de seu coração, sem interferir no resto de sua vida. "Naquele tempo você e eu éramos grandes amigos, confidentes, cúmplices e esposos, mas não éramos os amantes que somos agora. Se eu tivesse contado naquela época, você teria ficado muito menos incomodado, porque não teria sentido como uma traição. Afinal de contas, você também me foi infiel." Víctor se sobressaltou, porque seus próprios deslizes eram insignificantes, mal se lembrava deles, e não imaginava que ela soubesse. Aceitou o argumento com pouca convicção, mas ficou ruminando seus sentimentos por algum tempo, até que acabou por entender a inutilidade de ficar atolado no passado. "O que foi vivido vivido está", como costumava dizer sua mãe.

A Venezuela recebeu Víctor com a mesma generosidade despreocupada com que acolhia milhares de imigrantes de vários lugares do mundo e, mais recentemente, os refugiados da ditadura do Chile e da guerra suja da Argentina e do Uruguai, além dos colombianos que cruzavam a fronteira sem permissão de residência, fugindo da pobreza. Era uma das poucas democracias que sobravam num continente dominado por regimes desapiedados e duras juntas militares, um dos países mais ricos do mundo por causa do petróleo que jorrava infindavelmente daquela terra, abençoada também com outros minerais, uma natureza exuberante e uma posição privilegiada no mapa. Os recursos eram tantos que ninguém se matava de trabalhar, havia espaço e oportunidades para quem quisesse chegar e instalar-se, vivia-se alegremente de farra em farra, com grande liberdade e profundo senso igualitário. Qualquer desculpa era boa para festejar com música, dança e álcool. O dinheiro parecia correr em caudais, a corrupção dava para todos. "Não se engane, há muita pobreza, especialmente no interior. Todos os governos esqueceram os pobres, isso gera violência, e mais cedo ou mais tarde o país pagará por essa negligência", advertiu Valentín Sánchez a Roser. A Víctor, que vinha de um Chile sóbrio, prudente, recatado e reprimido pela ditadura, aquela alegria indisciplinada pareceu chocante. Ele achou que aquela gente era superficial, não levava nada a sério, esbanjava e ostentava demais, que tudo era temporário e transitório. Queixava-se, dizendo que em sua idade era impossível adaptar-se, que não teria vida suficiente para tanto, mas Roser rebatia, dizendo que, se aos sessenta anos ele conseguia fazer amor como um rapaz, adaptar-se àquele país esplêndido seria fácil. "Relaxe, Víctor, isso de andar emburrado não adianta nada. A dor é inevitável, mas o sofrimento é opcional." Seu prestígio de médico era conhecido porque vários cirurgiões que haviam estudado no Chile tinham sido alunos seus; ele não precisou ganhar a vida dirigindo táxi ou servindo mesas, como tantos outros profissionais desterrados que da noite para o dia perdiam seu passado e precisavam começar do zero. Conseguiu revalidar seu diploma e bem depressa estava operando no hospital mais antigo de Caracas. Nada lhe faltava, mas ele se sentia irremediavelmente estrangeiro e andava sempre atento às notícias, para ver quando poderia voltar ao Chile. Roser ia muito bem com sua orquestra e seus concertos, e Marcel, que terminara o doutorado no Colorado, estava trabalhando na companhia petrolífera da Venezuela. Os dois estavam satisfeitos, mas também pensavam no Chile com a esperança de voltar.

Enquanto Víctor contava os dias para o retorno, Franco morreu em 20 de novembro de 1975, depois de longa agonia. Pela primeira vez em muitos anos, Víctor sentiu a tentação de voltar para a Espanha. "O caudilho afinal de contas era mortal", foi o único comentário de Marcel, que não sentia a menor curiosidade pelo país de seus antepassados; era chileno de coração. Mas Roser decidiu que acompanharia Víctor, porque qualquer separação, por mais breve que fosse, causava-lhes angústia, era tentar o destino; podia ser que nunca mais se reunissem. A lei natural do universo é a entropia, tudo tende à desordem, ao rompimento, à dispersão; as pessoas se perdem, vejam quantos se perderam na Retirada, os sentimentos desbotam, e o esquecimento insinua-se na vida como neblina. É preciso uma vontade heroica para manter tudo no lugar. "São presságios de refugiados", opinava Roser. "São presságios de apaixonados", corrigia Víctor. Viram o enterro de Franco pela televisão, o ataúde escoltado por um esquadrão de lanceiros a cavalo de Madri até o Valle de los Caídos, a massa de gente homenageando o Caudilho, mulheres de joelhos, soluçando, a Igreja com seu fausto e pompa de bispos em paramentos de missa solene, políticos e personalidades de luto rigoroso, menos o ditador chileno, com capa de imperador, desfile interminável das Forças Armadas e a pergunta no ar: o que acontecerá com a Espanha depois de Franco? Roser convenceu Víctor a esperar um ano antes de tentar voltar a seu país. Durante esse período, observaram de longe a transição para a liberdade, tendo à frente um rei que acabou não sendo a marionete do franquismo que se esperava, mas estava decidido a conduzir pacificamente o país para a democracia, esquivando-se dos obstáculos de uma direita intransigente, refratária a qualquer mudança e temerosa de, sem o Caudilho, perder seus privilégios. O restante dos espanhóis clamava que as reformas inevitáveis fossem apressadas e que a Espanha ocupasse seu lugar na Europa e no século XX.

Em novembro do ano seguinte, Víctor e Roser Dalmau pisaram em seu país de origem pela primeira vez desde aqueles dias duros da Retirada. Ficaram pouquíssimo em Madri, que continuava sendo a linda capital imperial que sempre fora. Víctor mostrou a Roser os bairros e os edifícios destruídos pelas bombas, agora reconstruídos, e a levou à cidade universitária para ver os impactos das balas, que ainda existiam em alguns muros. Foram à zona do rio Ebro, onde supunham que Guillem tinha caído, mas não encontraram nada que lembrasse a batalha mais sangrenta da guerra, que tantos mortos custou. Em Barcelona, procuraram a antiga casa que tinha sido dos Dalmau, no bairro de Raval. Os nomes das ruas tinham mudado, e eles demoraram um pouco para se localizar. A casa ainda estava ali, transformada numa velharia, tão degradada que mal se sustentava em pé. Por fora parecia desabitada, mas eles tocaram a campainha e, depois de muito tempo e vários toques, a porta foi aberta por uma moça de olhos enegrecidos de sombra, com uma saia indiana encardida. Cheirava a maconha e patchuli e teve alguma dificuldade para entender o que queria aquele casal desconhecido, porque andava viajando em outra dimensão, mas no fim os convidou a entrar. A casa tinha sido ocupada recentemente por uma comunidade de jovens que haviam adotado a cultura hippie com algum atraso, porque nos tempos de Franco aquilo não seria permitido. Víctor e Roser percorreram os quartos com uma sensação de vazio no estômago. As paredes estavam escalavradas e grafitadas, havia gente pelo chão fumando e cochilando, lixo jogado, o banheiro e a cozinha imundos, portas e venezianas dependuradas precariamente das dobradiças, um cheiro penetrante de imundície, ambiente fechado e maconha. "Como está vendo, Víctor, não se pode recuperar o passado", observou Roser quando saíram.

Assim como não reconheceram a casa dos Dalmau, não reconheceram a Espanha. Os quarenta anos de franquismo tinham deixado marcas profundas, que se notavam no trato com as pessoas e em cada aspecto da cultura. Sobre a Catalunha, último bastião da Espanha republicana, recaíra a vingança mais severa dos vencedores, a repressão mais cruenta. Surpreendeu-os o fato de a sombra de Franco ainda pesar tanto. Havia descontentamento com o desemprego e a inflação, com as reformas que estavam sendo feitas e com as que não, com o poder dos conservadores e com a desordem dos socialistas; uns defendiam que a Catalunha se separasse da Espanha, e outros, que se integrasse mais. Muitos dos desterrados da guerra foram voltando, na maioria velhos e desencantados, mas já não havia lugar para eles. Ninguém se lembrava deles. Víctor foi à taverna Rocinante, que ainda existia na mesma esquina, com o mesmo nome, e ali tomou uma cerveja em honra do pai e de seus parceiros de dominó, os velhos que haviam cantado em seu funeral. A Rocinante tinha se modernizado naqueles anos: nada de presuntos dependurados do teto, nada de cheiro de vinho ranço; exibia mesas de acrílico e ventiladores. O gerente comentou que depois de Franco a Espanha tinha ido por água abaixo, pura desordem e grosseria, greves, protestos, manifestações, putas, bichas e comunistas, ninguém respeitava os valores da família e da pátria, ninguém se lembrava de Deus, o rei era um babaca, tremendo erro do Caudilho nomeá-lo seu sucessor.

Alugaram um pequeno apartamento na Gracia, onde ficaram seis meses eternos. O desexílio, como chamaram o regresso à pátria que tinham deixado tantos anos antes, para eles foi tão duro quanto o exílio de 1939, quando cruzaram a fronteira da França, mas, para admitirem até que ponto se sentiam estranhos, precisaram daqueles seis meses: ele por orgulho, ela por estoicismo. Nenhum dos dois encontrou trabalho, em parte porque não havia emprego para pessoas da idade deles, em parte por falta de contatos. Não conheciam ninguém. O amor os salvou da depressão porque se sentiam recém-casados em lua de mel, e não duas pessoas maduras, ociosas e solitárias que passavam as manhãs passeando pela cidade e as tardes no cinema vendo reprises. Esticaram a ilusão o máximo possível, até que num domingo tedioso, que não se diferenciava em nada de outros dias tediosos, não aguentaram mais. Estavam esquentando os ossos com uma xícara de chocolate grosso e *melindros* num estabelecimento da rua Petritxol quando Roser disse num impulso a frase que haveria de determinar os planos deles nos anos seguintes: "Já estou de saco cheio dessa história de sermos forasteiros. Vamos voltar para o Chile. Somos de lá." Víctor soltou um sonoro suspiro de dragão e inclinou-se para beijá-la na boca. "Vamos fazer isso assim que pudermos, Roser, prometo. Mas por enquanto voltamos para a Venezuela."

Passaram-se vários anos antes que ele pudesse cumprir a promessa. Ficaram na Venezuela, onde estava Marcel e eles tinham trabalho e amigos. A colônia chilena aumentava dia a dia, porque, além dos exilados políticos, chegavam outros em busca de oportunidades econômicas. No bairro de Los Palos Grandes, onde moravam, ouvia-se mais o sotaque chileno do que o venezuelano. Os que chegavam, na maioria, ficavam isolados em sua própria comunidade, lambendo as feridas e fixados na situação do Chile, que não dava sinais de mudar, apesar das notícias alentadoras que circulavam de boca em boca e nunca se confirmavam. A verdade era que a ditadura continuava firme. Roser propôs a Víctor que se integrassem, como única forma saudável de envelhecer. Precisavam viver o dia a dia, aproveitando o que de agradável o país lhes oferecia, agradecidos por terem boa acolhida e trabalho, sem se comprazer no passado. A volta ao Chile ficava pendente, sem estragar o presente, uma vez que aquele futuro podia demorar muito. Isso os impediu de alimentar-se de saudade e esperança e os introduziu na arte de se divertir sem culpa, o que, associado à generosidade, era a melhor lição da Venezuela. Víctor mudou depois dos sessenta mais do que havia mudado em todos os anos anteriores. Atribuiu a mudança ao fato de continuar apaixonado, à luta incansável de Roser para limar suas arestas de caráter e levantar seu ânimo, bem como à influência positiva da fuzarca caribenha, como ele chamava o desleixo institucionalizado, que dissipou sua seriedade, se não para sempre, pelo menos por vários anos. Ele aprendeu a dançar salsa e a tocar o *cuatro*.*

Foi nessa época que Víctor Dalmau se encontrou de novo com Ofelia del Solar. Ao longo dos anos ficara sabendo dela esporadicamente, sem chegar a vê-la, porque pertenciam a ambientes muito diferentes, e ela passara grande parte da vida em outros países, por causa da profissão do marido. Além disso, ele a evitara, temendo que o rescaldo daquele amor frustrado de juventude tivesse brasas quentes e interferisse na ordem de sua existência ou em sua relação com Roser. Nunca chegou a entender as razões de Ofelia tê-lo cortado de sua vida com uma tesourada, sem mais explicações do que uma carta breve, escrita em tom de mocinha caprichosa que ele não conseguia associar à mulher que cabulava as aulas para fazer amor com ele num hotel de má catadura. No início, depois de se lamentar e amaldiçoar em segredo, chegou a detestá-la. Atribuiu-lhe os piores defeitos de sua classe social: inconsciência, egoísmo, arrogância, pedantismo. Depois, o desgosto foi passando e ficou a recordação benévola da mulher mais bonita que tinha conhecido, de sua risada repentina, de sua coqueteria. Pensava em Ofelia raríssimas vezes e nunca sentiu o impulso de informar-se sobre ela. No Chile, antes da ditadura, ficava sabendo de retalhos de sua existência, geralmente por algum comentário de Felipe del Solar, que ele via algumas

---

* Violão venezuelano de quatro cordas. [N. T.]

vezes por ano, para preservar artificialmente uma amizade baseada apenas em sua gratidão. Tinha visto nas páginas sociais do jornal algumas fotos dela que em nada a favoreciam, mas não na seção de arte; seu trabalho era desconhecido no Chile. "Ora, a mesma coisa acontece com outros talentos nacionais, ainda mais se for mulher", observou Roser numa ocasião em que trouxe de uma das viagens uma revista de Miami em que as pinturas de Ofelia ocupavam as quatro páginas centrais em cores. Víctor examinou as duas fotografias da artista que acompanhavam a reportagem. Os olhos eram da Ofelia de antes, mas o resto tinha mudado; podia ser traição da câmera.

Roser chegou com a notícia de que havia uma exposição das obras mais recentes de Ofelia del Solar no Ateneo de Caracas. "Reparou que ela usa o sobrenome de solteira?", comentou. Víctor argumentou que sempre foi assim, muito comum nas mulheres chilenas, e que Matías Eyzaguirre tinha morrido fazia anos; se Ofelia não tinha usado o sobrenome do marido quando ele estava vivo, por que o usaria depois de viúva? "Bom, que seja. Vamos ao *vernissage*", disse ela.

A reação automática dele foi recusar, mas depois a curiosidade o venceu. A exposição consistia em poucos quadros, mas ocupava três salas porque eram do tamanho de uma porta. Ofelia não tinha se afastado da influência de Guayasamín, o grande pintor equatoriano com quem estudara; suas telas eram de um estilo semelhante, traços fortes, linhas escuras e figuras abstratas, mas nada tinham da mensagem humanitária do mestre, nenhuma denúncia da crueldade ou da exploração do homem, nada dos conflitos históricos ou políticos de seu tempo. Eram imagens sensuais, algumas muito explícitas, de casais em abraços retorcidos ou violentos, mulheres entregues ao prazer ou ao sofrimento. Víctor as observou confuso, pois lhe pareceu que não correspondiam à ideia que ele tinha da artista.

Recordava Ofelia em sua primeira juventude, aquela moça mimada, ingênua e impulsiva que uma vez o conquistou, a que pintava aquarelas de paisagens e ramos de flores. Só sabia dela que desde então tinha sido esposa e depois viúva de um diplomata; era uma mulher tradicional, conformada com seu destino. Mas aqueles quadros revelavam um temperamento ardente e uma surpreendente imaginação erótica, como se a paixão que ele conseguiu vislumbrar no hotel miserável onde faziam amor tivesse permanecido sufocada no íntimo dela, e a única válvula de escape fossem os pincéis e a tinta.

O último quadro, que pendia isolado numa parede da galeria, produziu nele profundo impacto. Era um homem nu, com um fuzil nas mãos, em branco, preto e cinzento. Víctor ficou a estudá-lo durante vários minutos, perturbado sem saber por quê. Aproximou-se para ler o título na parede, *Miliciano*, 1973. "Não está à venda", disse uma voz a seu lado. Era Ofelia, diferente da Ofelia das recordações e daquela que aparecia nas poucas fotografias que ele tinha visto: envelhecida e descolorida.

— Esse quadro é o primeiro desta série e marca o fim de uma etapa para mim, por isso não o vendo.

— Esse é o ano do golpe militar no Chile — disse Víctor.

— Não tem nada a ver com o Chile. Nesse ano me libertei como artista.

Até aquele momento ela não tinha olhado para Víctor, falava com os olhos no quadro. Quando se voltou para prosseguir a conversa, não o reconheceu. Tinham-se passado mais de quarenta anos desde o último encontro, e ela estava em desvantagem, porque durante aquele tempo não tivera a oportunidade de ver nenhuma fotografia dele. Víctor estendeu-lhe a mão e se apresentou. Ofelia demorou alguns segundos para situar o nome na memória e, quando conseguiu, lançou uma exclamação de surpresa tão espontânea que Víctor ficou convencido de que ela não sabia quem era ele. Aquilo que ele tinha carregado como uma desgraça no coração, nela não havia deixado rastros. Ele a convidou para tomar alguma coisa na cafeteria e foi buscar Roser. Ao vê-las juntas, chamou-lhe a atenção o fato de que o tempo havia tratado as duas de maneira tão diferente. Era de se supor que Ofelia, bela, frívola, rica e refinada, houvesse de resistir melhor à passagem dos anos, mas aparentava ser mais velha que Roser. Os cabelos acinzentados pareciam chamuscados, as mãos estavam maltratadas e os ombros encurvados pelas exigências de seu ofício. Usava uma túnica comprida e solta de linho cor de tijolo, para disfarçar os quilos a mais, uma bolsa enorme de tecido multicolorido da Guatemala e sandálias franciscanas. Continuava bonita. Seus olhos azuis brilhavam como aos vinte anos no rosto bronzeado pelo excesso de sol e atravessado por rugas. Roser, que não era vaidosa e nunca tinha chamado atenção pela beleza, tingia os cabelos e pintava os lábios, cuidava das mãos de pianista, da postura e do peso; estava de calça preta e blusa branca, com a singela elegância de sempre. Cumprimentou efusivamente Ofelia e desculpou-se por não poder ficar com eles, precisava ir voando para um ensaio da orquestra. Víctor dirigiu-lhe um olhar inquisitivo, adivinhando que ela pretendia deixá-lo sozinho com Ofelia, e teve um instante de pânico.

Numa mesa do pátio do Ateneo, entre esculturas modernas e plantas tropicais, Ofelia e Víctor puseram-se em dia com o que acontecera de mais relevante naqueles quarenta anos, sem se referirem à paixão que certa vez os transtornara. Víctor não se atreveu a tocar no assunto e muito menos a pedir uma explicação tardia, porque lhe pareceu humilhante. Ela também não a ofereceu, porque o único homem que tinha contado em sua vida era Matías Eyzaguirre. Comparada ao extraordinário amor que teve com ele, a breve aventura com Víctor tinha sido uma criancice que ela teria esquecido, não fosse aquela minúscula sepultura num cemitério rural do Chile. Nem isso ela mencionou, porque aquele segredo ela só compartilhara com o marido. Assumiu seu deslize sem fazer escândalo, conforme lhe ordenara o padre Vicente Urbina.

    Puderam conversar durante muito tempo como se fossem bons amigos. Ofelia contou que teve dois filhos e viveu 33 anos felizes com Matías Eyzaguirre, que a amou com a mesma constância com que a perseguiu para se casar com ela. Gostava tanto dela e de forma tão exclusiva, que os filhos sentiam que estavam sobrando.

    — Mudou muito pouco, sempre foi um homem quieto, generoso, de uma lealdade incondicional a mim; os anos aprofundaram suas virtudes. Eu lhe dei o máximo apoio que pude em sua profissão. É difícil a diplomacia. Mudávamos de país a cada dois ou três anos, era preciso mudar, deixar amigos e recomeçar em outro lugar. Também não é fácil para os filhos. O pior é a vida social, eu não sirvo para viver em coquetéis e jantares formais.

    — Você podia pintar?

— Tentei, mas consegui só em parte. Sempre havia algo mais importante ou urgente para fazer. Quando meus filhos foram para a universidade, anunciei a Matías que me aposentava do emprego de mãe e esposa e ia me dedicar a pintar seriamente. Ele achou justo. Deixou-me em liberdade, não me pediu mais que o acompanhasse na vida social, que era o mais desagradável para mim.

— Ora, um homem único.

— Pena você não o ter conhecido.

— Eu o vi só uma vez. Ele carimbou meu documento de entrada no Chile a bordo do *Winnipeg* em 1939. Nunca o esqueci. Matías era um homem íntegro, Ofelia.

— Elogiava tudo o que era meu. Para você ter uma ideia, tomou aulas para poder apreciar meus quadros, porque não entendia nada de arte, e financiou minha primeira exposição. Foi levado por um maldito ataque cardíaco, seis anos atrás, e ainda durmo chorando toda noite porque ele não está comigo — confessou Ofelia num arroubo sentimental que deixou Víctor ruborizado.

Acrescentou que desde então tinha se liberado dos deveres que antes a distraíam de sua vocação. Vivia como camponesa num sítio a duzentos quilômetros de Santiago, onde cultivava árvores frutíferas e criava cabras anãs de orelhas compridas para vender como bichinho de estimação, pintando sem parar. Afora as viagens para ver o filho e a filha no Brasil e na Argentina, para alguma exposição ou para visitar a mãe uma vez por mês, não saía do ateliê.

— Está sabendo que meu pai morreu, não?

— Sim, saiu no jornal. Aqui chegam jornais chilenos, com atraso, mas chegam. Ele se destacou muito no governo Pinochet.

— No começo. Morreu em 1975. Depois disso minha mãe desabrochou. Meu pai era um déspota.

Contou que dona Laura se dedicava menos à oração compulsiva e às obras de caridade e mais a jogos de canastra e ao espiritismo com um grupo de velhas esotéricas que se comunicavam com almas do Além. Assim se mantinha em contato com Leonardo, seu Bêbe adorado. O padre Vicente Urbina não sabia desse novo pecado, que maculava o lar dos del Solar, porque dona Laura se absteve de confessá-lo; sabia que evocar os mortos é uma prática demoníaca definitivamente condenada pela Igreja.

Ofelia se referia ao sacerdote com sarcasmo. Disse que, aos oitenta e tantos anos, Urbina era bispo e defensor eloquente dos métodos da ditadura, plenamente justificados na proteção da cultura cristã ocidental contra a perversidade do marxismo. O cardeal, que criara um vicariato para proteger os perseguidos e contabilizar os desaparecidos, precisou fazer-lhe uma advertência, quando, em sua exaltação, ele defendeu a tortura e as execuções sumárias. O bispo era incansável em sua missão de salvar almas, em especial as de seus fiéis do bairro alto, e continuava sendo o conselheiro da família del Solar, muito mais poderoso desde a morte do patriarca. Dona Laura e seus respectivos filhos, genros, netos e bisnetos dependiam de sua sabedoria para as grandes e pequenas decisões.

— Eu escapei dessa influência porque não gosto dele, é um homem sinistro, e porque fiquei quase o tempo todo longe do Chile. Felipe também escapou porque é o mais inteligente da família e passa metade do tempo na Inglaterra.

— O que é feito dele?

— Aguentou os três anos do governo de Allende, certo de que ia durar pouco e não errou, mas não conseguiu suportar a mentalidade de quartel da Junta, porque adivinhou que pode durar uma eternidade. Você sabe como ele gosta de tudo o que é inglês. Detesta o ambiente hipócrita e carola do Chile. Vai com frequência visitar minha mãe e cuidar das finanças da família, porque precisou substituir meu pai.

— Você não tinha outro irmão? Um que media tufões e furacões?

— Esse ficou morando no Havaí e voltou ao Chile só uma vez, para reclamar a parte da herança que lhe cabia com a morte do meu pai. Você se lembra daquela empregada da casa, a Juana, que adorava seu filho, Marcel? Está igual. Ninguém, nem ela mesma, sabe quantos anos tem, mas continua como governanta e cuida de minha mãe, que está com noventa e tantos anos e um bocado louca. Há muitos dementes na minha família. Bom, já lhe contei tudo sobre nós. Agora me fale de você.

Víctor resumiu sua vida em cinco minutos, mencionando muito por cima o ano em que estivera preso e sem se deter nas piores vicissitudes, pois lhe parecia de mau gosto falar delas e porque imaginou que Ofelia preferisse ignorá-las. Ela, se adivinhou alguma coisa, absteve-se de fazer perguntas a respeito. Só disse que Matías tinha sido conservador nas ideias políticas, mas havia servido o Chile como diplomata durante os três anos de socialismo sem questionar seu dever; em compensação, sentia vergonha de representar o governo militar, por causa da má reputação que ele tinha no mundo. Acrescentou que a ela a política nunca interessou, que seu ramo era a arte, dizendo que vivia em paz no Chile entre árvores e bichos, sem ler jornais. Com ou sem ditadura, sua vida era a mesma.

Despediram-se com o compromisso de se manter em contato, embora soubessem que aquilo era só formalidade. Víctor sentiu-se aliviado: quando se vive o suficiente, os círculos se fecham. O de Ofelia del Solar fechou-se perfeitamente naquela cafeteria do Ateneo, sem deixar cinzas. As brasas se haviam consumido fazia tempo. Ele decidiu que não gostava da personalidade nem da pintura dela; a única coisa memorável era aquele estranho azul cerúleo de seus olhos. Roser esperava-o em casa um pouco inquieta, mas bastou olhá-lo para começar a sorrir. Seu marido havia tirado vários anos das costas. Víctor transmitiu-lhe as notícias da família del Solar e, como conclusão, comentou que Ofelia tinha cheiro de gardênias murchas. Ficou com a ideia de que Roser premeditara aquela decepção, que por isso o levara à exposição e o deixara sozinho com o antigo amor. Sua mulher se arriscava demais; podia ter acontecido que, em vez de se desencantar com Ofelia, ele tivesse se apaixonado de novo, mas evidentemente essa possibilidade não preocupava Roser em absoluto. "Nosso problema é que ela me dá por certo, enquanto eu vivo achando que ela pode ir embora com outro", pensou.

XII

1983-1991

Yo vivo ahora en un país tan suave
como la piel otoñal de las uvas...*

PABLO NERUDA,
"País", *Geografía infructuosa*

A notícia de que no Chile havia uma lista recente de 1800 exilados que estavam autorizados a regressar foi publicada no *El Universal* de domingo, único dia em que os Dalmau liam o jornal de cabo a rabo. Roser foi ao consulado do Chile ver a lista, que estava pregada na janela, e encontrou o nome de Víctor Dalmau. Abriu-se um vazio sob seus pés. Tinham aguardado aquilo durante nove anos e, quando acontecia, ela não conseguia se alegrar, porque significava abandonar o que tinham, inclusive Marcel, e voltar para o país que haviam deixado por não suportar a repressão. Perguntou-se que sentido havia em voltar, se nada mudara, mas naquela noite, quando falou sobre o assunto com Víctor, ele alegou que, se não voltassem logo, nunca mais voltariam. "Começamos do zero várias vezes, Roser. Podemos recomeçar mais uma vez. Tenho 69 anos e quero morrer no Chile." Ressoavam na memória deles alguns versos de Neruda: "*Como posso viver tão longe / do que amei, do que amo?*". Marcel concordou; ofereceu-se para ir reconhecer

---

* Vivo agora num país tão suave / quanto a pele outonal das uvas... [N. T.]

o terreno e em menos de uma semana estava em Santiago. Telefonou para lhes contar que na aparência o país era moderno e próspero, mas que bastava arranhar a superfície para ver os podres. Existia uma espantosa desigualdade. Três quartos da riqueza estavam nas mãos de vinte famílias. A classe média sobrevivia a crédito; havia pobreza para muitos e opulência para poucos, bairros miseráveis que contrastavam com arranha-céus de cristal e mansões muradas, bem-estar e segurança para uns, desemprego e repressão para outros. O milagre econômico dos anos anteriores, baseado na liberdade absoluta do capital e na falta de direitos básicos para os trabalhadores, tinha desinflado como uma bolha. Disse que dava para sentir no ar que a situação ia mudar, as pessoas tinham menos medo, havia protestos de massa contra o governo, e ele achava que a ditadura podia cair por seu próprio peso; era a hora de voltar. Acrescentou que, assim que chegou, ofereceram-lhe emprego na mesma Corporação do Cobre onde começara a trabalhar logo depois de formado, sem que ninguém lhe perguntasse suas ideias políticas; só contavam seu doutorado nos Estados Unidos e sua experiência profissional. "Vou ficar aqui, velhos, sou do Chile." Essa foi a razão definitiva, porque eles também, apesar de tudo o que tinham vivido, eram do Chile e em nenhum caso iam se separar do filho. Em menos de três meses os Dalmau liquidaram suas posses e despediram-se de amigos e colegas. Valentín Sánchez propôs a Roser que voltasse triunfante, de cabeça erguida, já que nunca estivera em nenhuma lista negra nem na mira dos aparatos de segurança, como o marido. Regressaria acompanhada pela orquestra de música antiga em peso, para dar uma série de concertos gratuitos em parques, igrejas e liceus. Ela quis saber como iam financiar semelhante empreitada, e ele respondeu que seria um presente do povo venezuelano para o povo do Chile. O orçamento da cultura na Venezuela dava para muito, e no Chile não se atreveriam a impedi-lo; seria uma afronta de proporções internacionais. Foi o que se fez.

Para Víctor, a volta foi mais difícil do que para Roser. Ele trocou a posição no hospital de Caracas e a segurança econômica pela incerteza de um lugar onde os desterrados eram vistos com desconfiança. Muitos da esquerda os culpavam por terem ido embora em vez de lutar contra o regime internamente, enquanto a direita os acusava de marxistas e terroristas, dizendo que por algum motivo tinham sido expulsos.

Quando se apresentou no hospital San Juan de Dios, onde trabalhara durante quase trinta anos, foi recebido com abraços e até com lágrimas por enfermeiras e alguns médicos de antes, que se lembravam dele e haviam escapado do expurgo dos primeiros tempos, quando centenas de médicos com ideias progressistas foram destituídos, presos ou assassinados. O diretor, um militar, cumprimentou-o pessoalmente e o convidou a ir ao seu gabinete.

— Sei que o senhor salvou a vida do comandante Osorio. Foi um ato elogiável para alguém que se encontrava em sua situação — disse.

— Quer dizer preso num campo de concentração? Sou médico, atendo quem quer que necessite, não importam as circunstâncias. Como está o comandante?

— Reformado faz tempo, mas bem.

— Trabalhei muitos anos neste hospital e gostaria de me reintegrar — disse Víctor.

— Entendo, mas é preciso considerar sua idade.

— Ainda não fiz setenta anos e até duas semanas atrás eu dirigia o departamento de cardiologia do hospital Vargas de Caracas.

— Infelizmente, com seu histórico de preso político e exilado não é possível empregá-lo em nenhum hospital público; oficialmente está suspenso de suas funções até segunda ordem.

— Quer dizer que não vou poder trabalhar no Chile?

— Acredite que lamento muito. A decisão não depende de mim. Recomendo-lhe procurar uma clínica particular — disse o diretor, despedindo-se com um firme aperto de mão.

O governo militar considerava que os serviços públicos deviam ficar nas mãos de particulares; a saúde não era um direito, mas um bem de consumo que se compra e vende. Naqueles anos, em que se privatizava tudo o que era privatizável, desde a eletricidade até as linhas aéreas, haviam proliferado clínicas particulares com instalações e recursos sofisticadíssimos, para atender a quem pudesse pagar. O prestígio profissional de Víctor continuava incólume depois de anos de ausência, e ele conseguiu emprego imediato na mais afamada clínica de Santiago, com remuneração muito superior à que poderia ganhar no hospital público. Ali foi visitado por Felipe del Solar numa de suas frequentes viagens ao Chile. Passara-se muito tempo desde a última vez que se viram e nunca tinham sido amigos íntimos nem tinham muito em comum, mas abraçaram-se com genuíno afeto.

— Fiquei sabendo que tinha voltado, Víctor. Fico muito feliz com isso. Este país precisa que gente valiosa como você seja reintegrada.

— Você também está de volta ao Chile? — perguntou Víctor.

— De mim ninguém precisa aqui. Vivo em Londres. Dá para notar?

— Dá. Você parece um lorde inglês.

— Preciso vir com relativa frequência, por questões familiares, embora não suporte ninguém da minha família, com exceção de Juana Nancucheo, que me criou; mas parente não se escolhe.

Instalaram-se num banco de jardim diante de uma fonte moderna que lançava jatos de água como soprões de baleia, para se porem em dia sobre as respectivas famílias. Víctor ficou sabendo que os quadros pintados por Ofelia, reclusa no campo, não eram comprados por ninguém, que Laura del Solar sofria de demência senil em cadeira de rodas e que as irmãs de Felipe tinham se transformado em ricaças insuportáveis.

— Meus cunhados fizeram fortuna nesses anos, Víctor. Meu pai os desprezava. Dizia que minhas irmãs tinham se casado com tontos bem vestidos. Se pudesse ver os genros agora, precisaria engolir a língua — acrescentou Felipe.

— Este é o paraíso dos negócios e das negociatas — comentou Víctor.

— Não há nada de errado em ganhar dinheiro se o sistema e a lei permitem. E você, Víctor, como está?

— Tentando me adaptar e entender o que aconteceu por aqui. O Chile está irreconhecível.

— Você tem de admitir que está muito melhor. O levante militar salvou o país do caos de Allende e de uma ditadura marxista.

— Para impedir essa imaginária ditadura de esquerda foi imposta uma implacável ditadura de direita, Felipe.

— Olhe, Víctor, guarde suas opiniões para si. Aqui elas não caem bem. Você não pode negar que estamos muito melhor, temos um país próspero.

— Com um custo social muito alto. Você vive fora, está sabendo das atrocidades que aqui não são publicadas.

— Não me venha com essa cantilena de direitos humanos, que chatice, homem — interrompeu Felipe. — São excessos de alguns milicos brutos. Ninguém pode acusar a Junta de Governo e muito menos o presidente Pinochet por essas exceções. O importante é que há calma e temos uma economia impecável. Sempre fomos um país de molengas, e agora as pessoas precisam trabalhar e se esforçar. O sistema de livre mercado favorece a competência e estimula a riqueza.

— Isso não é livre mercado porque a força de trabalho está submetida e os direitos mais básicos foram suspensos. Você acha que seria possível implantar esse sistema numa democracia?

— Esta é uma democracia autoritária e protegida.

— Você mudou muito, Felipe.

— Por que está dizendo isso?

— Eu lembrava de você mais aberto, iconoclasta, um pouco cínico, crítico, oposto a tudo e a todos, sarcástico e brilhante.

— Continuo sendo assim em alguns aspectos, Víctor. Mas, quando a gente envelhece, precisa se definir. Eu sempre fui monarquista — sorriu Felipe. — Em todo caso, amigo, tenha cuidado com suas opiniões.

— Tenho cuidado, Felipe, mas não me cuido com os amigos.

Para atenuar o constrangimento que sentia por mercantilizar a medicina, Víctor trabalhava como voluntário num consultório precário de um dos assentamentos miseráveis de Santiago, que tinham nascido e se multiplicado com as migrações do campo e do salitre, meio século antes. Na de Víctor viviam apinhadas seis mil pessoas. Ali ele pôde ter uma ideia da repressão, do descontentamento e da coragem das pessoas mais modestas. Seus pacientes viviam em choças de papelão e tábuas, com chão de terra batida, sem água encanada, eletricidade nem banheiros, entre o pó do verão e a lama do inverno, em meio a imundícies, cães vadios, ratazanas e moscas, a maioria sem emprego, ganhando o mínimo para subsistir, com expedientes desesperados, catando plástico, vidro e papel no lixo para vender, recebendo pelo dia em todo e qualquer trabalho pesado, traficando ou roubando. O governo tinha planos para erradicar o problema, mas as soluções demoravam e, enquanto isso, ia erguendo muros para esconder aquele espetáculo lamentável que enfeava a cidade.

O mais impressionante são as mulheres — comentou Víctor com Roser.

— Elas são inquebrantáveis, sacrificadas, mais aguerridas que os homens, mães de seus próprios filhos e dos agregados, que elas acolhem sob seu teto. Suportam o alcoolismo, a violência e o abandono do homem de passagem, mas não se dobram.

— Têm alguma ajuda pelo menos?

— Têm, de igrejas, especialmente as evangélicas, de instituições de caridade e voluntários, mas o que me preocupa são as crianças, Roser. Elas crescem de qualquer jeito, muitas vezes vão dormir com fome, vão à escola quando podem, nem sempre, e chegam à adolescência sem outro horizonte que não sejam as gangues, as drogas ou a rua.

— Eu te conheço, Víctor. Sei que você está mais contente ali do que em qualquer outro lugar — comentou ela.

Era verdade. Com três dias de serviço naquela comunidade, ao lado de algumas enfermeiras e outros médicos idealistas que se revezavam, Víctor recuperou a chama de entusiasmo da juventude. Voltava para casa com o coração apertado e um rosário de histórias trágicas, cansado como um cão, mas não vendo a hora de voltar ao consultório. Sua vida tinha um propósito tão claro quanto nos tempos da Guerra Civil, quando seu papel neste mundo era inquestionável.

— Precisa ver como aquele pessoal se organiza, Roser. Os que podem colaboram com alguma coisa para o sopão comunitário, que é cozido nuns caldeirões grandes em cima de braseiros, ao ar livre. A ideia é dar um prato quente a cada pessoa, se bem que às vezes não dá para todos.

— Agora estou sabendo aonde vai parar o seu dinheiro, Víctor.

— Não é só de comida que se precisa, Roser, também falta o essencial no consultório.

Explicou que os habitantes da comunidade mantinham a ordem para evitar a intervenção da polícia, que costumava invadir com armas de guerra. O sonho impossível era ter um teto próprio e um terreno onde se estabelecer.

Antes eles simplesmente ocupavam terrenos e resistiam ao despejo com uma tenacidade inalterável. A "tomada" começava com umas poucas pessoas que chegavam discretamente; depois, ia aparecendo mais e mais gente, numa procissão furtiva e inexorável, que avançava com seus escassos pertences em carroças e carrinhos de mão, com sacolas nos ombros, arrastando os ínfimos materiais disponíveis para construir um teto, papelão, cobertores, com as crianças nas costas e os cachorros atrás, e, quando as autoridades ficavam sabendo, havia milhares de pessoas instaladas e dispostas a se defender. Teria sido uma temeridade suicida nos tempos que corriam, quando as forças da ordem podiam entrar com tanques e metralhar tudo sem o menor inconveniente.

— Basta que algum dos dirigentes locais tenha a ideia de propor um protesto ou uma ocupação para desaparecer e, se voltar a ser visto, será como cadáver na entrada da comunidade, para servir de advertência aos outros. Ali jogaram o corpo destroçado com mais de quarenta tiros do cantor Víctor Jara. Foi o que me contaram.

No consultório ele atendia emergências, queimaduras, ossos quebrados, ferimentos a facadas ou garrafadas, violência doméstica, enfim, nada que significasse desafio para ele, mas sua presença era suficiente para transmitir sensação de segurança aos habitantes. Enviava os casos sérios para o hospital mais próximo e, na falta de ambulância, frequentemente levava o paciente em seu próprio carro. Tinha sido prevenido contra roubos, era imprudente chegar ali em seu automóvel, que podia ser desmontado para as peças serem vendidas no mercado de desmanches, mas uma das dirigentes, avó ainda jovem, com índole de amazona, avisou aos moradores, especialmente aos adolescentes desencaminhados, que o primeiro que tocasse no carro do doutor ia se dar mal. Foi o que bastou. Víctor nunca teve problemas. Os Dalmau acabaram vivendo das economias do que Roser ganhava, porque o salário de Víctor na clínica ia inteiro na compra do indispensável para o consultório. Roser o viu tão satisfeito que resolveu participar. Conseguiu instrumentos financiados por Valentín Sánchez, que lhe mandou um cheque substancioso e um carregamento da Venezuela, e ia à comunidade nos mesmos dias do marido, para ensinar música. Descobriu que aquilo os unia mais do que fazer amor, mas não disse a ele. A Valentín Sánchez ela mandava informes e fotos. "Daqui a um ano vamos ter um coro infantil e uma orquestra de jovens. Você vai ter de vir ver com seus próprios olhos. Por enquanto precisamos de um bom equipamento de gravação e de alto-falantes para os concertos ao ar livre", explicou, sabendo que o amigo daria um jeito de conseguir mais verbas.

Pensando com certa inveja na bucólica descrição da vida campestre de Ofelia del Solar, Víctor convenceu Roser a morarem fora da cidade. Santiago era um pesadelo de tráfego, com gente apressada e mal-humorada. Além disso, costumava amanhecer com um manto de névoa tóxica. Encontraram o que procuravam: uma morada rústica de pedra e madeira, com palha no teto, um capricho do arquiteto que quis camuflá-la na paisagem agreste. Na época de sua construção, três décadas antes, o caminho de acesso era uma cobra ziguezagueante entre despenhadeiros de mulas, mas a capital foi crescendo até as bordas da cordilheira e, quando eles compraram a propriedade, aquela zona de sítios e chácaras estava incorporada. Ali não chegavam transporte coletivo nem correio, mas eles dormiam no silêncio profundo da natureza e acordavam com um coro de passarinhos. Nos dias de semana levantavam-se às cinco da madrugada para trabalhar e voltavam quando já estava escuro, mas o tempo que passavam naquela casa dava-lhes ânimo para lidar com qualquer inconveniente. Durante o dia a propriedade ficava vazia, e nos dois primeiros anos eles foram roubados onze vezes. Era uma gatunice tão humilde que não valia a pena irritar-se nem chamar a polícia. Furtaram a mangueira do jardim, as galinhas, vasilhas de cozinha, um rádio de pilhas, um despertador e outras coisas insignificantes. Levaram também o primeiro televisor e outros dois que o substituíram. Então Víctor e Roser decidiram ficar sem nenhum, afinal de contas havia pouca coisa de interesse para ver na tela. Quando estavam pensando em começar a deixar a porta sempre aberta, para evitar que os vidros fossem quebrados, Marcel lhes trouxe dois cachorros grandes, resgatados no canil municipal, que latiam, mas eram muito mansos, e um pequeno que mordia. Isso resolveu o problema.

Marcel vivia e trabalhava no meio de gente que Víctor chamava genericamente de "os privilegiados", na falta de classificação mais precisa, porque em comparação com seus pacientes da comunidade era de fato gente privilegiada. Marcel não gostava desse termo, que não podia ser aplicado às suas amizades em geral, mas por que ia se meter numa discussão bizantina com os pais? "Vocês são relíquias do passado, velhos, ficaram trancados nos anos setenta. Atualizem-se." Ligava para eles diariamente e os visitava aos domingos para o churrasco obrigatório, imposição de Víctor. Vinha acompanhado por uma mulher diferente a cada vez, mas sempre do mesmo estilo: muito magras, cabelos lisos e compridos, lânguidas, quase sempre vegetarianas; completamente diferentes da jamaicana de sangue quente que o iniciara no amor. O pai não conseguia distinguir a visitante deste domingo das anteriores, nem decorar o nome dela antes que fosse trocada por outra quase igual. Ao chegar, Marcel cochichava no ouvido de Víctor que não falasse do exílio nem de seu consultório na comunidade, porque acabara de conhecer a garota e não estava muito seguro de sua tendência política, se é que tinha alguma. "É só olhar para ela, Marcel. Vive numa bolha, não tem ideia do passado nem do que está acontecendo agora. A sua geração carece de idealismo", replicava Víctor. Acabavam fechados na despensa, brigando aos sussurros, enquanto Roser procurava distrair a visitante. Depois, quando já estavam reconciliados, Marcel assava bifes sangrentos e Víctor fervia espinafre para a garota de cabelo liso. Com frequência apareciam os vizinhos, o casal Meche e Ramiro, com um cesto de verduras frescas da horta e alguns frascos de compota feita em casa. Segundo Roser, Ramiro ia morrer a qualquer momento, embora estivesse saudável; na verdade foi o que ocorreu: morreu atropelado por um motorista bêbado. Víctor perguntou à mulher como diabos ela sabia, e ela respondeu que dava para ver nos olhos dele que estava marcado pela morte. "Quando você ficar viúvo, vai se casar com a Meche, entendeu?", cochichou Roser no velório do pobre homem. Víctor assentiu, porque tinha certeza de que Roser ia viver muito mais que ele.

Víctor e Roser trabalharam três anos como voluntários na ocupação, ganhando a confiança dos moradores, antes que o governo ordenasse a evacuação das famílias para outras localidades da periferia da capital, longe dos bairros da burguesia. Em Santiago, uma das cidades mais segregadas do mundo, nenhum pobre vivia à vista dos bairros altos. Os carabineiros chegaram seguidos por soldados, separaram as pessoas com a autoridade das armas e levaram-nas em caminhões do exército escoltados por fardados de motocicleta, para distribuí-las em diferentes vilas provisórias, todas iguais, de ruas sem asfalto e fileiras de casas que pareciam caixotes depositados no pó. Não foi a única ocupação erradicada. Num tempo recorde transferiram mais de quinze mil pessoas, sem que o restante dos cidadãos ficasse sabendo. Os pobres tinham se tornado invisíveis. A cada família foi designada uma moradia básica de tábuas, composta por um aposento de uso múltiplo, banheiro e cozinha, mais decente que o barraco de onde vinham, mas num piscar de olhos dera-se cabo da comunidade. As pessoas ficaram divididas, desarraigadas, isoladas e vulneráveis; cada uma por si.

A operação foi executada de maneira tão rápida e precisa que Víctor e Roser tomaram conhecimento dela no dia seguinte, quando chegaram para trabalhar como sempre e depararam com as máquinas de terraplanagem limpando o terreno onde ficava a ocupação para a construção de prédios residenciais. Demoraram uma semana para localizar alguns grupos erradicados, mas naquela mesma tarde foram advertidos por agentes da segurança de que estavam na mira; qualquer contato com os ex-ocupantes seria considerado uma provocação. Para Víctor, foi um golpe baixo. Ele não tinha intenção de se aposentar. Continuava encarregado dos casos mais complicados da clínica, mas nem a cirurgia, que ele amava, nem o dinheiro que ganhava podiam compensar para ele a perda dos pacientes da ocupação.

Em 1987 a ditadura, pressionada por dentro pelo clamor popular e por fora pelo desprestígio que sofria, pôs fim ao toque de recolher e afrouxou um pouco a censura de imprensa, que vigorava fazia quatorze anos; também autorizou partidos políticos e o retorno do restante dos exilados. A oposição exigia eleições livres e, como resposta, o governo impôs um referendo para decidir se Pinochet continuava ou não no poder por mais oito anos. Víctor, que sem ter participado da política sofrera como se tivesse participado, considerou que chegara o momento de atuar abertamente. Uniu-se à oposição, que tinha diante de si a tarefa hercúlea de mobilizar o país para derrotar o governo militar no plebiscito. Quando em sua casa apareceram os mesmos agentes de segurança que o haviam ameaçado antes, ele os expulsou com maus modos. Em vez de o levarem algemado e com um capuz na cabeça, responderam com ameaças pouco convincentes e foram embora. "Vão voltar", disse Roser, furiosa, mas passaram-se os dias e as semanas sem que seu prognóstico se realizasse. Isso serviu para mostrar que finalmente as coisas estavam para mudar no Chile, como supusera Marcel quatro anos antes. A impunidade da ditadura começava a fazer água.

O referendo foi realizado com a mais surpreendente tranquilidade, sob a vigilância de observadores internacionais e da imprensa do mundo inteiro. Ninguém ficou sem votar, nem os velhos em cadeiras de rodas, nem as mulheres com contrações de parto, nem os doentes em macas. E no fim do dia, burlando-se as manobras mais sagazes dos homens do poder, a ditadura foi vencida em seu próprio terreno, com suas próprias leis. Naquela noite, diante dos inegáveis resultados, Pinochet, endurecido pela soberba do poder absoluto e isolado da realidade por muitos anos de total impunidade, propôs outro golpe de Estado para se perpetuar na cadeira presidencial, mas os agentes da inteligência americana, que o haviam apoiado antes, e os generais escolhidos por ele mesmo não lhe deram respaldo. Incrédulo até o último instante, acabou por reconhecer a derrota. Meses depois, entregou o cargo a um civil, para que se iniciasse a transição a uma democracia condicional e cautelosa, mas manteve as Forças Armadas sob mão de ferro e o país sobressaltado. O golpe militar contava dezessete anos.

Com a volta da democracia, Víctor Dalmau deixou a clínica particular para se dedicar exclusivamente ao hospital San Juan de Dios, onde foi reintegrado no mesmo posto que ocupara antes de ser preso. O novo diretor, que fora aluno dele na universidade, absteve-se de mencionar que seu professor passava da idade de se aposentar para gozar a velhice. Víctor chegou numa segunda-feira de abril com seu jaleco branco e sua maleta surrada por quarenta anos de uso e deparou com meia centena de pessoas no saguão, médicos, enfermeiros e pessoal administrativo com balões coloridos e um bolo enorme todo lambuzado de merengue, para lhe dar as boas-vindas que não puderam dar antes. "Poxa, caramba, estou ficando velho", pensou ao sentir os olhos marejados. Fazia anos que não chorava. Os poucos expulsos que retornavam ao hospital não eram recebidos com tanto estardalhaço, porque era imprudente chamar atenção; a palavra de ordem tácita nacionalmente, para não provocar os militares, era fingir que o passado recente estava enterrado e em vias de ser esquecido, mas o doutor Dalmau tinha deixado uma lembrança duradoura de decência e capacidade entre os colegas e de amabilidade entre os subalternos, que podiam recorrer a ele a qualquer momento com a certeza de que seriam atendidos. Até seus adversários ideológicos o respeitavam, por isso nenhum deles o denunciara. Víctor devia a prisão e o exílio a uma vizinha ressentida que sabia de sua amizade com Salvador Allende. Logo ele foi chamado pela Escola de Medicina para dar aulas e pelo Ministério da Saúde para ocupar o cargo de subsecretário. Aceitou a primeira oferta e recusou a segunda, porque a condição era inscrever-se em algum dos partidos do governo; sabia que não era um animal político e jamais seria.

Sentia-se vinte anos mais novo, andava exuberante. Depois de ter passado por vexações e pelo ostracismo no Chile e de ter sido estrangeiro durante muitos anos, da noite para o dia a sorte dera uma guinada: ele era o professor Dalmau, diretor de um departamento de cardiologia, o especialista mais admirado do país, capaz de realizar com o bisturi proezas que outros nem sequer tentavam, conferencista, aquele que até os inimigos consultavam, como se viu em mais de uma oportunidade, quando lhe incumbiu operar alguns militares de alta patente que ainda mantinham o poder e um dos mais radicais estrategistas da repressão durante a ditadura. Diante da necessidade de salvar a vida, aqueles homens chegavam com o rabo entre as pernas para consultá-lo; o medo não tem vergonha, dizia Roser. Era sua hora, ele estava no ápice da carreira e sentia que, de alguma forma misteriosa, encarnava a transformação do país; as sombras tinham recuado, raiava a liberdade e, por extensão, ele vivia também um esplêndido amanhecer. Mergulhou no trabalho e, pela primeira vez em sua trajetória de introvertido, procurava atenção e aproveitava as oportunidades de se exibir em público. "Cuidado,

Víctor, você anda embriagado pelo triunfo. Lembre que a vida dá muitas voltas", advertiu Roser. Disse isso por achar que ele tinha ficado convencido. Estivera a observá-lo, preocupada. Tinha notado seu tom pedante, seu ar de autoridade, sua tendência a falar de si mesmo, o que nunca fizera antes, suas opiniões categóricas, seu jeito apressado e impaciente, até mesmo com ela. Fez essa observação e ele respondeu que tinha muitas responsabilidades e não podia andar pisando em ovos com ela, em sua própria casa. Roser o viu almoçando na cafeteria da faculdade, rodeado de jovens estudantes que o ouviam com veneração de discípulos, e pôde apreciar como Víctor gozava aquela reverência, em especial das moças, que celebravam seus comentários banais com injustificada admiração. Para ela, que o conhecia por dentro e por fora até o último milímetro, aquela vaidade tardia causou surpresa, por ser inesperada, e ela lastimou o marido; estava descobrindo como é vulnerável à adulação um velho vaidoso. Não imaginou que a reviravolta da vida, que baixaria a crista de Víctor, seria ela mesma.

Treze meses depois Roser suspeitou que um mal insidioso a corroía lentamente, mas convenceu-se de que deviam ser sintomas da idade ou da imaginação, uma vez que o marido não havia notado nada. Víctor estava tão ocupado com seu sucesso que tinha descuidado a relação com ela, embora, quando juntos, continuasse sendo seu melhor amigo e o amante que a fazia sentir-se bela e desejada aos 73 anos. Ele também a conhecia por dentro e por fora. Se a perda de peso, o amarelamento da pele e as náuseas não preocupavam Víctor, sem dúvida se tratava de um mal menor. Foi preciso outro mês se passar para ela decidir consultar alguém, porque, além dos incômodos anteriores, passou a amanhecer tiritando de febre. Por um vago sentimento de pudor e para não parecer lamurienta ao marido, foi procurar um dos colegas dele. Dias depois, quando lhe entregaram os resultados dos exames, ela chegou em casa com a má notícia de que tinha um câncer terminal. Precisou dizer isso duas vezes para que Víctor saísse do estupor e reagisse.

A partir do diagnóstico, a vida dos dois passou por uma transformação drástica, porque a única coisa que realmente desejavam era prolongar e aproveitar juntos o tempo que ela ainda tinha. A vaidade de Víctor desinflou-se com aquela única estocada, e ele desceu do Olimpo para o inferno da doença. Pediu licença por tempo indefinido do hospital e deixou as aulas para dedicar-se inteiramente a Roser. "Enquanto pudermos, vamos nos divertir, Víctor. A guerra contra este câncer talvez esteja perdida, mas nesse meio-tempo vamos ganhar algumas batalhas." Víctor levou-a para uma lua de mel num lago ao Sul, um espelho cor de esmeralda que refletia bosques, cascatas, montes e os cumes nevados de três vulcões. Naquela paisagem fantástica, no silêncio absoluto da natureza, instalados numa cabana rústica, longe de tudo e de todos, puderam rememorar cada etapa do passado, desde os tempos em que ela era uma moça magra, apaixonada por Guillem, até o presente, quando se transformara na mulher mais bonita do mundo para Víctor. Ela insistiu em nadar no lago, como se aquela água gelada e prístina pudesse lavá-la por dentro e por fora, purificá-la e deixá-la sadia. Também quis fazer excursões, mas faltavam-lhe forças para caminhar como se propunha, e eles acabavam passeando devagar, ela dependurada no braço do marido e com uma bengala na outra mão. Estava perdendo peso a olhos vistos.

    Víctor tinha passado a vida lidando com o sofrimento e a morte, estava familiarizado com as emoções vulcânicas que sacodem o paciente quando da proximidade da morte, porque as ensinava na faculdade: negar a sorte, enfurecer-se com ela, regatear com o destino e com a divindade para prolongar a existência, afundar no desespero e por fim, no melhor dos casos, resignar-se diante do inevitável. Roser queimou todas as etapas anteriores e desde o começo aceitou o fim com espantosa calma e bom humor. Negou-se a recorrer aos tratamentos alternativos sugeridos por Meche e outras amigas de boa vontade, nada de homeopatia, ervas do Amazonas, curandeiros nem exorcismos. "Vou morrer, e daí? Todo mundo morre." Aproveitava as horas em que se sentia bem para ouvir música, tocar piano e ler poesia com a gata no colo. Aquele animal, presente de Meche, tinha aspecto de felino imperial, mas sempre fora meio selvagem, distante e solitário. Às vezes desaparecia vários dias e costumava voltar com os restos ensanguentados de algum roedor para depositá-los como oferenda na cama dos donos da casa. A gata pareceu entender que algo tinha mudado e da noite para o dia ficou mansa e acomodada. Não se separava de Roser.

No começo, Víctor ficou obcecado pelos tratamentos existentes e por outros em experimentação, lia informes, estudava cada droga e memorizava estatísticas de forma seletiva, descartando as mais pessimistas e agarrando-se a qualquer nesga de esperança. Lembrou-se de Lázaro, o soldadinho da estação do Norte que voltou da morte porque tinha muita vontade de viver. Acreditou que, se conseguisse injetar no ânimo e no sistema imunológico de Roser aquela mesma paixão pela vida, ela poderia vencer o câncer. Existiam casos assim. Existiam milagres. "Você é forte, Roser, sempre foi forte, nunca ficou doente, é de ferro, vai sair dessa, essa doença nem sempre é fatal", repetia como um mantra, sem conseguir contagiá-la com aquele otimismo sem fundamento que, como médico, teria desaconselhado aos pacientes. Roser foi na onda dele enquanto pôde. Só por causa dele se submeteu à quimioterapia e à radiação, certa de que aquilo significava apenas prolongar o processo que ia se tornando cada dia mais penoso. Suportou sem nenhuma queixa e com o estoicismo que era sua marca de nascença a atrocidade das drogas; perdeu todos os cabelos, até os cílios, e estava tão fraca e magra que Víctor a levantava nos braços sem esforço. Nos braços a transferia da cama para a poltrona, nos braços a carregava para o banheiro, nos braços a levava ao jardim, para que ela visse os beija-flores no pé de brinco-de-princesa e as lebres passando aos pulos, a fazer pouco dos cachorros, já velhos demais para se dar o trabalho de persegui-las. Roser perdeu o apetite, mas fazia questão de engolir alguns bocados dos pratos que ele cozinhava para ela usando livros de receita. No fim, só tolerava *crema catalana*, doce que a avó Carme fazia para Marcel aos domingos. "Quando eu me for, quero que você chore por mim só um dia ou dois, por respeito, que console o pobre Marcel e volte para seu hospital e suas aulas, porém mais humilde, Víctor, porque você esteve insuportável", disse-lhe uma vez.

A casa de pedra e palha foi o santuário deles até o final. Nela tinham vivido seis anos felizes, mas nos últimos tempos, quando cada minuto do dia e da noite era precioso, eles a apreciaram plenamente. Tinha sido adquirida já bastante deteriorada, e eles haviam adiado indefinidamente os consertos necessários; era preciso trocar as venezianas desconjuntadas, reformar os banheiros de azulejos rosados e encanamento enferrujado, arrumar as portas que não fechavam e as que eles não conseguiam abrir; precisavam jogar fora a palha meio podre do teto, onde havia ninhos de ratos, limpar a fundo teias de aranha, bolores, traças, tapeçaria empoeirada. Nada daquilo eles percebiam. A casa os envolveu como num abraço e os protegeu das distrações inúteis e da curiosidade e da pena dos outros. O único visitante tenaz era o filho. Marcel chegava a toda hora com sacolas do mercado, comida para os cachorros, o gato e o papagaio, que o saudava sempre com um entusiasmado "Oi, lindo!", com gravações de música clássica para a mãe, vídeos para os dois se distraírem, jornais e revistas que nem Víctor nem Roser liam porque o mundo exterior os angustiava. Marcel procurava ser discreto, tirava os sapatos na porta para não fazer barulho, mas enchia o ambiente com sua presença de homem alto e sua fingida alegria. Os pais sentiam falta dele se passassem um dia sem vê-lo e, quando ele estava ali, ficavam aturdidos. A vizinha Meche também chegava calada para deixar alimentos na varanda e perguntar se precisavam de algo. Ficava apenas alguns minutos, porque entendia que a coisa mais preciosa que os Dalmau tinham era o tempo que passavam juntos, o tempo de se despedirem.

Chegou o dia em que, sentados lado a lado no sofá de vime da varanda, com a gata no colo, os cachorros aos pés e a vista das montanhas douradas e do céu azul do entardecer, Roser pediu ao marido que, por favor, a soltasse, que a deixasse ir, porque estava muito cansada. "Não me leve ao hospital por motivo nenhum, quero morrer em nossa cama, de mãos dadas com você." Víctor, derrotado afinal, teve de aceitar sua própria impotência. Não podia salvá-la nem podia imaginar a existência sem ela. Compreendeu espantado que o meio século que viviam juntos passara a galope. Para onde foram os dias e os anos? O futuro sem ela era o enorme quarto vazio sem portas nem janelas que aparecia em seus pesadelos. Sonhava que fugia da guerra, do sangue e dos corpos despedaçados, corria, corria na noite e de repente se encontrava naquele aposento hermético onde estava a salvo de tudo, menos de si mesmo. Esvaíram-se de seu corpo o entusiasmo e a energia dos meses anteriores, quando se acreditava invulnerável à idade. A mulher que tinha a seu lado também envelhecera em poucos minutos. Momentos antes ainda era como ele sempre a tinha visto e como a recordava em sua ausência, a jovem de 22 anos com uma criança recém-nascida nos braços que se casou com ele sem amor e o amou mais que ninguém no mundo, a companheira. Com ela tinha vivido tudo o que valia a pena viver. Diante da proximidade da morte, a intensidade de seu amor tornou-se insuportável como uma queimadura. Quis sacudi-la, gritar-lhe que não se fosse, que ainda tinham anos pela frente para amar-se mais que nunca, para ficar juntos sem se separar nenhum dia, que "por favor, por favor, Roser, não me deixe". Nada disso ele falou, porém, porque precisaria ser cego para não ver a morte no jardim, esperando sua mulher com paciência de espectro.

Soprava uma brisa fria, e Víctor envolveu Roser em dois cobertores que a cobriam até o nariz, deixando à mostra apenas uma mão esquelética que se agarrava à dele com mais força do que parecia capaz. "Não tenho medo de morrer, Víctor. Estou contente, quero saber o que há depois. E você também não deve ter medo, porque sempre vou estar ao seu lado, nesta vida e em outras. É nosso carma." Víctor começou a chorar como uma criança, com soluços desesperados. Roser deixou-o chorar até que as lágrimas se esgotassem e ele fosse se resignando àquilo que ela aceitava desde vários meses. "Não vou permitir que você sofra mais, Roser", foi a única coisa que Víctor pôde lhe oferecer. Ela se aninhou nos braços dele, como fazia todas as noites, e deixou-se balançar e ninar até dormir. Já estava escuro. Víctor retirou a gata, levantou Roser cuidadosamente, para não a acordar, e levou-a para a cama. Não pesava quase nada. Os cães o seguiram.

XIII

Aqui termino de contar

1994

> *Sin embargo,*
> *aquí están las raíces de mi sueño,*
> *esta es la dura luz que amamos...**
>
> Pablo Neruda,
> "Regreso", *Navegaciones y regresos*

Três anos depois da morte de Roser, Víctor Dalmau fez oitenta anos na casa das montanhas onde vivera com ela desde a volta para o Chile em 1983. Era uma rainha velha, trêmula e esfrangalhada, mas ainda nobre. Para Víctor, que desde criança fora um solitário, a viuvez pesava mais do que tinha imaginado. Tivera o melhor dos casamentos, como diria qualquer um que os tivesse conhecido e não soubesse dos pormenores do passado remoto, e, ao enviuvar, ele não conseguiu se acostumar à ausência de sua mulher com a rapidez que ela mesma teria desejado. "Quando eu morrer, você se case depressa porque vai precisar de alguém que cuide de você quando estiver decrépito e demente. A Meche não cairia nada mal", ordenou-lhe ela quase no fim, entre assopradelas na máscara de oxigênio.

---

* No entanto, / aqui estão as raízes de meu sonho, / esta é a dura luz que amamos... [N. T.]

Apesar da solidão, Víctor gostava da casa vazia, que parecia ter espichado em várias direções, do silêncio, da desordem, do cheiro dos quartos fechados, do frio e das correntes de ar que sua mulher combatera com mais sanha do que aos roedores do teto. O vento castigara com fúria o dia inteiro, os vidros estavam cegos da geada, e o fogo da lareira era uma tentativa ridícula de combater aquele inverno de chuva e granizo. A viuvez lhe era estranha, depois de mais de meio século de convivência matrimonial. Roser lhe fazia tanta falta que às vezes sentia sua ausência como dor física. Não queria se resignar à velhice. A idade avançada é uma perturbação da realidade conhecida, o corpo muda e mudam as circunstâncias; vai-se perdendo o controle e chega-se a depender da bondade alheia, mas ele pensava em morrer antes de chegar a esse ponto. O problema era a dificuldade, às vezes, de morrer com dignidade e rapidez. Era pouco provável que ele fosse levado por um infarto, porque tinha coração sadio. Isso lhe repetia seu médico uma vez por ano, quando o examinava, e invariavelmente esse comentário lhe trazia à memória a lembrança vívida de Lázaro, o soldadinho cujo coração ele tivera entre os dedos. Não comungava com o filho o temor do futuro imediato. Do futuro distante ele cuidaria mais tarde.

— Pode lhe acontecer alguma coisa, papai. Se você cair ou tiver um ataque quando eu estiver viajando, pode ficar aí jogado sem ajuda durante dias. O que vai fazer?

— Morrer, só isso, Marcel, e rogar que ninguém apareça para me encher o saco na agonia. Não se preocupe com os meus bichos, eles sempre têm comida e água para vários dias.

— E se ficar doente, quem vai cuidar de você?

— Quem se preocupava com isso era sua mãe. Na hora a gente vê. Estou velho, mas não ancião. Você tem mais doenças que eu.

Era verdade. Aos 55 anos, o filho já tinha feito uma cirurgia de substituição do joelho, fraturado várias costelas, partido a mesma clavícula duas vezes. "Isso lhe acontece por causa do excesso de exercícios — opinava Víctor. — É bom manter a forma, mas que ideia é essa de sair correndo sem ser perseguido e atravessar continentes de bicicleta? Você deveria se casar; assim teria menos tempo para pedalar e menos achaques. O casamento é muito vantajoso para os homens, embora não para as mulheres." Ele mesmo, porém, não estava disposto a seguir o conselho que dava sobre o casamento. Estava tranquilo com a saúde. Tinha desenvolvido a teoria de que, para se manter sadio, o melhor é desprezar os sinais de alarme do corpo e da mente e estar sempre ocupado. "É preciso ter um objetivo", dizia. Estava ficando mais fraco com os anos, era inevitável; seus ossos deviam estar tão amarelados quanto os dentes, seus órgãos estariam desgastados, e os neurônios estavam morrendo aos poucos no cérebro, mas esse drama se desenrolava longe de sua vista. Por fora tinha aparência ainda razoável, e quem se importa com o aspecto do fígado quando tem todos os dentes? Procurava ignorar os hematomas espontâneos na pele, o fato irrefutável de que estava cada vez mais difícil subir o morro com os cachorros e abotoar a camisa, o cansaço dos olhos, a surdez e o tremor das mãos que o obrigou a aposentar-se da sala de cirurgia, porque não podia continuar operando. Ocioso não estava. Continuava atendendo no hospital San Juan de Dios e dando, na universidade, aulas que já não preparava; bastavam seus setenta anos de experiência, contando os da guerra, que tinham sido os mais duros. Andava de ombros bem plantados, tinha o corpo firme, restavam-lhe cabelos e se sustinha erguido como lança para compensar a manqueira e porque a cada dia ficava mais difícil dobrar os joelhos e a cintura.

Tomava o cuidado de não manifestar em voz alta que a viuvez lhe pesava, para não perturbar o filho. Marcel preocupava-se demais, tinha vocação para mãe. Para Víctor, a morte não era uma separação irremediável. Imaginava sua mulher viajando à frente, pelo espaço sideral, onde talvez fossem parar as almas dos mortos, enquanto ele aguardava sua vez de segui-la, mais curioso que apreensivo. Ali estaria com o irmão Guillem, os pais, Jordi Moliné e tantos amigos que tinham morrido no *front*. Para um agnóstico racionalista com formação científica como ele, essa teoria apresentava falhas fundamentais, mas servia de consolo. Mais de uma vez Roser o advertira, entre séria e ameaçadora, de que ele jamais se livraria dela, porque estavam destinados a ficar juntos nesta vida e em outras. No passado, nem sempre tinham sido casados, dizia ela, o mais provável é que em outras vidas tivessem sido mãe e filho, ou irmãos, o que explicaria a relação de afeto incondicional que os unia. A ideia de repetição infinita com a mesma pessoa deixava Víctor nervoso, ainda que, em sendo inevitável a repetição, melhor que fosse com Roser do que com outra. Em qualquer dos casos, essa possibilidade era apenas uma especulação poética, porque ele não acreditava no destino nem na reencarnação; no primeiro não acreditava por considerá-lo um truque de telenovelas, e na segunda, por ser matematicamente impossível. De acordo com sua mulher, que tendia a se deixar cativar por práticas espirituais de lugares remotos, como o Tibete, a matemática não pode explicar as múltiplas dimensões da realidade, mas a Víctor isso parecia argumento de charlatão.

    A possibilidade de voltar a se casar dava-lhe calafrios; bastava-lhe a companhia dos animais. Não era verdade que falava sozinho; conversava com os cachorros, o papagaio e a gata. As galinhas não contavam, porque não tinham nome próprio, iam e vinham como lhes dava na veneta e escondiam os ovos. Víctor chegava em casa à noite e lhes falava dos pormenores do dia, os bichos eram seus interlocutores nas raras ocasiões em que se punha sentimental e o ouviam quando ele resolvia relacionar de olhos fechados os objetos da casa ou da flora e da fauna do jardim. Era sua maneira de exercitar a memória e a atenção, assim como outros velhos solucionam quebra-cabeças. Nas tardes longas, quando havia tempo para lembrar, ele repassava a breve lista de seus amores. O primeiro foi Elisabeth Eidenbenz, que ele conhecera muito longe no tempo, em 1936. Ao pensar nela, via-a branca e doce, um bolo de amêndoas. Naquele tempo, prometeu que depois de todas as batalhas, quando se assentassem os escombros e o pó sobre a terra, ele a procuraria, mas as coisas não tinham sido assim. Terminadas as guerras, ele estava muito longe, casado e com um filho. Procurou-a muito depois, por simples curiosidade, e descobriu que Elisabeth vivia num povoado da Áustria, regando suas plantas, alheia ao rumor de seu heroísmo. Quando soube onde ela morava, Víctor lhe mandou uma carta que ela nunca respondeu. Talvez tivesse chegado o momento de escrever-lhe de novo, agora que estava sozinho. Seria uma iniciativa sem risco, pois de nenhum modo voltariam a se encontrar. A Áustria e o Chile ficavam a mil anos-luz de distância. De Ofelia del Solar, seu segundo amor breve e apaixonado, preferia não se lembrar. Os outros tinham sido poucos. Mais que amores, tinham sido chispas, mas costumava pensar neles, embelezando-os, para manter longe as recordações intoleráveis. A única que contava era Roser.

Um dia se dispôs a festejar seu aniversário dividindo com os bichos o prato que preparava sempre naquela data como homenagem aos melhores momentos da infância e da juventude. Carme, sua mãe, era uma negação na cozinha; a especialidade dela era o magistério, que a ocupava durante a semana. Aos domingos e feriados também não entrava na cozinha, porque ia dançar sardanas em frente à catedral do Bairro Gótico e dali ia para a taverna tomar uma taça de vinho tinto com as amigas. Víctor, o irmão Guillem e o pai jantavam todos os dias pão com tomate, sardinhas e café com leite, mas de vez em quando a mãe acordava inspirada e surpreendia a família com o único prato tradicional que sabia fazer, o típico *arròs negre*, cuja fragrância ficaria para sempre associada com festa na mente de Víctor.

Em homenagem àquela lembrança sentimental, Víctor ia ao Mercado Central no dia anterior ao aniversário, em busca dos ingredientes para o *fumet* e das lulas frescas para o arroz. "Catalão até a morte", dizia Roser, que nunca tinha colaborado no processo artesanal daquele jantar festivo, mas contribuía com algum concerto de piano, tocado na sala, ou se sentava numa banqueta da cozinha para lhe ler versos de Neruda, possivelmente alguma ode de sabor marinho, algo como *"no mar tormentoso do Chile vive o rosado congro, gigante enguia de nevada carne"*, e em vão Víctor de vez em quando lhe mostrava que no prato em questão não ia congro, rei da mesa aristocrática, mas humildes cabeças e rabos de peixe para a sopa dos proletários. Ou então, enquanto Víctor fritava no azeite de oliva a cebola e o pimentão, acrescentava as lulas limpas e cortadas em rodelas, os alhos, uns poucos tomates picados e o arroz, finalizando com o caldo quente, preto de tinta de lula, e a folha regulamentar de louro fresco, ela lhe contava fofocas em catalão, para lustrar a língua materna deles, que, de tanto ir de um lado para o outro, estava se enferrujando.

O arroz estava cozinhando em fogo lento numa *paellera*; ele preparava a receita com o dobro dos ingredientes, embora precisasse jantar a mesma coisa pelo restante da semana. O aroma lendário ia invadindo a casa e sua alma, enquanto ele esperava com um pires de anchovas e azeitonas da Espanha, encontradas em qualquer lugar. Aquela era uma das vantagens do capitalismo, dizia o filho para provocá-lo. Víctor dava preferência aos produtos nacionais, era preciso servir à pátria apoiando a indústria local, mas o idealismo fraquejava em matéria tão sagrada como azeitonas e anchovas. Na geladeira esfriava uma garrafa de vinho rosado para brindar com Roser quando o jantar estivesse pronto. Ele estendera a toalha de linho e conseguira meia dúzia de rosas de estufa e velas para enfeitar a mesa. Ela, sempre impaciente, teria aberto a garrafa já há um bom tempo, mas em sua condição atual precisava se conformar e esperar. Na geladeira também havia uma *crema catalana*. Ele não era dado a doces, e a *crema catalana* acabaria na goela dos cachorros. O telefone o sobressaltou.

— Feliz aniversário, papai. O que está fazendo?
— Lembrando e me arrependendo.
— De quê?
— Dos pecados que não cometi.
— E o que mais está fazendo?
— Cozinhando, filho. Onde você está?
— No Peru, num congresso.
— Outro? Você não faz outra coisa.
— Está cozinhando o de sempre?
— Estou. A casa está com cheiro de Barcelona.
— Imagino que convidou a Meche.
— Mmm.

Meche... Meche, a encantadora vizinha que o filho lhe impunha, empenhado em resolver o assunto de sua viuvez com medidas extremas. Víctor admitia que a vivacidade e a leveza daquela mulher eram atraentes; ele, em compensação, parecia um paquiderme. Meche, com sua atitude aberta e positiva, com suas opulentas esculturas de mulheres bundudas e sua plantação de verduras, ia ser sempre jovem. Ele, no entanto, com sua propensão à reclusão, estava envelhecendo depressa. Marcel adorava a mãe (e Víctor desconfiava que ainda a chorava às escondidas), mas estava convencido de que sem uma esposa o pai ia terminar transformado num mendigo. Para desviar sua atenção, Víctor alegara que tinha a intenção de entrar em contato com uma enfermeira dos tempos de juventude, mas Marcel, quando se agarrava a uma ideia, não a soltava. Meche morava a trezentos metros de distância e entre eles havia outros dois terrenos separados por fileiras de álamos, mas Víctor a considerava sua única vizinha, pois mal e mal cumprimentava os outros, que o acusavam de comunista por ter sido exilado e trabalhar num hospital de pobres. Como norma, evitava a companhia alheia, já tinha muita com colegas e pacientes, mas com Meche não havia conseguido. Segundo Marcel, era a noiva ideal: madura, viúva, filhos e netos sem vícios evidentes, oito anos mais nova que ele, alegre e criativa; ainda por cima gostava dos animais.

— Você me prometeu, papai, deve muitos favores a essa senhora.

— Ela me deu a gata porque se cansou de vir buscá-la na minha casa. Eu não sei por que você acha que uma mulher normal ia se interessar por um velho manco, arisco e malvestido como eu, a não ser que estivesse desesperada, e nesse caso por que eu ia querê-la?

— Não se faça de tonto.

Aquela mulher perfeita também assava biscoitos e cultivava tomates, que lhe levava discretamente e deixava num cesto dependurado de um gancho na entrada. Não se ofendia quando ele se esquecia de agradecer. O invencível entusiasmo daquela senhora acabava sendo suspeito. Aparecia com certa regularidade trazendo pratos esquisitos, como sopa fria de abobrinha ou frango com canela e pêssegos, oferendas que Víctor Dalmau interpretava como uma forma de suborno. Um mínimo de prudência aconselhava mantê-la a certa distância; Víctor planejava passar os anos da velhice tranquilo e calado.

— Fico com pena de você passar sozinho o dia do seu aniversário, papai.

— Tenho companhia. Sua mãe.

Um longo silêncio na linha obrigou Víctor a esclarecer que ainda estava lúcido, que aquilo de jantar com a defunta era algo assim como ir à Missa do Galo na noite de Natal, um rito metafórico anual. Nada de fantasmas, só um tempinho de prazer lembrando, um brinde àquela boa esposa que, com alguns sobressaltos, é verdade, o aguentara durante várias décadas.

— Boa noite, velho. Vá dormir cedo, deve estar fazendo muito frio por essas bandas.

— Passe a noite na farra e vá dormir de manhã, filho. Está precisando.

Era pouco mais de sete da noite, estava escuro, e a temperatura invernal tinha baixado vários graus. Em Barcelona ninguém jantaria arroz negro antes das nove, e no Chile o costume era mais ou menos o mesmo. Jantar às sete era coisa de velhos. Víctor preparou-se para esperar na poltrona favorita, que guardava a forma de seu corpo na armação arriada, aspirando o aroma dos troncos de espinheiro que se consumiam na lareira e antecipando o prazer da comida, com o livro da vez e um copo pequeno de pisco sem gelo ou outros atenuantes, como gostava, a única bebida forte que se permitia no fim do dia porque acreditava que a solidão conduz ao alcoolismo. O conteúdo da *paellera* era tentador, mas ele resolveu resistir até a hora adequada.

Logo os cachorros, que tinham ido dar a volta necessária pelos arredores antes de se recolherem para a noite, o interromperam com um coro de latidos ameaçadores. "Deve ser um cangambá", pensou Víctor, mas logo em seguida ouviu um veículo no jardim e foi sacudido por um estremecimento: porra, a Meche. Não dava para apagar as luzes e fingir que estava dormindo. Normalmente os cachorros corriam para festejá-la em estado de excitação descomedida, mas daquela vez continuaram latindo. Achou estranho ouvir uma buzina, porque a vizinha nunca buzinava, a menos que precisasse de ajuda para apear algum presente terrível, como um leitão assado ou outra de suas obras de arte. Meche tinha ganhado fama com esculturas de mulheres gordas e nuas, algumas tão grandes e pesadas quanto um bom leitão. Victor tinha várias delas distribuídas pelos cantos da casa e outra no consultório, que servia para surpreender os pacientes e relaxar a tensão da primeira consulta.

Ficou de pé com certo esforço, resmungando, e aproximou-se da janela com as mãos na altura dos rins, um de seus pontos mais vulneráveis. Tinha as costas debilitadas pela claudicação que o obrigava a pôr mais peso na perna direita. A vareta com quatro pinos que lhe tinham colocado na coluna e sua inquebrantável decisão de manter boa postura haviam mitigado um pouco o problema, mas não resolvido. Aquela era outra boa razão para defender sua viuvez: a liberdade de falar sozinho, praguejar e queixar-se sem testemunhas dos mal-estares privados que ele jamais admitiria em público. Orgulho. Disso o haviam acusado com frequência a mulher e o filho, mas a determinação de se apresentar inteiro diante dos outros não era orgulho, e sim vaidade, truque mágico para se defender da decrepitude. Não bastava andar ereto e disfarçar o cansaço, ele também tomava cuidado com outros tantos sintomas da idade: avareza, desconfiança, mau humor, ressentimento e maus hábitos, como deixar de fazer a barba todo dia, repetir as mesmas piadas, falar de si mesmo, de doenças ou de dinheiro.

À luz amarelada das duas lâmpadas da entrada viu uma caminhonete parada diante de sua porta. Ao ouvir uma segunda buzinada, imaginou que o motorista tivesse medo dos cachorros e, da porta, os chamou com um assobio. Os cães obedeceram de má vontade, grunhindo.

— Quem é? — gritou Víctor.

— Sua filha. Por favor, segure os cachorros, doutor Dalmau.

A mulher não esperou que Víctor a convidasse a entrar. Passou com pressa diante dele, esquivando-se dos cães, temerosa. Os dois maiores a farejavam perto demais, e o pequeno, que parecia estar sempre com raiva, continuava rosnando com os dentes arreganhados. Víctor a seguiu surpreso e, sem pensar, ajudou-a a se livrar da jaqueta e a depositou sobre o banco do corredor. Ela se sacudiu como um animal molhado, comentando o dilúvio, e lhe estendeu a mão timidamente.

— Boa noite, doutor, sou Ingrid Schnake. Posso entrar?

— Já entrou, parece.

Na fraca iluminação das lâmpadas da sala e do fogo da lareira, Víctor examinou a intrusa. Vestia jeans desbotados, botas de homem e um suéter branco de lã, gola alta. Nem joias nem maquiagem visível. Não era uma mocinha, como ele supôs no começo, era uma mulher com rugas nos olhos, que enganava por ser magra, ter cabelos compridos e movimentos rápidos. Lembrava-lhe alguém.

— Desculpe vir assim de supetão e sem avisar. Moro longe, no Sul, e me perdi. Não conheço bem as ruas de Santiago. Não pensei que fosse chegar aqui tão tarde.

— Está bem. Em que posso ajudá-la?

— Que cheiro é esse, tão delicioso?

Víctor Dalmau preparou-se para botar no olho da rua aquela estranha que se atrevia a chegar à noite e entrar em sua casa sem ser convidada, mas a curiosidade foi mais forte que a irritação.

— Arroz com lula.

— Vejo que a mesa está posta. Estou interrompendo, posso voltar amanhã numa hora mais apropriada. Está esperando visita, não?

— A senhora, imagino. Como disse que se chama?

— Ingrid Schnake. O senhor não me conhece, mas eu sei muita coisa sobre o senhor. Faz algum tempo que o procuro.

— Gosta de vinho rosado?

— Gosto de qualquer cor. Receio que também vá precisar me convidar para provar um pouquinho desse arroz; estou sem comer nada desde o café da manhã. A quantidade vai dar?

— Dá e sobra para toda a vizinhança. Está pronto. Vamos para a mesa e me conte por que diabos uma menina tão bonita está me procurando.

— Já lhe disse, sou sua filha. E não sou nenhuma menina, tenho 52 anos bem vividos e...

— Meu único filho se chama Marcel — interrompeu-a Víctor.

— Acredite, doutor, não vim incomodá-lo, só queria conhecê-lo.

— Vamos nos acomodar, Ingrid. Pelo visto essa conversa vai ser comprida.

— Tenho muitas perguntas. Se importa se começarmos pela sua vida? Depois lhe conto a minha, se quiser...

No dia seguinte, Víctor acordou Marcel, telefonando-lhe pouco depois do amanhecer. "O fato é que de repente a família se multiplicou, filho. Você tem uma irmã, um cunhado e três sobrinhos. A sua irmã — ainda que, a bem da verdade, não seja exatamente irmã — se chama Ingrid. Ela vai ficar comigo alguns dias porque temos muita coisa para dizer um ao outro." Enquanto ele falava com Marcel, a mulher que se introduzira em sua casa no dia anterior dormia vestida e coberta com mantas, no arriado sofá da sala. Ele, que sempre fora propenso à insônia, era pouco afetado por uma noite em claro, e naquela madrugada se sentia mais desperto do que estivera desde a morte de Roser. A visitante, em compensação, estava extenuada depois de passar dez horas ouvindo a história de Víctor e contando a sua. Disse-lhe que sua mãe era Ofelia del Solar e, pelo que tinha entendido, ele era seu pai. Tinha demorado meses para descobri-lo e, não fosse a consciência pesada de uma velha, teria passado a vida sem saber de nada.

Assim, mais de meio século depois dos fatos, Víctor veio a saber que Ofelia engravidara na época em que se amaram. Por isso tinha desaparecido de sua vida, por isso a paixão se transformara em rancor, e ela rompera com ele sem uma explicação razoável. "Acho que se sentiu sem saída e sem futuro, por ter dado um mau passo. Pelo menos foi essa a explicação que ela me deu", disse-lhe Ingrid, e passou a lhe contar os detalhes de seu nascimento.

Diante da falta de cooperação por parte de Ofelia, o padre Vicente Urbina tomou nas próprias mãos o assunto da adoção. A única pessoa que participou do plano foi Laura del Solar, com a promessa de nunca o revelar; tratava-se de uma mentira piedosa e necessária, perdoada na confissão e aprovada no céu. A parteira, certa Orinda Naranjo, encarregou-se de cumprir as instruções do sacerdote e de manter Ofelia em estado de semiconsciência antes do parto e totalmente drogada durante e depois dele, e de subtrair o bebê com a cumplicidade da avó antes que alguém no convento fizesse perguntas. Quando Ofelia saiu do estupor, vários dias depois, explicaram-lhe que ela havia dado à luz um menino que morrera poucos minutos depois de nascer. "Era uma menina. Era eu", disse Ingrid a Víctor. Disseram-lhe que era menino como medida de precaução, para despistá-la e impedir que encontrasse a filha se num futuro hipotético chegasse a suspeitar do ocorrido. Dona Laura, que se prestara a enganar a filha com artimanhas, aceitou o resto da conspiração submissamente, inclusive a farsa do cemitério, onde puseram uma cruz para um pequeno ataúde vazio. A responsabilidade não era dela, o artífice era alguém muito mais preparado que ela, um sábio, um homem de Deus, o padre Urbina.

Nos anos seguintes, ao ver Ofelia bem casada, com dois filhos sadios e de boa conduta, levando existência pacata, dona Laura enterrou suas dúvidas no mais recôndito da memória. O padre Urbina comunicou-lhe logo no começo que a menina tinha sido adotada por um casal do Sul, católico, gente conhecida; era só isso que ele podia dizer. Depois, quando ela se atrevia a perguntar mais alguma coisa, ele lhe lembrava secamente que ela tinha de dar a neta por morta; a menina nunca tinha pertencido à sua família, embora tivesse seu sangue. Deus a entregara a outros pais. O casal que adotou a menina era descendente de alemães de ambos os lados: altos, sólidos, ruivos, de olhos celestes; moravam numa linda cidade fluvial de árvores e chuva a mais de oitocentos quilômetros de Santiago, mas disso a avó não soube. Ao perder a esperança de ter filhos próprios, esse casal Schnake recebera a recém-nascida entregue pelo sacerdote. Um ano depois, a mulher ficou grávida. Nos anos seguintes tiveram dois filhos de aspecto tão teutônico quanto eles. Entre eles, Ingrid, baixa, de cabelos e olhos escuros, se destacava como um erro genético. "Desde pequena me senti diferente, mas meus pais me mimaram terrivelmente e nunca me disseram que eu era adotiva. Mesmo agora, se toco no assunto da adoção, que toda a família já sabe, minha mãe começa a chorar", explicou Ingrid a Víctor.

Ao vê-la adormecida no sofá, ele pôde examiná-la à vontade. Não era a mesma mulher com quem tinha conversado horas antes; dormindo, parecia Ofelia na juventude, as mesmas feições delicadas, as covinhas infantis nas maçãs do rosto, o arco das sobrancelhas, a linha do cabelo com um V no meio da testa, a pele clara com matiz dourado, que no verão devia ser bronzeada. Só lhe faltavam os olhos azuis para ser quase igual à mãe. Quando ela chegou, Víctor achou que a conhecia, mas não percebeu a semelhança com Ofelia. Naquele momento em que estava relaxada, ele pôde ver a parecença física e apreciar também as diferenças de caráter. Ingrid nada tinha da coqueteria sem substância da Ofelia jovem que ele havia amado; era intensa, séria e formal, uma mulher da província, de um ambiente conservador e religioso, com uma vida sem altos e baixos até o momento em que soube suas origens e saiu em busca do pai. Víctor achou que Ingrid não tinha muito dele, nem o corpo alto e enxuto, nem o nariz aquilino, o cabelo liso, a expressão dura ou o caráter introvertido. Era uma mulher suave; achou que ela devia ser maternal e acomodada. Tentou imaginar como teria sido uma filha dele com Roser e lamentou que não a tivessem tido. Nos primeiros tempos não se consideravam realmente casados, estavam juntos temporariamente por um acordo de conveniência e, quando se deram conta de que estavam mais casados que ninguém, haviam-se passado vinte anos e era tarde demais para pensar em filhos. Ele demoraria a se acostumar a Ingrid porque até a noite anterior sua única família era Marcel. Imaginou que Ofelia del Solar estivesse tão surpresa quanto ele; para ela também aparecera na velhice uma filha inesperada. E ainda por cima Ingrid lhes dera três netos. Seu marido também era de origem alemã, como seus pais adotivos e como tanta gente nas províncias do Sul, colonizadas por alemães desde o século XIX, graças a uma lei de imigração seletiva. A ideia era ocupar o território com brancos de pura cepa que trouxessem disciplina e espírito de trabalho aos chilenos, que tinham fama de indolentes. Nas fotografias dos filhos que Ingrid lhe mostrara, apareciam um homem jovem e duas moças com aspecto de valquírias que Víctor foi incapaz de reconhecer como seus descendentes.

— O filho de Ingrid é casado, e a mulher dele está grávida. Logo vou ser bisavô — disse a Marcel por telefone.

— Eu sou tio dos filhos de Ingrid. Vou ser o que dessa criança que vai nascer?

— Acho que você seria algo como tio-avô.

— Que horror! Estou me sentindo velho. Não posso deixar de pensar na *àvia*. Lembra como ela queria que eu lhe desse bisnetos? Coitada, morreu sem saber que já os tinha. Uma neta e três bisnetos!

— Vamos precisar ir ver essas pessoas de outra raça, Marcel. São todos alemães. Além disso são direitistas e eram pinochetistas, então a gente vai ter de engolir a língua na frente deles.

— O que importa é que somos uma família, papai, não vamos brigar por política.

— Também preciso estabelecer alguma forma de comunicação regular com Ingrid e os netos. Caíram no meu colo como maçãs. Que complicação, talvez eu estivesse melhor antes, sozinho e tranquilo.

— Não fale bobagem, papai. Estou morrendo de curiosidade de conhecer minha irmã, mesmo sendo postiça.

Victor calculou que seria inevitável se encontrar com Ofelia, caso a família se reunisse. A ideia não lhe pareceu ruim: fazia tempo que estava curado da nostalgia por causa dela, mas sentia curiosidade de voltar a vê-la e corrigir a má impressão que tivera dela no Ateneo de Caracas onze anos antes. Oxalá tivesse a oportunidade de dizer que, graças a ela, ele tinha raízes fundamentais no Chile, raízes mais fortes do que jamais tivera na Espanha. Pareceu-lhe irônico estar aparentado dessa maneira com a família del Solar, a mesma que se opusera tenazmente à imigração dos espanhóis do *Winnipeg*. Ofelia lhe dera um imenso presente e lhe abrira o futuro; ele já não era um velho sem outra companhia senão a de seus animais, tinha vários descendentes chilenos, além de Marcel, que nunca tinha se considerado de outro lugar. Aquela mulher havia sido muito mais importante em sua vida do que ele imaginara. Nunca a entendera de verdade, ela era mais complicada e atormentada do que ele acreditava. Pensou nos quadros dela, tão estranhos, e imaginou que, ao se casar e optar por uma vida convencional, pela segurança do casamento e por seu lugar na sociedade, ela tinha renunciado a um aspecto essencial de sua alma, que talvez tivesse recuperado em parte na maturidade e na solidão. Mas então se lembrou daquilo que ela lhe havia contado sobre o marido, Matías Eyzaguirre, e adivinhou que aquela renúncia não tinha sido por preguiça ou frivolidade, mas por um amor especial.

Um ano antes, Ingrid Schnake havia recebido uma carta de uma desconhecida que garantia ser sua mãe. Aquilo não a surpreendeu de todo, uma vez que sempre tinha se sentido diferente do restante da família. Primeiro abordou os pais adotivos, que por fim admitiram a verdade, e depois se preparou para receber a visita de Ofelia e Felipe del Solar, que chegaram com uma velhinha vestida de luto fechado, Juana Nancucheo. Nenhum dos três duvidou que Ingrid fosse a filha perdida de Ofelia; a semelhança era evidente. A partir daí, Ofelia viu três vezes a filha, que a tratava com a cortesia indiferente de um parente distante, porque sua única mãe era Helga Schnake; aquela visitante com os dedos manchados de tinta e o vício de se queixar era uma estranha.

Ingrid estava consciente da semelhança física entre ambas e temia que os defeitos também fossem hereditários e, ao envelhecer, ficasse narcisista como Ofelia. Foi sabendo aos poucos da história de seu nascimento e só no terceiro encontro conseguiu descobrir o nome de seu pai. Ofelia havia enterrado o passado e evitava falar daquela época. Obedecera à ordem do padre Urbina de se calar e absteve-se a tal ponto de mencionar o menino sepultado no cemitério rural, que aquele episódio de sua juventude acabou perdido na névoa da omissão reiterada. Lembrou-se brevemente dele quando precisou enterrar o marido e quis cumprir a promessa que haviam feito juntos ao se casarem, de que um dia aquele menino descansaria com eles no Cemitério Católico de Santiago. Aquela teria sido a oportunidade de transladar seus restos mortais, mas o irmão Felipe a convenceu do contrário, dizendo que ela teria de dar explicações aos filhos e ao restante da família.

Quando a saúde de Laura del Solar se agravou, fazia anos que Ofelia vivia sozinha e pintava em sua casa de campo, enquanto o filho mais velho construía uma represa no Brasil e a filha trabalhava num museu de Buenos Aires. Dona Laura, prestes a completar um século de vida, havia tempo que delirava. Duas empregadas abnegadas revezavam-se para atendê-la dia e noite sob a estrita direção de Juana Nancucheo, que estava quase tão velha quanto ela, mas parecia quinze anos mais nova. A mulher tinha servido aquela família desde sempre e tencionava continuar servindo enquanto dona Laura precisasse. Seu dever era cuidar dela até o último suspiro. A patroa permanecia prostrada na cama entre almofadões de plumas e lençóis de linho bordados, com camisolas de seda importadas da França, rodeada dos objetos refinados que o marido comprara sem olhar gastos. Depois da morte de Isidro del Solar, dona Laura desprendeu-se da armadura de ferro que para ela tinha sido o casamento com aquele homem dominador e pôde dedicar-se àquilo que quis por algum tempo, até que a velhice a deixou inválida e a senilidade a impediu de continuar se comunicando com o fantasma de Leonardo, seu Bêbe, nas seções de espiritismo. Foi perdendo o juízo, confundia-se dentro de casa e, ao se olhar no espelho, perguntava alarmada quem era aquela velha feia que estava em seu banheiro, por que ela ia lá todos os dias amolar. Depois, parou de se levantar da cama, porque as pernas e os pés deformados pela artrite não a sustentavam. Reclusa em seu quarto, passava do pranto ao torpor prolongado, chamando o bebê com uma angústia e um terror inexplicáveis, que o médico procurava em vão paliar com drogas contra a depressão. A família toda, que a acompanhava nos dias da agonia, acreditou que ela sofria por causa da perda de Leonardo, seu filho menor, ocorrida muito tempo antes, como se tivesse acabado de acontecer.

Felipe del Solar, transformado em chefe do clã desde a morte do pai, chegara de Londres para se encarregar da situação, pagar contas e repartir os bens. Diziam que ele tinha um pacto com o demônio, porque aparentemente não envelhecia, desafiando assim seus próprios prognósticos de hipocondríaco. Tinha mil achaques antigos, e a cada semana descobria mais um. Até os cabelos lhe doíam, mas, por uma dessas injustiças da vida, nada disso se notava. Era um senhor distinto, arrancado de uma comédia inglesa, com colete, gravata borboleta e expressão de tédio. Atribuía seu bom aspecto ao nevoeiro de Londres, ao uísque escocês e ao fumo holandês do seu cachimbo. Trazia na pasta os documentos para a venda da casa da rua Mar del Plata, cujo terreno no coração da capital valia uma fortuna. Precisava esperar que a mãe morresse para finalizar os trâmites. Dona Laura, reduzida a pele e osso, continuou chamando o bebê até que lhe faltasse o ar, sem ter encontrado paz nos medicamentos e nas orações. Juana Nancucheo fechou-lhe a boca e os olhos, rezou por ela uma ave-maria e retirou-se arrastando os pés muito cansada. Às nove da manhã seguinte, enquanto a agência funerária preparava a casa para o velório, com o caixão na sala decorada com coroas de flores, velas, panos e fitas pretas, Felipe reuniu os irmãos para notificá-los da venda da propriedade. Depois chamou Juana à biblioteca para lhe dizer o mesmo.

— Vão demolir esta casa para construir um prédio de apartamentos, mas para você não vai faltar nada, Juana. Diga como e onde gostaria de morar.

— O que eu posso dizer, menino Felipe? Não tenho família, amigos nem conhecidos. Estou vendo que sou um estorvo. Vai me pôr num asilo, não é?

— Há algumas residências para idosos que são muito boas, Juana, mas não vou fazer nada que você não queira. Gostaria de morar com a Ofelia ou outra das minhas irmãs?

— Eu vou morrer daqui a um ano e para mim dá na mesma onde for. Morrer é morrer e pronto. Por fim a gente descansa.

— Minha pobre mãe não pensava assim.

— A dona Laura sofria de muita culpa, por isso tinha medo de morrer.

— Que culpa ia ter minha mãe, Juana, pelo amor de Deus!

— Era por isso que ela chorava.

— Estava demente e ficou obcecada com Leonardo — disse Felipe.

— Leonardo?

— Sim, o Bêbe.

— Não, menino Felipe, ela nem se lembrava do Bêbe. Estava chorando por causa do bebê da Ofelita.

— Não entendo, Juana.

— Lembra que ela ficou grávida quando era solteira? Então, acontece que aquele bebê não morreu, como disseram.

— Mas se eu vi o túmulo!

— Está vazio. Era uma menina. Quem levou embora foi aquela mulher, não me lembro como se chamava, a parteira. Quem me contou isso foi a dona Laura e era por isso que ela chorava, porque tinha seguido o conselho do padre Urbina e surrupiado a filha da Ofelita. Passou toda a vida com aquele engano por dentro, como se fosse coisa podre.

Felipe ficou tentado a atribuir aquela história macabra ao delírio da mãe ou à senilidade da própria Juana e descartá-la como absurda; também lhe ocorreu que, se fosse verdadeira, o melhor seria ignorá-la, porque contar aquilo a Ofelia seria uma crueldade desnecessária, mas Juana lhe comunicou que encontrar a menina tinha sido promessa feita a dona Laura, que assim poderia ir para o céu, caso contrário ficaria presa ao purgatório; e promessa feita a moribundo é sagrada. Então ele entendeu que não haveria forma de silenciar Juana e que precisava tomar as rédeas da situação antes que Ofelia e o restante da família ficassem sabendo. Prometeu a Juana que ia investigar e a manteria informada. "Vamos começar pelo padre, menino Felipe. Eu vou junto." Felipe não conseguiu se livrar dela. A cumplicidade que haviam mantido durante oitenta anos e a certeza de que ela podia ler as intenções dele o obrigaram a agir.

Na época, Vicente Urbina estava aposentado de suas funções e morava numa residência para sacerdotes idosos, sob os cuidados de freiras. Foi fácil encontrá-lo e conseguir uma entrevista; ele estava lúcido e lembrava-se muito bem de seus antigos paroquianos, especialmente dos del Solar. Recebeu Felipe e Juana desculpando-se por não ter conseguido dar pessoalmente a extrema-unção a dona Laura, porque tinha sido operado dos intestinos, e a convalescença estava se prolongando demais. Sem muitos rodeios, Felipe repetiu o que Juana lhe contara. Com sua experiência de advogado, ia preparado para um interrogatório difícil, para pôr o prelado contra a parede e obrigá-lo a confessar, mas nada disso foi necessário.

— Fiz o que era melhor para a família. Sempre fui muito cuidadoso na escolha dos pais adotivos. Todos eram católicos observantes — disse Urbina.

— Quer dizer que Ofelia não foi o único caso?

— Houve muitas moças como Ofelia, mas nenhuma tão teimosa. Em geral estavam de acordo em se desapegar da criatura. O que mais podiam fazer?

— Ou seja, não precisou enganá-las para lhes roubar o recém-nascido.

— Não permito que me ofenda, Felipe! Eram meninas de boa família. Meu dever era protegê-las e evitar o escândalo.

— O escândalo é que o senhor, amparado pela Igreja, cometeu um crime, ou melhor, muitos crimes. Isso se castiga com a prisão. O senhor não tem idade para arcar com as consequências, mas exijo que me diga a quem deu a menina de Ofelia. Vou chegar até o fundo desse caso.

Vicente Urbina não fizera registro dos casais beneficiados nem das crianças, encarregava-se pessoalmente da transação. A parteira Orinda Naranjo só atendia os partos e, além do mais, fazia anos que tinha morrido. Então Juana Nancucheo interveio para dizer que, segundo dona Laura, a menina tinha ido para uns alemães do Sul. Aquilo escapara do padre Urbina em certa ocasião, e a avó não se esquecera.

— Alemães, você diz? Devem ser uns de Valdivia — murmurou o bispo.

Do nome ele não se lembrava, mas tinha certeza de que a menina recebera um lar decente e que nada lhe tinha faltado; era gente que vivia com largueza. Por esse comentário Felipe deduziu que naquelas transações o dinheiro passava de mão em mão. Em outras palavras, o monsenhor vendia crianças. Então desistiu da tentativa de arrancar mais informações, para se concentrar na pista das doações recebidas pela Igreja por meio de Vicente Urbina naquela época. Seria difícil ter acesso a essa contabilidade, mas não impossível. Era preciso empregar a pessoa certa. Ele imaginava que o dinheiro sempre deixa rastro em seu trajeto pelo mundo, e não estava enganado. Teve de esperar oito meses até obter finalmente a informação que procurava. Passou esse tempo em Londres, fustigado de longe pelas missivas de duas linhas em cartões postais, salpicadas de horrores gramaticais e ortográficos, que eram enviadas por Juana Nancucheo para lembrá-lo de sua responsabilidade. A velha as escrevia dificultosamente e as enviava às escondidas porque prometera guardar segredo até Felipe resolver o assunto. Ele lhe repetia que era preciso ter paciência, mas ela não podia se dar a esse luxo, pois contava os dias que lhe restavam neste mundo e, antes de ir embora, precisava encontrar a menina perdida e tirar dona Laura do purgatório. Felipe lhe perguntou como ela sabia a data exata de sua morte, e ela respondeu simplesmente que estava marcada num círculo vermelho no calendário da cozinha. Juana estava morando na casa de Ofelia, ociosa pela primeira vez e preparando seu funeral.

A correspondência de uma sexta-feira de dezembro trouxe a Felipe a informação das doações recebidas pelo padre Vicente Urbina em 1942. A única que lhe chamou a atenção correspondia a Walter e Helga Schnake, donos de uma fábrica de móveis que, segundo o seu investigador, havia prosperado muito e tinha filiais em várias cidades do Sul, administradas pelos filhos e pelo genro. Tal como dissera Urbina, era uma família endinheirada. Chegara a hora de viajar de novo para o Chile e encarar Ofelia.

Felipe encontrou a irmã misturando tintas no ateliê, galpão gelado com cheiro de terebintina e ornado de teias de aranha. Estava mais gorda e andrajosa, com uma juba de cabelos brancos sujos e um colete ortopédico por causa da dor das costas. Juana, sentada num canto, de casaco, luvas e gorro de lã, era a mesma de sempre. "Não dá para notar que você vai morrer", cumprimentou-a Felipe com um beijo na testa. Ele tinha preparado cuidadosamente as palavras mais compassivas para contar à irmã que ela tinha uma filha, mas os rodeios foram desnecessários, porque ela reagiu apenas com vaga curiosidade, como se se tratasse de uma história alheia. "Suponho que você queira conhecê-la", disse Felipe. Ela lhe explicou que seria preciso esperar um pouco, porque estava envolvida no projeto de um mural. Juana interveio para dizer que nesse caso iria ela, porque precisava vê-la com seus próprios olhos para poder morrer em paz. Foram os três.

Juana Nancucheo viu Ingrid uma única vez. Tranquilizada com aquela única visita, comunicou-se com dona Laura como fazia todas as noites entre duas orações, para lhe explicar que sua neta tinha sido encontrada, sua culpa estava expiada, e ela já podia cuidar dos trâmites da transferência para o céu. A ela mesma restavam 24 dias no calendário. Deitou-se em sua cama, rodeada de seus santos de cabeceira e das fotografias de seus entes queridos, todos da família del Solar, e preparou-se para morrer de fome. Não voltou a comer nem a beber, só aceitava um pouco de gelo para umedecer a boca seca. Foi-se sem aflição nem dor, vários dias antes do previsto. "Estava com pressa", disse Felipe, desolado e órfão. Ele jogou fora o caixão de pinho ordinário que Juana tinha comprado e guardado de pé num canto do quarto e mandou sepultá-la com missa cantada e ataúde de nogueira com tachões de bronze no mausoléu dos del Solar, junto aos pais dele.

No terceiro dia, finalmente o temporal amainou, o sol saiu, desafiando o inverno, e os álamos que protegiam como sentinelas a propriedade de Víctor Dalmau amanheceram recém-lavados. A neve cobria a cordilheira e refletia a cor violeta do céu limpo. Os dois cachorros grandes puderam sacudir a modorra da reclusão, ir farejar pelo jardim molhado e espojar-se à vontade na lama, mas o pequeno, que em anos caninos era tão velho quanto o dono, ficou deitado junto à lareira. Ingrid Schnake tinha passado aqueles dias com Víctor não tanto por causa do temporal, pois estava acostumada à chuva de sua província do Sul, mas para dar tempo àquele primeiro encontro em que estavam se conhecendo. Ela o planejara cuidadosamente durante meses e dissera com firmeza ao marido e aos filhos que não a acompanhassem. "Era uma coisa que eu precisava fazer sozinha, entende? Foi bem difícil para mim, porque é a primeira vez que viajo só e não sabia como o senhor ia me receber", disse a Víctor. Diferentemente do que ocorrera com a mãe, com quem não conseguira transpor a distância de mais de cinquenta anos de ausência, Víctor e ela tornaram-se amigos facilmente, ficando claro que ele nunca poderia competir em afeto com Walter Schnake, seu adorado pai adotivo, o único pai que ela reconhecia. "Ele está muito velhinho, Víctor, vai morrer a qualquer momento", contou-lhe.

Ingrid e Víctor descobriram que os dois tocavam violão por necessidade de consolo, que torciam pelo mesmo time de futebol, liam romances de espionagem e eram capazes de recitar de cor vários versos de Neruda, ela, os de amor, ele, os de sangue. Não era a única coisa que tinham em comum: também comungavam a tendência à melancolia, que ele mantinha sob controle atordoando-se com o trabalho, e ela, com antidepressivos e refugiando-se na segurança inalterável de sua família. Víctor lamentou que aquele traço fosse hereditário e que, por outro lado, a filha não tivesse herdado o espírito artístico e os olhos cerúleos de Ofelia. "Quando fico deprimida, é o carinho o que mais me ajuda", disse Ingrid, e acrescentou que carinho nunca lhe faltara: ela era a predileta dos pais, paparicada pelos irmãos mais novos e estava casada com um colosso cor de mel, capaz de levantá-la com um braço e dar-lhe o amor tranquilo de um canzarrão. Por sua vez, Víctor lhe contou que a ele também o carinho de Roser tinha sido de grande ajuda para defender-se daquela tristeza insidiosa que o seguia como um inimigo e às vezes o assaltava com sua carga de más recordações. Sem Roser estava perdido, apagara-se o fogo interior e em lugar deste estavam as cinzas de um pesar que se arrastava havia três anos. Surpreendeu-se com sua própria confissão, feita com voz embargada, porque nunca havia mencionado aquele oco frio no peito, nem diante de Marcel. Sentia que até sua alma estava se encolhendo. Acomodara-se em manias de velho, no silêncio mineral, na solidão de viúvo. Fora renunciando aos poucos amigos que tinha, já não procurava parceiros para o xadrez ou para tocar violão. Estavam terminados os churrascos dominicais de outrora. Ele continuava trabalhando, o que o obrigava a conectar-se com os pacientes e com os estudantes, mas fazia tudo com uma distância intransponível, como se os visse numa tela. Nos anos que passara na Venezuela, acreditava ter superado definitivamente a sisudez que fora parte essencial de seu caráter desde jovem, como se estivesse de luto pelo sofrimento, pela violência e pela maldade do mundo. A felicidade lhe parecia obscena diante de tanta calamidade. Na Venezuela, país verde e cálido, apaixonado por Roser, vencera a tentação de cobrir-se de tristeza, que não era um manto de dignidade, e sim de desprezo pela vida, como ela repetia. Mas a sisudez voltara com sanha; sem Roser ele estava secando. Só se comovia com Marcel e com seus bichos.

— A tristeza, minha inimiga, vai ganhando terreno, Ingrid. Nesse ritmo, nos anos que me restam, vou acabar transformado em ermitão.

— Isso seria como morrer em vida, Víctor. Faça como eu, não espere essa inimiga para se defender, saia ao encontro dela. Demorei anos para aprender isso em terapia.

— Que motivos de tristeza você poderia ter, menina?

— É o que meu marido me pergunta. Não sei, Víctor, imagino que não é preciso ter motivos, é uma coisa de caráter.

— É muito difícil mudar o caráter. Para mim é tarde, não me resta outro remédio a não ser me aceitar como sou. Tenho oitenta anos, que fiz no dia em que você chegou, e essa é a idade da memória, Ingrid. É a idade de fazer um inventário da vida — respondeu ele.

— Desculpe se pareço intrometida, mas poderia me contar o que há no seu inventário?

— Minha vida foi uma série de navegações. Fui estrangeiro sem saber que tinha raízes profundas... Também meu espírito navegou, mas me parece inútil fazer essas reflexões agora; devia tê-las feito muito antes.

— Acho que ninguém medita sobre a vida na juventude, Víctor, e a maioria das pessoas nunca medita. A meus pais, que têm mais de noventa anos, isso nunca ocorreria. Vivem e pronto, dia a dia, contentes.

— É uma pena que esse tipo de inventário seja feito na velhice, Ingrid, quando já não há tempo para endireitar as coisas.

— Não se pode mudar o passado, mas talvez seja possível ir eliminando as piores recordações.

— Olhe, Ingrid, os acontecimentos mais importantes, os que determinam o destino, quase sempre escapam por completo ao nosso controle. No meu caso, fazendo o balanço, vejo que minha vida foi marcada pela Guerra Civil na juventude e depois pelo golpe militar, pelos campos de concentração e pelos exílios. Não escolhi nada disso, simplesmente me aconteceu.

— Mas haverá outras coisas que escolheu, como a medicina, por exemplo.

— É verdade, isso me deu muitas satisfações. Sabe o que mais agradeço? O amor. Ele me marcou mais do que qualquer coisa. Tive uma sorte tremenda com Roser. Ela sempre será o amor da minha vida. Por causa dela tenho Marcel. A paternidade também foi essencial para mim, permitiu-me manter a fé no melhor da condição humana, que sem Marcel estaria pulverizada. Vi crueldade demais, Ingrid, sei do que somos capazes, nós homens. Também amei bastante sua mãe, embora não tenha durado muito.

— Por quê? O que aconteceu exatamente?

— Eram outros tempos. O Chile e o mundo mudaram muito nesse meio século. Ofelia e eu estávamos separados por um abismo social e econômico.

— Se se gostavam tanto, deveriam ter arriscado...

— Ela me propôs em algum momento fugirmos para um país tropical e vivermos nosso amor debaixo de umas palmeiras. Imagine! Naquela época Ofelia estava apaixonada e tinha espírito de aventura, mas eu estava casado com Roser, não podia oferecer-lhe nada e sabia que, se ela fugisse comigo, se arrependeria em menos de uma semana. Foi covardia de minha parte? Isso eu me perguntei muitas vezes. Acho que foi falta de sensibilidade: não medi as consequências da relação com Ofelia, causei-lhe muito mal, sem intenção. Nunca soube que ela tinha engravidado, e ela nunca soube que tinha dado à luz uma menina que estava viva. Se tivéssemos ficado sabendo, a história seria diferente. Mas não há proveito em revolver o passado, Ingrid. Em todo caso, você é filha do amor, nunca duvide disso.

— Oitenta anos é uma idade perfeita, Víctor. Você já cumpriu de sobra suas obrigações, pode fazer o que quiser.

— Como o quê, menina? — sorriu Víctor.

— Fazer uma viagem de aventura, por exemplo. Eu gostaria de ir a um safári na África. Faz anos que sonho com isso, e um dia, quando convencer meu marido, iremos. Você poderia se apaixonar de novo, não tem nada para perder e seria divertido, não é?

Víctor teve a impressão de que estava ouvindo Roser em seus momentos finais, quando ela lhe lembrava que nós, humanos, somos criaturas gregárias, que não somos programados para a solidão, mas para dar e receber. Por isso insistia para que ele não se conformasse com a viuvez e até havia escolhido uma noiva para ele. Pensou com súbita ternura em Meche, a vizinha de coração aberto que lhe presenteou a gata, a que lhe trazia tomates e ervas de sua horta, a mulher miúda que esculpia ninfas gordas. Decidiu que, assim que sua filha fosse embora, levaria a Meche as sobras do seu *arròs negre* com lulas e de sua *crema catalana*. Novas navegações, pensou. E assim até o final.

Agradecimentos

Foi na infância que ouvi falar pela primeira vez do *Winnipeg*, navio da esperança, na casa do meu avô. Muito depois, ouvi de novo esse nome evocador numa conversa com Víctor Pey na Venezuela, onde nós dois estávamos exilados. Naquele tempo, eu não era escritora nem imaginava que viria a sê-lo, mas a história daquele navio e de sua carga de refugiados ficou fixada em minha memória. Recentemente, quarenta anos depois, pude contá-la.

Este é um romance, mas os fatos e as pessoas que pertencem à história são reais. As personagens são fictícias e inspiradas em gente que conheci. Precisei imaginar pouquíssimo, porque, ao fazer a investigação exaustiva, que sempre faço para cada livro, deparei com material de sobra. Este livro se escreveu sozinho, como se me fosse ditado. Por isso, agradeço de todo o coração a:

Víctor Pey, que morreu aos 103 anos, com quem mantive intensa correspondência para afinar os detalhes, e ao doutor Arturo Jirón, meu amigo do exílio.

Pablo Neruda, por levar os espanhóis refugiados para o Chile e por sua poesia, que sempre me acompanhou.

Meu filho Nicolás Frías, que fez a primeira leitura cuidadosa, e a meu irmão Juan Allende, que corrigiu o manuscrito página por página várias vezes e me ajudou na investigação da época que esta história abarca, de 1936 até 1994.

Minhas editoras Johanna Castillo e Nuria Tey.

Minha leal pesquisadora, Sarah Hillesheim.

Meus agentes Lluís Miguel Palomares, Gloria Gutiérrez e Maribel Luque.

Alfonso Bolado, que revisou atentamente meus manuscritos por puro carinho, porque já está aposentado e me obriga a esforçar-me mais.

Jorge Manzanilla, o impecável (e, segundo ele, charmoso) leitor que corrige meus deslizes, porque, depois de quarenta anos vivendo em inglês, cometo horrores gramaticais e de outros tipos.

Adam Hochschild, por seu extraordinário livro *Spain in our Heart*, e meia centena de outros autores cujos livros me serviram na investigação histórica.

Este livro foi composto na tipografia
Minion Pro, em corpo 11/16, e impresso
em papel off-white no Sistema Cameron da
Divisão Gráfica da Distribuidora Record.